Van See
Siirt
Tigris
Urmia
Urmia See
Nusaybin
Qamishli
Zahko
Duhok
Mor Mattai
Mossul
Ankawa
Arbil
Karakosch
Sindschar
Khabur
IRAK
Kirkuk
Tigris
IRAN
Euphrat
Bagdad
Seleukia-Ktesiphon
Nadschaf

Die letzten Christen

Flucht und Vertreibung aus dem Nahen Osten

Sämtliche Dialoge und Geschichten sind authentisch. Zum Schutz der betroffenen Personen wurden allerdings Namen, Ortsangaben und Zusammenhänge verändert.

Weihnachten 2016
von Deiner Mami
und Papa

ANDREAS KNAPP

DIE LETZTEN CHRISTEN

FLUCHT UND VERTREIBUNG AUS DEM NAHEN OSTEN

adeo

INHALT

Sie kamen aus den Steinbrüchen. Nach langen Jahren härtester Zwangsarbeit durften sie nach dem Tod des römischen Kaisers Diokletian wieder in ihre Heimat zurück. Die Christen der Stadt Rom zogen ihren Glaubensbrüdern auf der Via Appia entgegen. Sie beugten sich vor den ausgemergelten Körpern der Zwangsarbeiter und küssten ihnen die schwieligen und zerfurchten Hände: Denn mit diesen Händen hatten sie für ihren Glauben an Jesus Christus Zeugnis abgelegt.

Den Stummen eine Stimme geben

Die Christen im Nahen Osten waren über lange Zeit zum Schweigen verurteilt. Seit Jahrhunderten leiden sie unter Diskriminierungen durch eine muslimisch geprägte Gesellschaft und waren als Minderheit gezwungen, Unrecht stillschweigend hinzunehmen und unscheinbar im Schatten zu leben. Selbst mir als Priester und Theologen war die bewegende Geschichte der Christen in Syrien und im Irak lange Zeit unbekannt.

Wenn sie nun als Geflüchtete nach Deutschland kommen, müssen sie wieder schweigen: Denn noch sprechen sie unsere Sprache nicht. Und manchmal müssen die Christen in Flüchtlingsunterkünften ihre Identität verleugnen, weil sie sonst erneut Angriffen radikaler Muslime ausgesetzt wären.

Vor zwei Jahren lernte ich Christen aus dem Nahen Osten kennen, die jetzt in meiner Nachbarschaft in Leipzig-Grünau wohnen. Sie haben mir ihre Geschichten erzählt und diese haben mich so berührt, dass ich sie aufschreiben musste und weitergeben will. Vielleicht entsprechen sie nicht der „political correctness", aber sie sind authentisch und damit korrekt. Es gibt eine „Autorität der Opfer", die nicht wegzudiskutieren ist. Meine emotionale Nähe zu den Opfern von Verfolgung und Vertreibung lässt mich manchmal auch Ohnmacht, Trauer oder Empörung empfinden. Zugleich weiß ich, dass die Erfahrungen der Christen aus dem Irak und aus Syrien nur einen Mosaikstein im großen Bild der Weltgeschichte darstellen. Ihre Sichtweise etwa des Islam könnte durch viele andere und sehr unterschiedliche Perspektiven ergänzt werden. Und doch möchte ich mein Augenmerk auf diesen kleinen Mosaikstein richten – gerade weil er so oft verschwiegen und vergessen worden ist. Nur wenn wir uns auch an die Geschichte und Geschichten der Christen aus dem Orient erinnern, werden wir der – immer komplexen – Wirklichkeit ein wenig gerechter. Und nur wenn wir Solidarität üben mit den Opfern der verschiedensten Formen von Gewalt, kommen wir einem dauerhaften Frieden einen Schritt näher.

Ich danke dem Leiter des adeo Verlags Stefan Wiesner, Dorothea Bühler (Lektorat) und Gudrun Webel (Verlags-Assistentin) für die vertrauensvolle Zusammenarbeit. Mein besonderer Dank gilt Melanie Wolfers und Michael Lück für den kritischen Blick und viele hilfreiche Hinweise. Den Christinnen und Christen aus Syrien und dem Irak, die mir ihre Geschichten anvertraut haben, bleibe ich zu großem Dank verpflichtet.

Ihnen und allen Christen im Nahen Osten, die um ihres Glaubens willen verfolgt oder ermordet wurden, sei dieses Buch gewidmet.

1. Dem Tod ins Auge sehen

Die hohen Zäune aus Stacheldraht glitzern im gelblichen Flutlicht. Die Sicherheitsmaßnahmen am Flughafen von Arbil wirken beängstigend und mir wird bewusst, wie explosiv die Situation hier ist. Glücklicherweise herrscht derzeit im autonomen Kurdengebiet Ruhe; es könnte aber auch die Ruhe vor dem Sturm sein.

Ein Blick aufs Handy: Es ist Samstag, 7. November 2015, drei Uhr morgens. Nach zahlreichen Schleusen stehe ich endlich vor dem Flughafengebäude. Ich reibe mir die Augen. Nicht nur, weil ich mir gerade eine Nacht um die Ohren schlage. Sondern weil mir noch vor drei Tagen nicht im Traum eingefallen wäre, in den Norden des Irak zu fahren. Und jetzt schaue ich in eine dunkle Landschaft hinaus, die von Stacheldraht und Lichterketten durchzogen ist. Was um Himmels willen hat mich hierhergeführt?

In der Ferne ein Wetterleuchten. Das dumpfe Grollen erinnert an Geschützdonner. Die Front zwischen dem autonomen Kurdengebiet im Norden des Irak und den Kämpfern des sogenannten Islamischen Staates (IS) verläuft unweit von hier. Seit Herbst 2015 rückt die kurdische Peschmerga vor, um der IS-Miliz die Stadt Sindschar wieder zu entreißen. Peschmerga heißt: „die dem Tod ins Auge sehen".

Das habe ich nicht unbedingt vor. An einer Totenfeier möchte ich allerdings teilnehmen. Neben mir steht mein Freund Yousif, dessen Vater vor drei Tagen verstorben ist. Er fährt sich mit der rechten Hand über den Kopf und ich höre das Knistern der kurz geschnittenen schwarzen Haare.

„Wo bleibt denn nur mein Bruder? Diese verdammten Checkpoints …", brummt er ungeduldig. Auch ich trete von einem Bein auf das andere. Es ist nicht kalt, aber ich bin ziemlich nervös. Über uns ein merkwürdiges Krächzen. Ich schaue nach oben, kann jedoch im milchigen Zwielicht von Nachthimmel und künstlicher Beleuchtung nichts erkennen. Yousif folgt meinem Blick und erklärt: „Das sind Vögel." Welche Art von Vögeln ziehen hier durch die Nacht? Und warum bin *ich* hierhergeflogen – in ein Land, das zu betreten das Auswärtige Amt warnt und für das man kein Touristenvisum bekommen kann? Alles kommt mir so unwirklich vor in diesen zu frühen Morgenstunden.

Heute findet die Totenfeier für Abu Yousif statt. Was hätte Yousif darum gegeben, seinen Vater noch einmal lebend zu sehen! Vor zwei Jahren musste er den an Knochenkrebs schwer erkrankten Vater in Mossul im Rollstuhl zurücklassen, um das Leben seiner eigenen Frau und der beiden Kinder in Sicherheit zu bringen. Immer wieder äußerte er den Wunsch: „Ich möchte meinen Vater noch einmal sehen, bevor er stirbt." Einmal fragte er sogar: „Kommst du mit in den Irak?" – wie man halt so fragt. Und ich antwortete: „Warum denn nicht? Ich komme mit!" – wie man halt so sagt. Doch jetzt ist aus den Floskeln Ernst geworden. Und das ging ganz schnell.

Yousif hatte am vergangenen Montag bei der Ausländerbehörde von Leipzig einen Reisepass beantragt, um seinen todkranken Vater im Irak zu besuchen. Er plante, zu Beginn des neuen Jahres 2016 zu fliegen. Am letzten Mittwochnachmittag zeigte mir ein kurzes Vibrieren in der Hosentasche den Eingang einer SMS an: „Mein Vater ist gestorben." Yousif wohnt nur einen Block weiter in unserer Plattenbausiedlung am Stadtrand von Leipzig. Ich ging sofort zu ihm.

Sein Sohn Amanuel, zwölf Jahre alt, öffnete die Wohnungstür. Neben ihm Shaba, die um zwei Jahre jüngere Schwester.

„Euer Opa ist gestorben. Mein herzliches Beileid!"

Die beiden schauten mich entgeistert an.

Yousif erschien im Flur. Er hatte meine Worte gehört und hob die buschigen Augenbrauen.

„Ich habe es den Kindern noch nicht gesagt."

„Oh nein!", entfuhr es mir. Und ich legte mir die Hände vors Gesicht. „Das tut mir leid …"

„Schon in Ordnung", fuhr Yousif fort, legte seine Arme um die beiden Kinder und wiederholte: „Euer Opa ist gestorben."

Jetzt kam auch Tara, Yousifs bildhübsche Frau, aus der Küche und alle weinten. Mir stiegen ebenfalls Tränen in die Augen, auch aus Scham über mein Missgeschick.

Wir setzten uns ins Wohnzimmer. Yousif machte sich Vorwürfe: „Warum bin ich nicht früher geflogen …"

Ich beruhigte ihn: „Du hast alles versucht! Letzten Montag hast du deinen Reisepass beantragt! Niemand konnte ahnen, dass dein Vater so schnell stirbt."

Yousif schaute auf: „Mein Vater ist jetzt im Himmel!"

Dann ging plötzlich ein Ruck durch seinen Körper und er stand auf.

„Ich versuche, am nächsten Dienstag zu fliegen. Am Montag habe ich noch einen wichtigen Termin im Jobcenter. Es geht um meinen ersten Arbeitsvertrag in Deutschland."

Blitzschnell entscheide ich mich: „Am Dienstag also … Wenn es geht, komme ich mit!"

Wieder daheim klicke ich mich noch spätnachts im Internet durch die Homepage von Botschaft und Konsulat des Irak. Ein Touristenvisum gibt es nicht. Höchstens ein Geschäftsvisum, das vom Innenministerium in Bagdad genehmigt werden muss. Ich gehe mit einer Mischung aus Enttäuschung und Erleichterung zu Bett. Eine Reise in den Irak: klappt halt nicht.

Am nächsten Morgen rufe ich sicherheitshalber bei der Botschaft an. Keine Chance für ein Visum. Ohne mir große Hoffnungen zu machen, nur um des Gefühles willen, dass ich nichts unversucht gelassen habe, rufe ich auch noch beim Generalkonsulat des Irak an. Dort eine überraschende Information: Wenn ich nur in die „Autonome Region Kurdistan" reisen will, sollte ich es unter einer bestimmten Telefonnummer versuchen, die man mir durchgibt. Klappt also doch!

Yousif meldet sich am Telefon. Der Termin wegen des Jobs wurde aufgrund einer Erkrankung bis auf weiteres verschoben. Er will nun schon am Samstag fliegen; dann könnte er am Sonntag an der

Trauerfeier für seinen Vater teilnehmen. Er war schon bei der Ausländerbehörde: Er könne morgen seinen Pass abholen. Wird hoffentlich klappen.

Am Freitagmorgen ruft Yousif von der Ausländerbehörde aus an. Dort wurde ihm soeben sein Reisepass ausgehändigt. Hat geklappt.

Ich muss dringend los, denn freitags habe ich immer Dienst im Gefängnis. Wir brauchen aber noch Flugtickets. Übers Internet geht das ganz schnell. Doch weder Yousif noch ich besitzen eine VISA-Card. Ich rufe bei Stefan Wiesner vom adeo Verlag an. Wir hatten vor kurzem über ein Buchprojekt zum Thema „Flüchtlinge" gesprochen und ich hatte auch die Idee erwähnt, Yousif im nächsten Jahr in den Irak zu begleiten. „Ich möchte morgen nach Kurdistan fliegen. Können Sie mir helfen?"

Herr Wiesner und die Verlags-Assistentin Gudrun Webel kümmern sich. Klappt super.

Ich bin den ganzen Tag über im Gefängnis. Am Abend nehme ich noch an einem Gesprächskreis in der Katholischen Studentengemeinde teil. Dort kann ich auch ins Internet. Die Tickets sind abrufbereit. Ich will sie ausdrucken: Klappt allerdings nicht.

Glücklicherweise findet sich eine Studentin, die am PC oberfit ist. Klappt doch noch!

Um 21 Uhr komme ich nach Hause. Ich hänge mich ans Telefon, um ein paar Termine abzusagen. Ich hätte auch noch einige Gespräche im Gefängnis zu führen, wo ich als Seelsorger arbeite. Dort jedoch läuft mir niemand davon. Ich bitte meinen evangelischen Kollegen, den Gefangenen die neuen Termine mitzuteilen. Wird schon klappen.

22 Uhr: Ich packe meinen kleinen Rucksack und stecke mir als Reiselektüre ein Buch über die Christen im Irak ein, das ich schon lange lesen wollte. Dann rufe ich Yousif an: Wir treffen uns morgen kurz vor sechs an der S-Bahn-Station. Wenn jetzt die Bahn nicht streikt, dann müsste eigentlich alles klappen.

Mir kommen die letzten drei Tage so unwirklich vor. Fast traumwandlerisch habe ich diese Reise organisiert – oder besser: Diese Fahrt hat sich wie von selbst organisiert. Und jetzt stehe ich auf kurdischem Boden. Ich trete fest auf: Nein, ich träume nicht!

Es ist inzwischen vier Uhr morgens und ich laufe mit meinem irakischen Freund vor dem Flughafengebäude von Arbil auf und ab. Yousif zündet sich eine Zigarette an und seufzt. Ich versuche in seinem breiten Gesicht zu lesen: Was mag in ihm vorgehen? Vor zwei Jahren ist er aus dem Irak geflüchtet, um dem Tod zu entgehen. Und heute kehrt er zurück, um dem toten Vater die letzte Ehre zu erweisen.

Immer noch stehen wir und starren in die Ferne, wo ab und zu Autoscheinwerfer auftauchen. Ein Taxi heult heran und schluckt zwei Männer, die mit uns im Flugzeug waren. Jetzt warten nur noch Yousif und ich am verschlafenen Provinzflughafen von Arbil. Der große Parkplatz gegenüber gähnt vor Leere.

Endlich wieder zwei Scheinwerferkegel, die auf uns zurasen. Ein uralter Opel Astra bremst scharf und kommt direkt am Bordstein vor uns zum Stehen. Ein kräftiger und leicht untersetzter Mann mit struppigem Haar steigt aus. Yousif läuft ihm entgegen und schließt ihn wortlos in seine muskulösen Arme. Immer noch schweigend lösen sich die beiden wieder aus der Umarmung. Was soll man auch sagen, wenn es für so vieles kaum Worte gibt: Angst und Ohnmacht, Flucht und Vertreibung, der Verlust von Vaterhaus und Vater.

Ich werfe meinen kleinen Rucksack in den Kofferraum; jetzt begrüßt mich Basman mit einem kräftigen Händedruck. Wir passieren einen Checkpoint, an dem uniformierte junge Männer schwer bewaffnet herumlungern. Mit einer müden Handbewegung winken sie uns durch. Noch zwei Checkpoints und bald erreichen wir Ankawa, einen Vorort von Arbil, der vor allem von Christen bewohnt wird. Hier im autonomen Kurdengebiet leben Christen relativ sicher. Zumindest vorläufig. Wir biegen in eine nur schwach beleuchtete Straße ein, die uns in eine Wohnsiedlung führt: Haus an Haus, alles im gleichen Stil.

Der Wagen hält vor einer Mauer, an der ein großes schwarzes Plakat hängt. In der Mitte leuchtet ein weißes Kreuz, um das herum sich ebenfalls weiße arabische Schriftzüge schlängeln. Yousif erklärt: „Die Todesanzeige für meinen Vater!"

Wir steigen auf einer rostigen Eisentreppe, die bei jedem Schritt metallisch klappert, in die erste Etage hinauf. Welch ein Wiedersehen: Morgens um halb fünf steht Yousifs Mutter Taghrid auf dem Balkon, der als Eingang ins Obergeschoss dient, und bricht laut in Tränen aus. Lange liegen sich Taghrid und Yousif in den Armen. Nach seiner gefährlichen Flucht ins Unbekannte vor zwei Jahren jetzt das Wiedersehen – doch ohne den Vater, der vor drei Tagen gestorben ist. Und kein Wiedersehen in der Heimat, sondern im Exil. Nicht in vertrauter Umgebung, sondern in einer fremden Stadt. Nicht im weiträumigen Elternhaus, sondern in einer winzigen Mietwohnung.

Yousif stammt aus Mossul und durch den Familienbetrieb einer Schlosserei hatte es sein Vater Abu Yousif zu einem gewissen Wohlstand gebracht: Sie besaßen ein großes Haus mit Garten, in dem sich Abu Yousif, der aufgrund seiner Erkrankung seit Jahren im Rollstuhl saß, gerne aufhielt. Doch dann hatte der sogenannte Islamische Staat vor anderthalb Jahren die zweitgrößte Stadt des Irak besetzt. Yousif und seine Angehörigen sind Christen. Und für Christen gibt es unter dem schwarzen Banner des IS keinen Platz.

So blieb ihnen nur die Flucht mit dem Allernötigsten. Seither lebt die Familie in dieser überbelegten Mietwohnung in Arbil.

Die Wände wirken kahl und traurig; nur an einer hängt ein Rosenkranz, aufgespannt zwischen zwei Nägeln. Wir setzen uns auf Sofas. Auf einem kleinen Tischchen steht ein schwarz umrandetes Foto des verstorbenen Vaters: ein Mann mit schlohweißem Haar und schmalem Gesicht, schon von der Krankheit gezeichnet, mit tiefliegenden Augen. Neben dem Totenbild leuchtet ein silbernes Standkreuz.

Die Witwe Taghrid trägt die Tracht der Trauernden: ganz in Schwarz – nur das ungekämmte, schulterlange Haar wird durch ein

*Der **Islam** ist eine Offenbarungsreligion, die sich im 7. Jhd. n. Chr. auf der Arabischen Halbinsel herausbildete. Die Grundlage des Islam ist der Koran. Diese religiöse Schrift wurde nach islamischer Überlieferung von Gott dem „Gesandten Gottes" Mohammed (570–632) offenbart und gilt als unmittelbares göttliches Wort. Daneben stellt die Sunna (Brauch) die zweite zentrale Quelle des Islam dar: Die gesammelten Taten und Aussprüche des Propheten Mohammed (Hadithe) sollen den Gläubigen als Vorbild dienen.*

Der Islam erhebt den Anspruch, die Lebenswelt der Gläubigen umfassend zu regeln. Für das religiöse Leben schreibt der Islam „fünf Säulen" vor: das Glaubensbekenntnis, die Verrichtung der Gebete, die Almosensteuer, das Fasten im Monat Ramadan sowie einmal im Leben die Pilgerfahrt nach Mekka.

Innerhalb des Islam haben sich eine Vielzahl von Richtungen und Strömungen entwickelt. Der Islamische Staat gibt vor, den „ursprünglichen Islam" wiederherzustellen.

paar weiße Strähnen aufgelockert. Ihr faltiges Gesicht wirkt müde, sehr müde, auch wenn es sich jetzt durch Yousifs Besuch etwas aufhellt. Taghrid klopft an eine dünne Wand: Wenig später kommen Onkel und Tante von nebenan mit ihren zwei schmächtigen Mädchen zu uns. Janet und Wasan haben Augen wie schwarze Perlen und sind vielleicht vierzehn und sechzehn Jahre alt. Auch sie wurden aus Mossul vertrieben.

Ein Wiedersehen zu nächtlicher Stunde, in der Freude und Schmerz ineinanderfließen und verschmelzen. Es gibt noch einen heißen Tee. Dann werden die Sofas zu Betten umfunktioniert; mir wird eine Couch im Flur zugewiesen. Dort bin ich allein. Ich lösche das Licht und schließe die Augen. Aber ich fühle mich viel zu aufgekratzt, um gleich einzuschlafen. Zu vieles dreht sich in meinem Kopf. Es kommt mir so unwirklich vor, dass ich jetzt im Norden des Irak gelandet bin, um an der Totenfeier für Abu Yousif teilzunehmen. Vor meinem inneren Auge werden Bilder wach. Wie hat das alles angefangen: der Kontakt zu Yousif und den anderen Geflüchteten aus dem Irak und aus Syrien?

2. „Bitte, helfen Sie uns!"

Der kleine Junge, vielleicht elf Jahre alt, fällt mir sofort auf. In seinen großen dunklen Augen liegt ein Hauch von Traurigkeit. Ich habe seinen Blick nur kurz erhascht und bin doch innerlich bei ihm hängen geblieben, als ich mich daranmache, Wasserkrüge und Apfelsaft auf die Tische zu verteilen. Knapp vierzig Leute sind der Einladung unserer Ordensgemeinschaft zur Gedenkfeier für Charles de Foucauld gefolgt.

> **Charles de Foucauld** *wurde 1858 als Sohn einer begüterten adeligen Familie in Straßburg geboren. Als Jugendlicher verlor er den christlichen Glauben. Er machte beim Militär Karriere und wurde als geographischer Erforscher von Marokko berühmt. Durch die Begegnung mit dem Islam stellte sich ihm wieder die Frage nach Gott und er fand zum Christentum zurück. Er wollte das Leben Jesu in Nazaret nachahmen und wie Jesus in einem einfachen Milieu von der eigenen Hände Arbeit leben. Er wurde Trappistenmönch in Syrien und später Einsiedler inmitten der Sahara, wo er mit einem Nomadenstamm der Tuareg Freundschaft schloss. Er teilte das Leben der Beduinen, schätzte ihre Kultur und suchte den Dialog mit dem Islam. Am 1. Dezember 1916 wurde Charles de Foucauld in den Wirren des Ersten Weltkrieges erschossen.*

Meine Ordensgemeinschaft der „Kleinen Brüder vom Evangelium" führt sich auf diesen Abenteurer und Wüstenmönch zurück. Seit zehn Jahren leben wir zu viert in einer Plattenbausiedlung am Stadtrand von Leipzig und laden jährlich am ersten Adventssonntag Freunde und Mitglieder unserer Pfarrgemeinde zu unserer Feierstunde ein. Als wir überlegten, was wir im Jahr 2014 thematisch anbieten könnten, kam meinem Mitbruder Gianluca die zündende

Idee: „Charles de Foucauld hat sechs Jahre als Mönch in Syrien gelebt. Ich kenne einen syrischen Arbeitskollegen, der schon seit vielen Jahren in Leipzig wohnt und Christ ist. Der könnte uns von der Situation der Christen in Syrien berichten." Diese Idee gefiel uns und wir luden Gabriel und seine Familie ein.

Als unser kleines Fest beginnt, stellen wir erstaunt fest, dass noch andere Leute gekommen sind. Gabriel hat unsere Einladung sehr großzügig ausgelegt und Geflüchtete aus Syrien und dem Irak mitgebracht. Die meisten von ihnen sind offensichtlich erst vor kurzem in unser Stadtviertel gezogen, wo in den Plattenbauten aus DDR-Zeiten noch immer Wohnungen leer stehen. Und nun sitzen an unseren Tischen Frauen und Männer mit tiefschwarzen Haaren und dunklen Augen und einer Sprache, die ich nicht verstehe. Auch der kleine Junge gehört zu dieser Gruppe; er scheint mit seinem Vater gekommen zu sein.

Nach der Begrüßung beginnt der hochgewachsene Gabriel von seiner Heimatstadt Aleppo zu erzählen. Gespannt lauschen wir seinen orientalisch ausgeschmückten Schilderungen von einer uralten Stadt mit einer berühmten Zitadelle, die zum UNESCO-Kulturerbe zählt. Die Stadt Leipzig feiert im Jahr 2015 voller Stolz das tausendjährige Stadtjubiläum. Doch was ist das gegen das Alter der Städte im Nahen Osten, der Wiege der Stadtkultur: Aleppo kann auf 7000 Jahre zurückschauen! Doch noch älter ist der Krieg zwischen Kulturen und Völkern. Ein solcher Krieg tobt jetzt auch in Aleppo. Hubschrauber des syrischen Assad-Regimes werfen im Kampf gegen oppositionelle Milizen Fassbomben ab, die ganze Häuserblocks wegreißen. Fast 2000 dieser Eisentonnen, die mit Sprengstoff und Metallteilen gefüllt sind, wurden bis Ende 2015 auf Aleppo abgeworfen. Und die Terroristen des Islamischen Staates beschießen das Christenviertel, durch das die Front zwischen den tödlich verfeindeten Parteien verläuft.

„Wir Christen sitzen – wie so oft in der Geschichte meiner Heimat – zwischen allen Stühlen. Wir sind dem Terror schutzlos ausgeliefert. Als die Milizen des IS vor einigen Monaten unsere Straße zum wiederholten Mal mit Granaten beschossen, kam auch mein Schwager ums Leben. Und meine Schwester lebt mit ihren vier kleinen Kindern immer noch in Aleppo. Sie und ihr Mann wollten ihre Heimat nicht verlassen, aber jetzt bleibt ihr wohl als Witwe nichts anderes übrig. Nur: Wie soll sie mit den vier Kindern nach Europa kommen?“

Der Bericht über das Ausmaß der Zerstörung und vor allem über die Grausamkeit, mit der dieser Krieg geführt wird, erschüttert uns. Unsere Gedenkfeier bekommt in diesem Jahr eine sehr ernste Note. Wir haben alle die Nachrichten über den Krieg in Syrien verfolgt. Doch wenn dann Syrerinnen und Syrer vor einem stehen, die vor dem Terror geflohen und deren Familienangehörige umgebracht worden sind, so haben wir es nicht mehr mit anonymen Zahlen zu tun, sondern mit Gesichtern. Zu früh gealterte Gesichter, in denen großes Leid geschrieben steht. Gesichter, in denen noch die Angst wohnt.

Die dunkelbraunen Augen des kleinen Jungen. Als sich die Versammlung auflöst und wir damit beginnen, Geschirr zu spülen, kommt ein etwas gedrungener Mann um die vierzig auf mich zu. Er spricht nur ein paar Worte Deutsch. Neben ihm steht der Junge mit den pechschwarzen Haaren. Yousif, so heißt der Mann mit den breiten Schultern, spricht mich an. Ich verstehe nichts, doch der Junge beherrscht die deutsche Sprache schon ausgezeichnet und übersetzt: „Wir sind aus dem Irak, aus Mossul. Bitte helfen Sie uns!“

Mir wird ganz anders. Im Bruchteil einer Sekunde sehe ich die Fülle der Verpflichtungen, die auf mich warten: In den Wochen vor Weihnachten häufen sich die Dienste im Gefängnis und in der Pfarrei. Die Katholische Studentengemeinde bietet einen vierwöchigen spirituellen Kurs („Exerzitien im Alltag“) an und ich habe versprochen, jede Woche acht Begleitgespräche zu führen. Das und vieles mehr steht mir vor Augen. Ich weiß, dass ich jetzt sagen müsste: „Tut mir leid … ich würde ja gerne … aber ich habe keine Zeit.“ Und mich dann mit einem Achselzucken und einem bedauernden Gesichtsausdruck abwenden.

Doch ich kann nicht! Der Blick des Jungen nimmt mich gefangen. Ich kann nicht „Nein" sagen. Ich frage nach: „Habt ihr niemanden, der euch unterstützt?" Nachdem der Junge seinem Vater meine Frage übersetzt hat, schüttelt dieser den Kopf. „Gibst du mir eure Telefonnummer?" Amanuel, so heißt der Junge, schreibt eine Handynummer auf eine Papierserviette. Am nächsten Tag rufe ich an, um einen Besuch zu vereinbaren. Seither ist mein Leben anders geworden.

Wenige Tage später klingele ich am Eingang eines elfstöckigen Wohnblocks in der Miltitzer Allee. Yousif lebt mit seiner Frau Tara und den beiden Kindern Amanuel und Shaba im dritten Obergeschoss. Man bittet mich ins Wohnzimmer, an dessen Wänden fromme Bilder hängen: eine etwas kitschige Darstellung des letzten Abendmahls und ein Bild vom „heiligen Georg"; daneben ein Kalender in arabischer Sprache mit dem Foto eines bärtigen Bischofs.

Yousif braucht Hilfe für seine Kinder. Es gibt Probleme in der Schule: Amanuel, ein hübscher zierlicher Junge, vertraut mir an, dass er von seinen muslimischen Mitschülern regelmäßig gegängelt wird, weil er ein kleines Kreuz umhängen hat. Amanuel hat dieses Kreuz immer getragen, auch als es in Mossul für Christen gefährlich wurde. Ich verspreche, mit dem Schulleiter Kontakt aufzunehmen. Dann bitte ich Yousif, mir mit Hilfe von Amanuel etwas von ihrer Geschichte zu erzählen.

Tara und Yousif stammen aus Mossul und gehören der syrisch-orthodoxen Kirche an, in der ihre Familie sehr engagiert gewesen ist. Doch ab 2003 änderte sich die Welt in Mossul.

Die USA und Großbritannien griffen den Irak an mit der Begründung, dass dieser Staat zu einer wachsenden Bedrohung werde, etwa durch die Produktion von Massenvernichtungsmitteln. Spätere Untersuchungsberichte zeigten, dass diese Kriegsgründe nur vorgeschoben waren. Vordergründig ging es in diesem Krieg um die Entmachtung des Diktators Saddam Hussein und den „Import" von

Demokratie, untergründig aber wohl auch um den „Export“ von billigem Erdöl.

Als Antwort auf die amerikanische Invasion in den Irak riefen muslimische Geistliche zum „Heiligen Krieg“ auf und viele fundamentalistische „Glaubenskämpfer“ aus der gesamten islamischen Welt sammelten sich zum Krieg gegen die „Ungläubigen“. Die Christen im Irak wurden für die Islamisten zum Freiwild.

Warum aber wurden ausgerechnet die einheimischen Christen ein bevorzugtes Ziel ihrer Anschläge? Da der Prophet Mohammed sowohl religiöser als auch politischer Führer war, sind im Islam Religion und Politik von Anfang an eng verwoben. Infolgedessen kann auch der Krieg eine religiöse Dimension bekommen. In der Wahrnehmung vieler Muslime sind die westlichen Länder „christliche“ Staaten. Und wenn man von diesen angegriffen wird, so werden die Christen im Nahen Osten als Kollaborateure und Verbündete der Amerikaner oder Briten verdächtigt. Die prekäre Lage der Christen wurde durch eine törichte Rede des amerikanischen Präsidenten noch verschlimmert: G. W. Bush bezeichnete seinen ölverschmutzten Krieg als „Kreuzzug“ und weckte damit tief sitzende Ressentiments der Muslime gegen den Westen. Die Christen im Irak, die sich in ihrer zweitausendjährigen Geschichte an keinem Kreuzzug beteiligt hatten, wurden in Sippenhaft genommen und mit Terror überzogen. Sie wurden zu Sündenböcken, an denen man die Aggression der „christlichen Besatzer“ (sprich: Soldaten der USA) rächen konnte.

Beispielsweise presste man den Christen Schutzgelder ab und berief sich dabei auf die alte islamische Praxis, dass Nichtmuslime zu einer Sondersteuer, im Koran „Dschizya“ genannt, verpflichtet sind. Gemäß dem islamischen Recht (= Scharia) müssen Christen die Dschizya für das Zugeständnis bezahlen, in einem – sehr eingeschränkten – Maß ihre Religion praktizieren zu dürfen.

Yousif berichtet, dass die geforderten Summen von Jahr zu Jahr höher wurden. Man zahlte, denn man wusste, was sonst drohen würde: Zerstörung des Eigentums und Mord. Auch christliche

Der **Koran** ist das „heilige Buch“ des Islam und enthält gemäß dem Glauben der Muslime die wörtliche Offenbarung Gottes. Diese wurde dem Propheten Mohammed durch den Engel Gabriel im Verlauf von 22 Jahren mitgeteilt.

Die frühen Offenbarungen (in Mekka) sind von Offenheit und Toleranz geprägt. Sie spiegeln die Situation des Propheten wider, der ohne politische Macht versuchte, die Einwohner von Mekka, aber auch Juden und Christen für die neue Religion zu gewinnen. Die späteren Offenbarungen (in Medina) sind anders geprägt: Mohammed hatte inzwischen politische und militärische Macht erlangt; er war nun religiöser Führer und Staatsmann in einem.

Der Koran besteht aus 114 Suren (Abschnitten), die nicht chronologisch, sondern ungefähr der Länge nach geordnet sind. Bei widersprüchlichen Aussagen gilt nach weit verbreiteter islamischer Lehre, dass die „jüngeren“ (die später offenbarten) die „älteren“ Sätze korrigieren bzw. aufheben.

Dementsprechend wird von vielen Koran-Gelehrten die Auffassung vertreten, dass die jüngeren Verse, die zum Kampf gegen die Nicht-Muslime aufrufen, alle anderen Verse, die zu einem friedfertigen Verhalten ermahnen, aufgehoben haben.

Kirchen wurden Zielscheiben des Terrors im Namen des Islam. Aber noch dachten viele Christen nicht daran, Mossul zu verlassen, denn sie hegten die leise Hoffnung, dass der Spuk eines Tages ein Ende nehmen würde. So auch Yousif und seine Frau Tara.

Stattdessen kam es noch schlimmer. Eines Tages erhielt Yousif einen Anruf von unbekannt: „Ich werde dir den linken Arm abhacken.“ Yousif wusste sofort, worauf diese Drohung anspielte; denn er hatte sich auf seinen kräftigen linken Unterarm ein großes Kreuz tätowieren lassen. Yousif reagierte spontan: „Wenn du willst, dann versuche es!“ – und drückte die Aus-Taste.

Ihm stand deutlich vor Augen, dass er jetzt gefährlich lebt. Und dass auch seine junge Familie bedroht war. Wenige Tage später klingelte wieder das Telefon: „Wenn du in drei Tagen nicht verschwunden bist, fährst du zur Hölle!“ Yousif wusste, dass er jetzt schnell handeln musste, und verließ mit seiner Frau und den beiden Kindern Mossul. Ziel war Arbil, die Hauptstadt des autonomen Kurdengebiets im Norden des Irak. Dort war er zwar sicher, aber er fand keine Arbeit. Schweren Herzens rang er sich dazu durch, nach Europa zu flüchten. Am liebsten nach Deutschland oder Schweden.

Die Flucht musste er allein antreten. Für seine Frau und seine Kinder barg ein solches Unternehmen viel zu große Gefahren, denn der einzige Weg führte über die dunklen Machenschaften einer Schleuserbande. Der Preis, den man ihm nannte, belief sich auf 17 000 US-Dollar. Yousif verkaufte alles, was nur möglich war, und lieh sich von Freunden und Verwandten das noch fehlende Geld. Als er mir diese Geschichte ein Jahr später schildert, hat er immer noch 5000 Dollar Schulden.

Der Abschied von seiner Frau und den beiden Kindern schnitt ihm ins Herz. Die Schleuser brachten ihn über die türkische Grenze. Er durfte keinerlei Gepäck mit sich führen und musste seinen Pass abgeben. Tagelanges Warten. Dann fuhr man ihn mit einem PKW in eine andere Stadt. Nur mit der Kleidung am Leib wurde er in einem „Geheimverlies“ eines Lastwagens eingepfercht. Es war ein großer LKW, der über den Bosporus, Griechenland und den Balkan Gemüse nach Deutschland transportierte.

Im Innern des Containers war direkt hinter der Zugmaschine eine doppelte Wand eingebaut. Der Eingang befand sich im Container: An der Rückwand ließ sich eine Luke öffnen, die derart gut eingepasst war, dass man sie nicht sehen konnte. Yousif zwängte sich durch diese Öffnung in einen dunklen Zwischenraum, der so schmal war, dass er mit seinen breiten Schultern nur seitlich angelehnt stehen konnte. Auf dem Boden wellte sich Schaumgummi zum Sitzen und Liegen.

In einer Ecke stapelten sich Plastikflaschen mit Wasser und Packungen mit Keksen; mehr war für die Ernährung nicht vorgesehen. Zwei handtellergroße Luftlöcher im Boden sollten dafür sorgen, dass der hier Eingezwängte nicht erstickte. Die Notdurft konnte durch diese Löcher erledigt werden, jedoch nur während der Fahrt. Dagegen war bei jedem Halt absolute Stille geboten.

Mit Herzklopfen hörte Yousif, wie die Luke von außen zugeschraubt wurde. Jetzt war er eingesperrt in einem dunklen Kerker. Der LKW fuhr los und später hörte er, wie Männer den Container beluden. Sieben Tage und Nächte verbrachte Yousif in diesem engen und lichtlosen Zwischenraum. Manchmal schlief er vor Erschöpfung ein, doch die Ängste peinigten ihn selbst im Schlaf: Was, wenn er in diesem Käfig ersticken würde? Was, wenn man ihn bei einer Grenzkontrolle entdecken sollte? Und konnte er den Schleusern trauen, denen er schon die gesamte Summe hatte aushändigen müssen? Würden sie ihn vielleicht auf irgendeiner einsamen Landstraße aus dem Verlies holen, um ihn umzubringen? Vor allem aber zerriss der Gedanke an seine Frau und die beiden Kinder, die er zurückgelassen hatte, sein Inneres.

Einmal wäre es fast schiefgegangen: Der LKW stand bereits längere Zeit und Yousif kämpfte mit dem Schlaf. Er wusste, dass er schnarchte und dass ihm dieses Geräusch zum Verhängnis werden könnte. Plötzlich schreckte er hoch. Da klopfte jemand mit einem metallenen Gegenstand an die Außenwand. Hatte sein Schnarchen ihn verraten und wollte jemand nachprüfen, ob es im Lastwagen einen verborgenen Hohlraum gibt? Das Herz schlug Yousif bis zum Hals und er wagte kaum zu atmen. Draußen debattierten laute Stimmen in einer fremden Sprache. Dann wurde der Motor des LKW angeworfen. Yousif atmete auf, sank entspannt auf den Boden und schlief fest ein.

Endlich, nach sieben Tagen Dunkelhaft, hörte er, wie der Lastwagen entladen wurde; dann brummte der LKW wieder los. Ein paar Stunden später blieb der Laster stehen. Die Luke wurde aufgeschraubt und geöffnet: Yousif kroch heraus und der Lkw-Fahrer half ihm beim Absteigen. Yousifs Glieder waren steif und er konnte kaum gehen. Er rieb sich die Augen, die so lange kein Licht gesehen hatten. Ein paar Straßenlaternen warfen ein spärliches Licht auf einen menschenleeren Parkplatz. Es war bitterkalt und außer dem laufenden Motor des Lastwagens war kein Geräusch zu hören.

Der Fahrer deutete in eine Richtung: Da würde der Bahnhof dieser Stadt liegen und Yousif sollte dort auf einen Mann warten, der ihm den Pass zurückgeben würde.

„Wie soll ich diesen Mann erkennen?“, fragte Yousif.

„Er wird dich erkennen – er hat ja dein Passbild!“

Der Lkw-Fahrer beeilte sich, ins Fahrerhaus zu klettern und Vollgas zu geben. Yousif stand ein paar Augenblicke wie verloren auf dem einsamen Parkplatz. Dann gab er sich einen Ruck und noch ganz steif stolperte er los. Von Schritt zu Schritt ein wenig schneller marschierte er die Straße entlang in die angegebene Richtung. An einem vorbeifahrenden Fahrzeug konnte er ein weißes Nummernschild erkennen in einer Schrift, die ihm nicht vertraut war: C – Chemnitz. Er war in Deutschland angekommen.

Vier Stunden wartete er vor dem Bahnhof von Chemnitz auf den Unbekannten, der ihm den Pass zurückgeben sollte. Eine rote Leuchtschrift zeigte minus 20 Grad an. Yousif zitterte vor Kälte am ganzen Leib. Niemand kam. Inzwischen graute der Morgen und Yousif fragte einen Passanten nach „Police“. Im Polizeirevier wollte man seine Papiere sehen. Yousif konnte sich nicht verständlich machen. Ein Polizist sah die bleierne Müdigkeit in Yousifs Gesicht und bot ihm einen bequemen Stuhl an. Yousif setzte sich und schlief sofort ein. Eine Stunde später wurde er wieder geweckt: Mit Hilfe eines Dolmetschers konnte Yousif seine Geschichte erzählen.

Man brachte ihn ins Asylbewerberheim. Dort konnte er zum ersten Mal seit vier Wochen wieder mit seiner Frau und den Eltern telefonieren. Nach vier Wochen Ewigkeit endlich ein Lebenszeichen!

Ein weiteres halbes Jahr lang musste Yousif in quälender Ungewissheit leben: Wird es in Ankawa ruhig bleiben? Gibt es eine Chance, dass Tara mit den Kindern bald nach Deutschland kommt? Werden die Dschihadisten seine in Mossul verbliebenen Eltern unter Druck setzen oder gar ermorden? Tag und Nacht quälten ihn Gedanken und Sorgen. Und er fühlte sich so hilflos in diesem neuen Land, dessen Sprache er nicht verstand und dessen Bürokratie er nicht durchschaute. Als sein Asylantrag endlich anerkannt wurde, konnte er Tara mit Amanuel und Shaba auf legalem Weg nachkommen lassen. Welch ein Wiedersehen am Flughafen in Berlin, nach so langen, bangen Monaten!

Zur selben Zeit besetzten die Milizen des IS seine Heimatstadt Mossul. Nun mussten auch seine Eltern und sein Bruder, die gesamte Verwandtschaft, ja, alle Christen diese Stadt verlassen und Richtung Ankawa flüchten.

3. Ein Wiedersehen am Grab

Die Erinnerungen an die erste Begegnung mit Yousif und die Eindrücke unserer Spontanreise nach Ankawa schwirren noch durch meinen Kopf. Es kommt mir so unwahrscheinlich vor, dass ich jetzt in Kurdistan gelandet und bei Yousifs Familie zu Gast bin. Ich drehe mich um, denn ich will endlich einschlafen. Draußen graut schon der Morgen.

Zwei Stunden später werde ich vom klappernden Geschirr im Nebenraum geweckt und stehe schnell auf, um mich anzuziehen.

Taghrid, Yousif und Basman sitzen schon auf einem der Sofas, alle über ein niedriges Tischchen gebeugt, auf dem Tassen für den Tee, Fladenbrote und eine Schale mit Joghurt stehen. Ich grüße mit „Marhaba" (guten Tag), dann ein paar Brocken Englisch – und setze mich zu Yousif.

„Hast du gut geschlafen?"

Yousif schüttelt den Kopf.

„Ich wollte meinen Vater sehen, jedoch nicht auf dem Friedhof."

Ich nicke und lege eine Hand auf seine Schulter.

„Ist dein Vater schon beerdigt?"

„Hier werden die Toten immer sofort begraben."

„Und die Feier heute?"

„Die wird in der Kirche stattfinden. Im Sonntagsgottesdienst wird heute besonders für meinen Vater gebetet; anschließend gehen wir auf den Friedhof."

Beim Verlassen der Wohnung will mir Yousifs Mutter einen Hinweis geben, dass ich nichts Wertvolles zurücklassen soll. Sie deutet auf meinen Rucksack und warnt: „Ali Baba!" Ich verstehe und nehme Papiere und Flugticket mit.

Wir holpern in Basmans klapprigem Auto über die löchrigen Straßen von Ankawa. In dieser wüstenartigen Gegend wachsen weder Baum noch Strauch. Dafür schießen überall Betonkonstruktionen aus dem Boden. Doch die Baustellen sehen alle ziemlich verlassen aus. Yousif bestätigt mir, dass es in Kurdistan einen Bau-Boom gegeben hatte. Durch die Erdölförderung waren Gelder ins Land geflossen und mit diesen auch ausländische Firmen samt ihren Facharbeitern. Dazu sind seit Jahren viele Geflüchtete aus anderen Regionen des Irak in das politisch und wirtschaftlich einigermaßen stabile Kurdistan geströmt, darunter zahlreiche Christen. Aber der Verfall des Erdölpreises auf dem Weltmarkt führt seit über einem Jahr dazu, dass fast alle Bauprojekte eingestellt wurden. Die Regierung hat kein Geld mehr. Daher die viele Bauruinen.

Wirklich kein schöner Anblick: Betonpfeiler, die in den regengrauen Himmel ragen, umgeben von Schutthalden und verrosteten Eisengittern. Der trostlose Eindruck wird durch den Müll am Straßenrand zusätzlich verstärkt. Vom Wind zerfetzte Plastiktüten haben sich in den wenigen dornigen Sträuchern verfangen. Ein bizarrer Christbaumschmuck. Oder vielleicht eher ein Spiegelbild vieler Menschen hier: hinausgeworfen aus der eigenen Heimat, zum Spielball des Windes geworden, in einer kahlen und trostlosen Gegend hängen geblieben.

Ein großes Verkehrsschild zeigt in arabischer und lateinischer Schrift die Richtung nach Mossul an.

„Deine Heimat, Yousif!", rufe ich von der Rückbank nach vorn.

„Das *war* einmal meine Heimat", höre ich Yousif vom Beifahrersitz aus antworten und es liegt Trauer in seiner Stimme.

Basman sucht vor einem großen klotzigen Gebäude einen Parkplatz.

„Hier ist unsere Kirche!"

Trotz der lebhaften Phantasie, die man mir nachsagt, kann ich die ursprüngliche Zweckbestimmung dieses Gebäudes nicht erraten. Viele schwarz gekleidete Menschen strömen jetzt in dieses schmucklose Gebäude, das notdürftig zu einer Kirche umfunktioniert worden ist. An der Stirnwand hängt ein Kreuz, darunter steht ein Altar, auf dem Leuchter und ein Kelch blinken. Ein zurückgezogener roter Vorhang lässt den leicht erhöhten Altarraum wie eine

Bühne erscheinen. Unten reihen sich etwa 300 Stühle, von denen die meisten schon besetzt sind. Ich gehe mit Yousifs Familie nach vorn und setze mich in die erste Reihe. Mir fallen die ernsten Gesichter der Frauen und Männer auf, wie von einem Trauerrand umrahmt. Manche von ihnen stehen mit gebeugtem Rücken: niedergedrückt von der Arbeit, vom Schicksal, vom Tod eines Freundes. Yousifs Anwesenheit, von der ja niemand etwas wissen konnte, wird zur großen Überraschung für diese trauernde Exilgemeinde. Auf den versteinerten Gesichtern blitzt plötzlich ein Lächeln auf und ein paar Leute gehen nach vorn, um den Heimgekehrten zu umarmen. Ein eigentümliches Wiedersehen an einem Ort, der Heimat und Fremde zugleich ist.

Allmählich kommt Bewegung in den Altarraum. Mehrere Männer in weißen Gewändern laufen hin und her, tragen Bücher oder Kerzen und beginnen zu singen. Die Melodik tönt fremd in meinen Ohren: orientalische Gesänge aus kräftigen Kehlen, mit schwermütigem Klang. Ein junger Mann mit schwarzem Bart und einem knallroten Gewand schwingt feierlich ein Rauchfass, an dem zwölf goldene Glöckchen lustig klirren. Eine ganze Wolke von Weihrauch steigt auf und ein betörender Duft erfüllt den Raum. Weitere Männer in bunten Gewändern tauchen auf: Priester oder Diakone. Seitlich im Altarraum steht ein rot gepolsterter Stuhl, auf dem ein alter Mann sitzt, sein Gesicht geziert mit einem silbergrauen Bart. Er trägt eine schwarze Kutte und eine rote, runde Kopfbedeckung.

„Das ist Bischof Saliba, der Altbischof von Mossul, der hier im Exil lebt", raunt mir Yousif zu.

Der berückend schöne Gesang wogt zwischen den Männern im Altarraum und der Gemeinde hin und her. Jetzt erst bemerke ich, dass sich die Frauen Tücher über die Haare gelegt haben: dünne, fast durchsichtige Seidentücher, in Schwarz oder Weiß, manchmal mit Mustern durchwirkt. Während des Gottesdienstes stehen wir fast die ganze Zeit über. Das Lesepult in der Mitte stellt das Evangelium Jesu ins Zentrum. Die Sprache der Liturgie ist Syrisch.

Syrisch? Wieso das? Wir sind doch im Irak! Um welche Sprache handelt es sich bei Syrisch überhaupt? Auf jeden Fall nicht um die Landessprache von Syrien, denn diese ist Arabisch.

Ich erinnere mich daran, dass ich Yousif ganz zu Beginn unserer Freundschaft danach fragte, woher er stamme. Er nannte die Stadt Mossul und suchte dann auf seinem Smartphone die Übersetzung für das arabische Wort „Suryani“: Syrer.

„Wie – du bist Syrer?“, fragte ich und verstand nur Bahnhof. Yousif begann zu erklären.

Viele Leute verbinden „Syrisch“ mit dem Staat „Syrien“. Doch die Arabische Republik Syrien existiert erst seit 1944 und ist ein Produkt des europäischen Kolonialismus: Nach dem Ersten Weltkrieg wurden Teile des Osmanischen Reiches den Siegermächten England und Frankreich unterstellt. Die mit dem Lineal und ohne Rücksicht auf ethnische oder konfessionelle Gruppen gezogenen Grenzen wurden zur Grundlage der Staaten Irak und Syrien.

Yousif suchte damals noch weiter auf seinem Smartphone und zeigte mir schließlich ein anderes Wort: „Aramäer“. Das Wort kannte ich aus der Bibel, wo ein uraltes Glaubensbekenntnis daran erinnert: „Mein Vater war ein heimatloser Aramäer.“ (Dtn 26,5)

Ich lausche auf die Gesänge in aramäischer Sprache und besonders auf den O-Ton der Worte Jesu im Evangelium. Denn zu dessen Lebzeiten wurde das Hebräische nur noch als Sprache der Bibel und in der Liturgie verwendet. Im Alltag hingegen wurde Aramäisch gesprochen. Wenn Jesus in Damaskus, Aleppo oder Antiochia gepredigt hätte, wäre er auch dort verstanden worden!

Yousif spricht, wie die meisten Christen aus Mossul, Arabisch. Die Christen, die aus den Dörfern in der Ninive-Ebene, unweit von Mossul, vertrieben wurden, sprechen dagegen Aramäisch bis auf den heutigen Tag. Ob es noch ein Morgen für diese Sprache geben wird, ist zu bezweifeln.

Besonders berührt bin ich vom Vaterunser, dessen Bitten Männer und Frauen mit ausgebreiteten Armen abwechselnd singen. Der

*Die **Aramäer**, die sich manchmal auch „Assyrer" oder „Syrer" nennen, gehören im Gegensatz zu den muslimischen Araberstämmen, die das Land seit dem 7. Jhd. n. Chr. beherrschen, zu den Ureinwohnern eines großen Gebietes, das die östliche Türkei sowie den Norden des Irak und Syriens umfasst. Dieses Volk führt sich auf die altorientalischen Völkerschaften der Assyrer, Chaldäer und Aramäer zurück, die schon vor Jahrtausenden in Syrien und Mesopotamien siedelten.*

Das alte Syrien ist auch die Heimat der ersten christlichen Kirchen. Der Apostel Paulus wurde in Damaskus getauft. Petrus gilt als erster Bischof von Antiochien, dem heutigen türkischen Antakya; Rom war erst seine zweite Wahl. Die sogenannten „syrischen" Christen gehen in direkter Linie auf die Urkirche zurück. Aus dieser entwickelten sich mehrere Linien, wie etwa die „syrisch-orthodoxe Kirche", deren Name wiederum nichts mit dem heutigen Staat „Syrien" zu tun hat. Da das Wort „Syrien" so schillernd ist, werden im Folgenden die „syrischen Christen" meist als „aramäische Christen" benannt.

Im frühen Christentum wurde im syrischen Kulturraum die Bibel ins Aramäische übersetzt und die Liturgie in dieser Sprache gefeiert, die sich zu einer bedeutenden Literatursprache entwickelte – und meist als „Syrisch" bezeichnet wurde. „Syrer" wurde sogar zu einem Synonym für „Christ". Das Syrische/Aramäische blieb bis zur Zeit der Kreuzzüge weit verbreitet. Erst dann wurde diese Sprache durch das Arabische immer mehr verdrängt. Gegenwärtig pflegt nur noch eine Minderheit der syrischen Christen das Aramäische als Muttersprache; dagegen wird die Liturgie bis heute in dieser alten semitischen Sprache gefeiert.

hin- und herwogende Gesang ist schön – laut, inbrünstig und ergreifend. Die Menschen singen mit ganzer Seele und aus voller Kehle. Die Lieder erzählen vom Leiden Christi und in ihnen klingt das eigene Leiden weiter. Mir läuft ein Schauder über den Rücken: Ich höre Lieder eines leidenden Volkes, vielleicht sogar den Totengesang einer sterbenden Kirche. Singen hier die letzten Christen mit letzter Kraft ihr letztes Lied? Ich schließe die Augen und lasse mich von den klagenden orientalischen Melodien weit wegtragen.

Eine Berührung am Arm holt mich wieder zurück. Yousif hat mich angestoßen, um mir den Friedensgruß weiterzugeben. Die feierliche Geste des Friedens beginnt beim Priester, oder besser: beim Altar, bei Christus. Die linke Hand am Altar wendet sich der Priester den Gläubigen zu und streckt ihnen den rechten Arm entgegen: „Geborgenheit und Frieden euch allen!"

Der Diakon bringt den Friedensgruß dann unters Volk: Ein weiß gekleideter Mann geht zur ersten Bankreihe und umschließt mit beiden Händen die wie zum Beten aneinandergelegten Hände des dort Stehenden. Dieser wendet sich dem Nachbarn oder der Nachbarin zu und gibt den Frieden in der gleichen Weise weiter.

Die Liturgie wirkt auf mich fremd und vertraut zugleich. Ich verstehe kein Wort und ahne dennoch den Inhalt der Riten und Gebete. Brot und Wein werden ausgeteilt und wir feiern Kommunion über Sprach- und Kirchengrenzen hinweg.

Nach dem Gottesdienst besteigen wir wieder das leicht angerostete Auto von Basman, der uns mit waghalsigem Fahrstil zum Friedhof bringt. Ich denke bei mir: „So schnell wollte ich eigentlich nicht zum Friedhof…" Selbst Yousif kommentiert: „Ich lebe seit zwei Jahren in Deutschland. Ich glaube, ich könnte hier nicht mehr Auto fahren!"

Die aus Mossul verjagten Christen haben in Ankawa einen eigenen Friedhof angelegt. Ein Tor mit einem Kreuz weist den Eingang. Und dann lange Gräberreihen mit kleinen weißlichen Grabsteinen, alle im gleichen Format; und auf jedem Stein das gleiche Emblem. Oben in der Mitte ein Kreuz, eingerahmt von zwei Olivenzweigen: durch Christus zum Frieden. Die Anlage erinnert mich an Soldatenfriedhöfe. Ich schätze etwa tausend Gräber. Die aus Mossul vertriebenen

Blick vom Kloster Rabban Hormizd (Alqosh) auf die Ninive-Ebene

Blick vom Kloster Mor Mattai auf den Serpentinenweg, der steil nach unten führt

Kuppel und Kreuz (Mor Mattai) – Das Gebiet im Hintergrund (Richtung Mossul) ist vom IS besetzt.

Kirche Mor Gorgees (Ankawa)

Sprengung der Kirche Mor Gorgees (Mossul)

Kirche Mor Behnan und Sara (Karakosch)

Das Innere der Kirche Mor Behnan und Sara (Karakosch).

Foto: Allen Kakony

Trauerzug für den ermordeten Bischof Paulos Faraj Rahho (Mossul)

Foto: Allen Kakony

Foto: Allen Kakony

ch-orthodoxe Priester bei der Liturgie

Frauenchor, der die syrische Liturgie mitgestaltet (Kirche Mor Yousif, Ankawa)

Christen, die im Exil gestorben sind, warten hier auf eine neue Heimat, auf die bleibende.

Die Sterblichkeit der Menschen hier sei sehr hoch, berichtet man mir. Dabei spielen nicht nur hygienische Probleme und medizinische Unterversorgung eine Rolle. Auch seelische Gründe tragen dazu bei: Wozu soll man noch leben, wenn man alles verloren und nirgends mehr eine Zukunft hat? Der Friedhof wird zum letzten Gruß einer aussterbenden Gemeinde: Bleibt von den Kirchen des Orients am Ende nur ein Gräberfeld, über das dann bald das Gras des Vergessens wachsen wird? Wohin ich auch schaue: Die Frauen am Grab kleiden sich in der Markenfarbe des Todes und der Trauer. Auch der Himmel über uns trägt Schwarz. Ein Gewitter kündigt sich an. Unter den tief hängenden Wolken kreisen knatternde Militärhubschrauber und erinnern daran, dass die Front mit dem IS nicht weit weg liegt – und dass dessen Ziel „Unterwerfung" heißt.

Am Grab von Abu Yousif werden Gebete in aramäischer Sprache gesprochen. Noch steht kein Grabstein und in der aufgeworfenen braunen Erde stecken nur ein paar dünne blaue Kerzen. Daneben warten in einer langen Reihe offene Gräber auf ihre Toten. Ich fasse mir ein Herz und singe ein deutsches Lied: „Oh Jesu, all mein Leben bist du – ohne dich nur Tod!" Wir verharren noch ein wenig in Stille und fahren dann viel zu rasant für die holprige Straße bis zu jenem Haus, in dem Yousifs Familie eine vorübergehende Bleibe gefunden hat.

4. Beileidsbesuche

In Ankawa werden ganze Reihen von hastig hochgezogenen Häusern mit zwei Etagen zu teuren Preisen an Familien aus Mossul vermietet. Yousifs Mutter lässt mir übersetzen: „Unsere Küche in Mossul war größer als unsere gesamte Zwei-Zimmer-Wohnung hier. Und doch können wir die Miete kaum aufbringen, denn nur Basman hat eine Arbeit gefunden. Und die wird sehr schlecht bezahlt." Taghrid ist froh, dass Yousif ab und zu ein bisschen Geld überweisen kann. Denn nur wenn eine Familie schon Verwandte in Amerika oder Europa hat und von dort aus unterstützt wird, kann sie sich eine solche primitive Wohnung leisten; sonst bleibt einem nur das Flüchtlingscamp.

In den beiden Räumen im Erdgeschoss, die andere Verwandte von Yousif bewohnen, steht entlang der nackten Wände jeweils ein großer Stuhlkreis. In jedem Raum findet sich das Bild von Yousifs Vater auf einem niederen Tischchen, daneben ein kleines Standkreuz und ein winziges Weihrauchgefäß. In einem der beiden Räume sammeln sich die Männer, im anderen die Frauen: Da man bei den Beileidsbesuchen auch muslimische Gäste erwartet, will man deren Gepflogenheiten entgegenkommen. Wadid, ein Bruder des Verstorbenen, legt regelmäßig Weihrauch auf die glühende Kohle, so dass es hier ausgesprochen kirchlich duftet. Ich nehme auf einem der Stühle Platz. Schnell füllt sich unser kahler Raum und – nach dem Geräuschpegel der Frauenstimmen zu schließen – auch das Zimmer nebenan mit Verwandten und Bekannten. Draußen trommeln Tropfen auf eine Überdachung aus Plastik.

Bei jedem Neuankömmling stehen alle auf und verstummen. Der neu Hinzugetretene murmelt ein Gebet, während alle Anwesenden die Hände ausbreiten und leise mitbeten. Dann setzen wir uns wieder. Wir unterhalten uns – bis der nächste Besucher kommt. Die älteren Männer lassen die typischen Perlenketten durch ihre Finger gleiten, die jüngeren spielen mit ihren Handys.

Ich sitze neben Wadid, der sich mir als ein Onkel von Yousif vorstellt. Auch er hat zusammen mit Yousifs Vater im gemeinsamen Familienbetrieb als Schlosser gearbeitet. Wadid spricht ein wenig Englisch und manchmal hilft uns Yousif weiter und übersetzt aus dem Arabischen ins Deutsche. Wieder einmal staune ich, wie schnell Yousif Deutsch gelernt hat. Wenn ich daran denke: Vor knapp einem Jahr haben wir uns kennengelernt und damals brauchte Yousif noch seinen Sohn Amanuel als Dolmetscher. Ich bewundere die Energie, mit der sich Yousif und viele Flüchtlinge unsere sperrige deutsche Sprache aneignen. Es braucht ja einen totalen Richtungswechsel beim Schreiben und Lesen! Viele der Geflüchteten, die ich kenne, sind so alt wie ich oder noch älter. Wenn ich überlege, wie es mir wohl ergehen würde, wenn ich aus Deutschland vertrieben würde und – sagen wir mal – in Saudi-Arabien Asyl bekäme. Nicht einmal einen Straßennamen könnte ich lesen! Würde ich die Ausdauer aufbringen, noch einmal eine völlig neue Schrift und Sprache zu erlernen? Und wie weit käme ich damit? Ich weiß es nicht …

Als Handwerker hatte sich Yousif nie mit anderen Sprachen beschäftigt. Und jetzt hat er binnen eines Jahres so hervorragend Deutsch gelernt, dass er mir als Übersetzer beste Dienste leisten kann. Zwischendurch wird dickflüssiger Kaffee in winzigen Tässchen serviert, nach arabischem Gusto mit Kardamom gewürzt. Die ersten Gäste stehen auf, andere betreten den Raum. Ein ruhiges, andächtiges Kommen und Gehen.

Ich sitze mit Wadid und Yousif in einer Ecke. Wir unterhalten uns im Flüsterton über die Geschichte ihrer Angehörigen und das Geschick von Mossul.

Mossul liegt am Tigris – gegenüber einer berühmten Ruinenstadt: dem biblischen Ninive. Mit etwa zwei Millionen Einwohnern ist Mossul die zweitgrößte Stadt des Irak und galt aufgrund der vielen Christen, Kirchen und Klöster als ein Zentrum des östlichen Christentums. Von den 1,4 Millionen Christen, die um 1990 noch im Irak

Als **Salafismus** (von „salaf" = die Altvorderen) bezeichnet man extrem konservative Strömungen, die sich an der Frühzeit des Islam orientieren. Sie sind „Fundamentalisten" im wörtlichen Sinn: Sie wollen zurück zu den Fundamenten des Islam. Daher propagieren sie ein buchstabengetreues Verständnis des Koran und die linientreue Nachahmung des Propheten Mohammed gemäß der Sunna (Tradition). Der Salafismus ist derzeit die am schnellsten wachsende radikale Strömung des Islam. Ein Teil der salafistischen Bewegung versucht, auf legalem Weg zur Macht zu kommen. Ein anderer Teil ist militant und rechtfertigt Gewalt als legitimes Mittel des „Dschihad" (= Heiliger Krieg); deren Anhänger werden daher oft auch Dschihadisten oder Mudschahedin (= Kämpfer des Dschihad) genannt.

Auch die **Wahhabiten** (benannt nach Abd al-Wahhab, 18. Jhd.) verstehen sich als Salafisten, die sich auf die ursprünglichen Werte des Islam zurückbesinnen. Alle Anhänger anderer Koran-Auslegungen und viel mehr noch alle Nicht-Muslime werden zu „Ungläubigen" erklärt. Damit wird ihnen – gemäß der salafistischen Koraninterpretation – das Lebensrecht abgesprochen. Wer sich seiner Lehre nicht anschließt, so empfahl al-Wahhab persönlich, dessen Besitz solle beschlagnahmt und dessen Frauen und Töchtern solle Gewalt angetan werden. Der Wahhabismus ist die staatstragende islamische Lehre von Saudi-Arabien. Das Al-Kaida-Netzwerk und der Islamische Staat stehen ideologisch in großer Nähe zum Wahhabismus.

Unter **Islamismus** versteht man eine politische Ideologie der Neuzeit, die einen islamischen Staat nach dem Vorbild der „muslimischen Urgemeinde" errichten will und zu diesem Ziel Gewalt religiös rechtfertigt. Da im Islam Religion und Politik von Anfang an verflochten sind, kann man den „Islamismus" vom Islam nicht dadurch trennen, indem man etwa behauptet, der Islamismus habe mit dem Islam nichts zu tun. Denn die „Islamisten" nehmen für sich selbst in Anspruch, „wahrhaft islamisch" zu leben, und können sich dabei auf *bestimmte Strömungen und Autoritäten der islamischen Geschichte berufen.*

Der Begriff „Islamismus" ist allerdings auch problematisch, weil es eine solche Differenzierung in keiner anderen Religion gibt. So werden gewalttätige Strömungen innerhalb des Christentums (wie etwa die Kreuzzüge) durchaus dem Christentum angelastet und nicht als „christentumistisch" vom „wahren Christentum" unterschieden.

Wenn im Folgenden dennoch der Begriff „islamistisch" verwendet wird, dann soll damit vor allem betont werden: Es gibt innerhalb des Islam den „Islamismus" als gewaltbereite politisch-ideologische Strömung, von der viele andere Richtungen (z. B. ein gewaltfreier Reform-Islam) zu unterscheiden sind.

lebten, wohnten rund 200 000 allein in Mossul. Damals gab es noch über 500 Kirchen im Irak, in denen regelmäßig Gottesdienst gefeiert wurde.

Rainer Hermann schreibt in einem Buch über den Islamischen Staat, dass Krieg und die wirtschaftlich desolate Situation schon seit Jahren viele Christen zur Auswanderung veranlasst hatten. Immer mehr der oft gut gebildeten christlichen Ureinwohner emigrierten aus dem Land, in dem doch ihre Familien und auch ihr Glaube seit nahezu zweitausend Jahren verwurzelt waren. Dazu kam der wachsende Druck, den radikale islamische Gruppen („Salafisten") auf die Christen ausübten. „Al-Kaida" (= Basis, Fundament) war seit 1993 als loses Netzwerk islamistischer Organisationen entstanden, um eine feste „Basis" zur Verbreitung des Islam zu gründen.

Als die Amerikaner 2003 in den Irak einmarschierten, zählte man in Mossul noch 70 000 Christen. Von Wadid erfahre ich, dass die alteingesessenen Christen des Irak – als angebliche Verbündete der (christlichen) USA – jetzt noch mehr ins Kreuzfeuer der Islamisten gerieten.

Auch in Mossul feierte Al-Kaida Hochkonjunktur: Noch im selben Jahr wurde ein Kloster in Mossul Ziel eines Raketenangriffs. Im Jahr darauf wurde die Kathedrale St. Paul durch ein Bombenattentat schwer zerstört. Solche Anschläge auf Kirchen und Kirchgänger häuften sich: Ein fünfjähriger Junge und dessen etwas ältere Schwester wurden auf dem Weg zum Gottesdienst erschossen; christliche Mädchen wurden vergewaltigt, weil sie keinen Schleier trugen; Flugblätter im Briefkasten oder SMS mit Todesdrohungen waren an der Tagesordnung. Für die christlichen Schulen kündigte man Bombenattentate an: Wenn sich die Schülerinnen und Schüler nicht zum Islam bekehrten, seien sie ihres Lebens nicht mehr sicher.

Wadid erinnert sich mit Schrecken daran, dass islamistische Milizen in Mossul damit begannen, Passanten auf der Straße zu kontrollieren und sich die Pässe zeigen zu lassen. Aus dem irakischen Pass geht auch die Religionszugehörigkeit hervor. Hatte jemand den Vermerk „Christ“ im Ausweis stehen, musste er Angst haben, dafür ermordet zu werden. Wadid weiß von einem Christen, der sich vor den Dschihadisten gerade noch verstecken konnte. Dabei wurde er Zeuge, wie die „Glaubenskämpfer“ den vierzehnjährigen Yyad Yanhar kontrollierten.

„Allahu akbar! Gott ist groß!“, schrien sie. „Du bist ein Christ, ein Ungläubiger.“

Der Junge erwiderte: „Ich bin zwar Christ, aber nicht ungläubig.“

Weiter kam Yyad nicht mehr. Die Islamisten packten ihn und säbelten ihm den Kopf ab.

Zur Finanzierung des Terrors wurden vor allem die Christen von Mossul, von denen viele einer gebildeten und gut situierten Schicht angehörten, zur Kasse gebeten: Man presste ihnen Schutzgelder ab oder verlangte Lösegelder für entführte Familienmitglieder.

Onkel Wadid erzählt mit verhaltener Stimme, dass maskierte bewaffnete Männer eines Tages im Büro ihres kleinen Familienbetriebs auftauchten und die Laptops mitnahmen – um ihren Terror noch besser zu organisieren! Mit mafiöser Intelligenz baute Al-Kaida eine perfide Entführungs- und Erpessungsindustrie auf.

Ich versuche mir vorzustellen, wie sich in diesem Umfeld das alltägliche Leben gestaltet hat, und frage nach: „Wie war denn das Verhältnis zu den Nachbarn, den Geschäftskollegen, unter denen sich ja bestimmt auch Muslime befanden?"

„Wir hatten gute, nachbarschaftliche Beziehungen, so dachten wir zumindest. Aber dann wurde unsere Stadt immer islamischer."

„Wie meinst du das?"

„Immer mehr Frauen trugen ein Kopftuch und die Männer lange Bärte. Und die Kinder mussten in der Schule lernen, dass Christen unrein sind. Die Folge davon war, dass muslimische Kinder nicht mehr mit unseren Mädchen und Jungen spielen wollten. Für uns Eltern war es schlimm zu erleben, wie unsere Kinder immer mehr ins Abseits gerieten: In der Schule und auf der Straße ließ man sie ständig spüren, dass sie minderwertig sind. Dazu kam noch die Angst, dass sie entführt oder ermordet werden könnten …"

Auch Yousif erinnert sich: „Die Predigten beim Freitagsgebet in den Moscheen: Wir mussten sie ja über die Lautsprecher auf den Minaretten immer mit anhören. Wenn dann hasserfüllt gegen die Christen gehetzt wurde und Imame mit Berufung auf den Koran ihre Gläubigen aufforderten, die Ungläubigen zu töten, drehte es mir den Magen um. Es wurde sogar gebetet: Allah, Gott segne uns und töte die Ungläubigen!"

Ich erfahre eine schreckliche Geschichte nach der anderen: Der syrisch-orthodoxe Priester, der für die Gemeinde von Yousifs Familie zuständig war, wurde 2006 von muslimischen Extremisten entführt. Die Forderung zur Freilassung lautete: Die Kirche soll sich von der Rede von Papst Benedikt XVI. in Regensburg distanzieren. Dort hatte der Papst in einem Vortrag an der Universität einen byzantinischen Kaiser zitiert, der einem muslimischen Gesprächspartner sagte: „Zeige mir doch, was Mohammed Neues gebracht hat, und da wirst du nur Schlechtes und Inhumanes finden wie dies, dass er vorgeschrieben hat, den Glauben, den er predigte, durch das Schwert zu verbreiten."

Die Angehörigen von Abuna (= Vater, Pater) Paulos Iskandar distanzierten sich von diesem Zitat. Und sie zahlten auch das geforderte Lösegeld. Trotzdem wurden dem Pfarrer der Mor-Ephräm-Kirche Kopf, Arme und Beine abgeschnitten. Um den Propheten Mohammed für die unverschämte Kritik zu rächen, dass er Religion mit Gewalt ausgebreitet habe…

Ob eine Papstrede in Regensburg, eine vom evangelikalen Pastor Terry Jones angedrohte Koranverbrennung in den USA oder eine Mohammed-Karikatur in Dänemark: Immer müssen die Christen im Irak dafür die Zeche zahlen – und zwar liquid mit Blutgeld.

Im Jahr 2007 brachten muslimische Extremisten Abuna Raghild zusammen mit drei Diakonen um. Sie sprengten ihre Leichen, so dass von ihren Körpern nur noch Fetzen übrig blieben. Zeichen einer abgrundtiefen Verachtung für die Christen: Die sind nicht einmal einer Beerdigung wert. Stattdessen sollten sich die Hunde über die versprengten Körperfetzen hermachen.

2008 wurde Bischof Paulos Faraj Rahho entführt. Damit sollte Druck auf die Kirche ausgeübt werden: Sie solle christliche Selbstmordattentäter zur Verfügung stellen, die die autonome Kurdenregion mit Terror überziehen und die Freilassung von dort inhaftierten Dschihadisten erpressen. Weil sich seine Kirche prinzipiell der Gewalt verweigerte, wurde er ermordet. Seine Leiche wurde auf einer Müllhalde gefunden. Ein weiterer Ausdruck für die Verachtung von Andersgläubigen durch radikale Muslime: Christen sind nur Müll.

Ich sitze hier mitten unter Menschen aus Mossul. Entsetzen erfüllt mich über die Gräuel, die sie erleben mussten. Ich frage mich, ob ich die Nachrichten über die Verfolgung der Christen im Irak genügend wahrgenommen habe. Oder waren solche Meldungen allzu schnell wieder von der Bildfläche der westlichen Medien verschwunden? Unseliges Gesetz der Gewöhnung: Weil Terroranschläge mit brutaler

Regelmäßigkeit verübt wurden, waren sie bald keiner müden Meldung mehr wert – denn auch ich will ja vor allem *News*… So teilen die Christen aus Mossul das Schicksal des Vergessen-Werdens mit den Opfern in vielen Krisenherden dieser Welt: Wer denkt an die Ermordeten in El Salvador, an die Bandenkriege im Kongo, an die Gefolterten in den Gefängnissen zahlreicher Diktaturen – oder an die Attentate, die auch heute noch in Bagdad verübt werden?

Yousif holt laut Luft. „Wir Christen waren das bevorzugte Ziel der islamistischen Milizen und des Mobs! Der Terror prägte unseren Alltag: Autobomben, Entführungen, Mord. Wir lebten mit der Angst unter einem Dach. Und immer wieder fragten wir uns: Wann wird es uns treffen?"

Ich kann immer besser verstehen, warum Yousif nach der Drohung des Dschihadisten, ihm einen Arm abzuhacken, geflüchtet ist. Doch welch grausame Entscheidung musste er treffen: Um sich, seine Frau und die beiden Kinder in Sicherheit zu bringen, musste er seinen Vater im Rollstuhl zurücklassen. Und wie gerne hätte er ihn noch einmal gesehen! Ich schaue hinüber zum Foto seines Vaters und zum Kreuz, das daneben steht. Was mag Yousifs Vater in den letzten Monaten seines Lebens noch durchgemacht haben? Was steht in seinen traurigen und ernsten Augen geschrieben?

Im Buch über den Islamischen Staat hatte ich gelesen, dass von Januar bis Juni 2014 etwa 3000 Kämpfer des IS in die Stadt Mossul eingesickert waren. Sie verängstigten durch ihren Terror die Bevölkerung und nahmen jeden Monat 15 Millionen Dollar an Schutzgeldern ein, und zwar fast ausschließlich von den Christen. Immer wieder wurden Polizisten oder Soldaten umgebracht. Man lebte mit der ständigen Gefahr von Autobomben. Die Spannung wuchs ins Unerträgliche.

Die Strategie des IS ging auf: Militär und Polizei waren derart eingeschüchtert und demoralisiert, dass es ein Leichtes war, die Herrschaft über Mossul zu übernehmen. In der Nacht vom 9. auf den 10. Juni 2014 wurde das Schicksal der Christen von Mossul besiegelt.

*Der sogenannte **Islamische Staat** (Selbstbezeichnung bis 2014: Islamischer Staat im Irak und in Syrien, ISIS) mit seiner extrem fundamentalistischen Version des Islam gibt vor, dem Koran wörtlich und dem Vorbild des Propheten Mohammed treu zu folgen. Seine Mobilisierungskraft bezieht er unter anderem aus dem Versprechen, die Muslime von der politischen, wirtschaftlichen und ideologischen Bevormundung durch „die christlichen Kreuzfahrer" (= die westlichen Staaten) zu befreien. Schuld an der Misere der arabischen Staaten sei der Kolonialismus, der nun endlich abgeschüttelt werde. Dabei wird an das verletzte Ehrgefühl der Araber appelliert: „Jetzt erheben wir uns und zeigen es euch!"*

Auch die sozialen Probleme, die hohe Arbeitslosigkeit und die korrupten arabischen Eliten haben dem Islamischen Staat einen hohen Zulauf beschert. Gerade der Zerfall der modernen Staaten, die im arabischen Raum nach westlichem Muster errichtet worden waren, macht das Patentrezept so glaubhaft und attraktiv: Nur ein religiös fundierter Staat kann Gerechtigkeit und Sicherheit garantieren: Der Islam ist die Lösung!

Denn die irakische Armee floh fast kampflos und ließ dem IS ihre modernen Waffen aus dem Westen zurück. Nachdem die Dschihadisten die Stadt Mossul eingenommen hatten, blieb es in der Stadt erst einmal relativ ruhig. Vielleicht wollte der Islamische Staat zunächst seine Herrschaft sichern und alle strategisch wichtigen Posten mit seinen Leuten besetzen.

Jonah, ein anderer Onkel von Yousif, der bisher schweigend zugehört hat, rückt seinen Stuhl näher an uns heran. Zu meinem Erstaunen spricht dieser stille, in sich gekehrte Mann mich auf Deutsch an. Ich kann es kaum glauben: Jonah hat 1977 für ein Jahr in Leipzig gelebt und spricht immer noch ganz ordentlich Deutsch – mit sächsischem

Einschlag! Von Beruf Buchdrucker hat er in Leipzig eine Zusatzausbildung für Druckmaschinen absolvieren können. Nun übersetzt Yousif unsere deutsche Unterhaltung ins Arabische, damit uns Wadid folgen kann.

„Nachdem der IS Mossul eingenommen hatte, hörten wir wenige Tage später über Rundfunk, dass die neuen Machthaber uns Christen zur Rückkehr in die Stadt einluden. Man versprach, es würde uns gut ergehen. Wir waren so naiv und glaubten es. Wir *wollten* es einfach glauben, denn wir sehnten uns in unsere Häuser und Heimat zurück. Wir hörten auch, dass es keine Morde und Autobomben mehr gebe. Also fuhren wir wieder nach Mossul zurück. Doch es war nur ein Scheinfriede ... Nur wenige Tage später wurden wir über die dröhnenden Lautsprecher der Moscheen aufgefordert, zum Islam zu konvertieren oder die Dschizya zu zahlen."

Am 18. Juli 2014 stellte der selbst ernannte Kalif des Islamischen Staates, der Islam-Gelehrte Abu Bakr al-Baghdadi, die Christen vor diese Alternative und setzte ihnen für sein Ultimatum eine Frist von 24 Stunden. Und wer sich der Scharia nicht beugen wolle, den würde die Strafe des Schwertes ereilen.

Wadid fährt fort: „Wir wussten, was das zu bedeuten hat, und flüchteten ein zweites Mal. Doch alle Autostraßen, die aus der riesigen Stadt herausführten, wurden kontrolliert. Wir mussten an einem Checkpoint aussteigen und alles, was wir ins Auto geladen hatten, abgeben: Handy, Computer, unser Geld, den Schmuck." Bei diesen Worten streckt mir Onkel Wadid seine gespreizten nackten Finger entgegen. „Und sogar unsere Eheringe!"

Wadid lächelt. „Aber wir sind treu geblieben. Wir haben unseren Glauben nicht verraten."

Diese Sätze gehen mir ziemlich unter die Haut. Wir schweigen. Ein älterer Mann betritt den Raum. Wir erheben uns zum Gebet.

Als wir uns wieder gesetzt haben, fügt Wadid leise und erregt hinzu: „Und unsere Häuser in Mossul: Sie kamen mit Sprühdosen, um sie zu markieren."

Davon hatte ich schon gehört: Die Häuser der Christen wurden mit einem scharlachroten „Nūn“ gekennzeichnet. Dieser arabische Buchstabe für „N“ steht für „Nassarah“ (= Nazarener). So werden im Koran die Christen bezeichnet.

Jonah ergänzt: „Damit war das Haus für den IS beschlagnahmt – und zur Plünderung freigegeben. Es war so enttäuschend, dass selbst Arbeitskollegen und Nachbarn, mit denen wir jahrzehntelang in guten Kontakten gelebt hatten, nicht zu uns standen, als der IS einfiel.“

Onkel Jonah schaut mich mit erhobenen Augenbrauen an: „Stell dir vor: Ein muslimischer Nachbar rief mich auf dem Handy an und prahlte damit, dass er mein Haus ausgeraubt und die Hälfte des gestohlenen Besitzes dem IS gespendet habe!“

Von derart bitteren Enttäuschungen muss ich immer wieder hören: Dass Christen von ihren muslimischen Nachbarn verraten wurden. Was ist da passiert? War man all die Jahre vorher getäuscht worden? Hatten die Nachbarn eine Freundschaft vorgegeben, weil sie von den Christen profitieren konnten? Oder lockte jetzt einfach die Gelegenheit, sich am Besitz der Christen schamlos zu bereichern? Mussten die Nachbarn und Freunde befürchten, selbst ins Visier der IS-Terroristen zu geraten? Das spielte sicher alles eine Rolle.

Es gab freilich auch religiöse Gründe: Die Beziehungen der Christen mit ihren muslimischen Nachbarn gestalteten sich so lange gut, wie die Religion nicht die alles dominierende Rolle spielte. So jedenfalls interpretiert Jonah den Umschwung: Je religiöser die muslimische Umgebung wurde, umso intoleranter, ja sogar feindseliger wurden die Muslime gegenüber den Christen. Diese Aussage verstört mich, doch ich kann jetzt nicht nachfragen, denn Jonah ist aufgestanden, um einen Bekannten zu begrüßen.

Mit jedem neuen Gast, der zum Totengedenken kommt, erfahre ich mehr vom Schicksal der Christen aus Mossul. Viele besaßen dort ein eigenes Haus; sie hatten einen Job, ein Auto, Freunde, Hobbys …

Und alle mussten ihre Heimat verlassen, nur weil sie Christen sind. Der Mann neben mir erzählt in gutem Englisch, dass er von Mossul nach Osten in die christliche Stadt Karakosch geflohen ist, dann von Karakosch nach Arbil. Und wohin soll er jetzt noch fliehen?

Jonah seufzt: „Wir haben alles verloren. Auch unsere Geschichte. Nach fast zweitausend Jahren hat man uns entwurzelt. Ob man einen so alten Baum umpflanzen kann?“ Dann berichtet er, dass die Terroristen des IS im Garten seiner Familie in Mossul alle Bäume gefällt und verbrannt haben. Eine Symbolhandlung: Sie wollen die Christen mit Stumpf und Stiel ausrotten.

Yousif zückt sein Smartphone und spielt ein paar Videos ab: Bärtige Terroristen reißen Kreuze von den Kuppeln und Türmen der Kirchen und hissen das schwarze Banner des IS. Maskierte Männer zertrümmern mit großen Hämmern Heiligenfiguren und stürzen unter Jubel eine Marienstatue vom Sockel. Mehrere Kirchen wie Mor Ephräm oder Mor Yousif wurden in Moscheen umgewandelt.

Ein weiterer junger Mann betritt den Raum. Wir beten und es wird wieder eine Brise Weihrauch aufgelegt. Ich setzte mich zu ihm; er berichtet mir in fließendem Englisch, dass er in den Erdölfeldern von Kurdistan einen Job gefunden hatte. Infolge des gesunkenen Ölpreises hat er seine Arbeit wieder verloren. Zum Nichtstun verurteilt und kein Geld in der Tasche – und vor allem keine Perspektive für die Zukunft… Plötzlich sitzen wir im Dunkeln. Der Regen hat die Lichter gelöscht, doch man ist auf den regelmäßigen Stromausfall vorbereitet: Akku-Leuchten verbreiten mit ihrem kalten grünlichen Licht eine frostige Atmosphäre. Draußen springt lautstark ein Generator an, der nach ein paar Minuten den Straßenzug wieder mit Elektrizität versorgt.

Zwischendurch gibt es ein üppiges Essen, auf verschiedenen Platten herrlich präsentiert. Yousifs Familie und Verwandte haben dieses Festmahl vorbereitet und diese typischen Gerichte aus Mossul sind mehr als ein Augenschmaus. Wir lassen es uns schmecken und es kommt eine Heiterkeit, eine leichte Fröhlichkeit auf. Ich koste gebratene Fleischbällchen und Reis, Geschnetzeltes in einer scharf

Der Konflikt zwischen ***Sunniten*** *und* ***Schiiten*** *war und ist Anlass zahlreicher Attentate und militärischer Auseinandersetzungen. Dahinter steht auch der Kampf um die Vormachtstellung zwischen den beiden „islamischen Großmächten" Saudi-Arabien (sunnitisch) und dem Iran (schiitisch geprägt), der z. B. auf dem Boden des Irak, des Jemen und Syriens geführt wird.*

Bereits am Totenbett von Mohammed stand eine Streitfrage, die den Islam bis heute zerreißt: Wer führt das religiös-politische Erbe des Propheten weiter? Die Schiiten („Partei des Ali") gehen davon aus, dass Mohammed seinen Vetter Ali zum rechtmäßigen Nachfolger ernannt habe. Für die Sunniten dagegen waren die ersten Kalifen die legitimen Nachfolger des Propheten. Sie berufen sich dabei auf eine bestimmte Lesart der „Sunna" (das Vorbild des Propheten).

Der Konflikt zwischen Sunniten und Schiiten wurde von Anfang an sehr blutig ausgetragen. Über Jahrhunderte hinweg und bis auf den heutigen Tag ist der Streit um das Erbe des Propheten Ursache einer tödlichen Erbfeindschaft, die sich bisweilen in exzessiver Gewalt äußert.

gewürzten Sauce und bunte Salate. Was übrig bleibt, so erklärt mir Yousif, wird traditionell an bedürftige Leute verteilt.

Auch eine muslimische Familie kommt zur Totenfeier: Omar, ein sympathischer Mann mit seiner Frau, diese im Unterschied zu den christlichen Frauen mit Kopftuch. Die Frau geht mit den beiden kleinen Kindern nach nebenan, Omar setzt sich zu uns. Und als der nächste Christ kommt und das Gebet für den Toten spricht, steht er selbstverständlich mit auf, breitet wie wir die Arme aus und betet mit uns. Auch diese muslimische Familie ist vor dem Islamischen Staat aus Mossul geflohen und wohnt jetzt im Exil. Hier wird mir sehr deutlich, dass im Irak vor allem Muslime Opfer von Terrorismus und Vertreibung geworden sind.

Yousif erzählt mir, dass Amanuel und Shaba in Mossul mit Omars Kindern gespielt haben. Und dass die Freundschaft zwischen ihnen durch keinen IS und keine religiöse Ideologie zerstört worden ist! Was für ein schönes Zeichen angesichts der Tatsache, dass so viele muslimische Nachbarn ihre christlichen Freunde verraten und im Stich gelassen haben, als die „Glaubenskrieger" des IS in Mossul einrückten. Ich bin dankbar für dieses Beispiel von Freundschaft zwischen Christen und Muslimen, die sich durch die radikal-islamische Indoktrination nicht vergiften ließen. Ganz spontan verabschiede ich mich von dieser Familie mit einer ungewöhnlichen Geste: Ich verneige mich tief und sage: „Salam! Friede!", und: „Schukran – danke!"

Ich bin über und über erfüllt von den Eindrücken dieses Tages und lege mich auf meine Couch im Durchgangszimmer. So vieles geht mir noch durch den Kopf; vor allem die Bemerkung von Jonah lässt mich noch nicht in Ruhe: Als sich einige Nachbarn den extrem konservativen Strömungen des Islam anschlossen, haben sie uns die Freundschaft aufgekündigt!

Zerstört die Religion manchmal die Menschlichkeit? Wie kommt es, dass ausgerechnet Muslime, die sich als besonders fromm verstehen, zu unmenschlichen Verbrechen fähig werden? Sie tun das mit Berufung auf den Koran. In der jüngsten Sure heißt es: „Macht euch keine Juden und Christen zu Freunden!" (5,51) Es gibt auch Verse im Koran, die den Christen gegenüber ein gewisses Wohlwollen zum Ausdruck bringen – und die werden glücklicherweise von vielen Muslimen ernst genommen. Da jedoch nach weit verbreiteter Lesart die „jüngeren" Offenbarungen die „älteren" aufheben, behält die Aufforderung zu christenunfreundlichem Verhalten das letzte Wort. So können Hassprediger mit Berufung auf den Koran in den Moscheen eine antichristliche Stimmung verbreiten und zu Plünderung und Mord aufrufen. Es gibt sogar zahlreiche Fatwas (= islamische Rechtsgutachten) von salafistischen oder wahhabitischen Gelehrten, die dazu mahnen, mit Christen keinen höflichen und respektvollen Umgang zu pflegen: Eine menschliche Freundschaft mit einem Christen würde die Reinheit des muslimischen Herzens gefährden!

Wie aber kann ein religiöses Gesetz stärker verpflichten als das Gebot der Menschlichkeit? Hängt dies mit dem Glauben an den *absoluten* Gott zusammen?

Im Zentrum der Religionen von Judentum, Christentum und Islam steht der Glaube an einen einzigen Gott, der völlig erhaben, unbegreiflich und *absolut* ist. Dieser ganz und gar jenseitige Gott kommt dem Menschen entgegen und zeigt sich. Für das Judentum offenbart sich Gott in der Schöpfung und Geschichte, vor allem in der *Befreiung des Volkes Israel* aus der Sklaverei in Ägypten. Gemäß dem Glauben des Christentums geht Gott noch einen Schritt weiter. Seine Offenbarung findet in *Jesus von Nazaret* ihren absoluten Höhepunkt: In dessen Leben, Tod und Auferstehung ist und bleibt Gott in einmaliger Weise präsent. Für den Islam schließlich hat Gott im *Koran* sein ureigenes Wort herabgesandt.

Der Koran in seinem arabischen Wortlaut gilt für den Islam als das göttliche Wort selbst, das absolut zu respektieren ist. Konservative islamische Strömungen leiten daraus den Anspruch ab, dass die Vorschriften des Koran wortwörtlich einzuhalten sind. Denn „Islam“ bedeutet nicht „Frieden“, wie öfter behauptet wird, sondern „Ergebung“ oder „Unterwerfung“: Die Hingabe an Gott findet darin ihren Ausdruck, dass sich der Mensch den göttlichen (Vor-)Schriften unterwirft.

Dagegen ist das Christentum keine Buchreligion, wenngleich der Koran es als solche bezeichnet. Gottes *Wort* ist nicht in einem Buch, sondern in einem Menschen, in Jesus von Nazaret, auf die Welt gekommen. Weil der absolute Gott in einem *Menschen* präsent ist, hat jeder Mensch Anteil am Göttlichen und ist daher absolut zu respektieren. Es gehört zu den Besonderheiten der Verkündigung und des Verhaltens Jesu, dass er den Menschen über den Buchstaben auch des religiösen Gesetzes stellt: Der Sabbat ist für den Menschen da – und nicht umgekehrt! Jesus kritisiert die Perversion, im Namen Gottes den Menschen zu knechten. Die Hingabe an Gott findet darin ihren Ausdruck, dass der Mensch sich selbst und den Nächsten liebt.

Es steht außer Frage, dass es in der Geschichte von Christentum und Islam oft auch zu ganz anderen Verhaltensweisen kam: Christen wurden mit Bibel und Schwert in der Hand zu grausamen Kolonialherren. Nicht mehr der Mensch als Bild Gottes wurde verehrt, sondern die Gier nach Macht – unter dem Deckmantel der Religion. Und der Islam kennt Zeitalter, in denen eine relative Toleranz herrschte. Doch die häufigen Berichte von Christen, dass jahrzehntelange Nachbarschaft und Freundschaft in dem Moment zerbrach, als die Christen aus religiösen Gründen zu Feinden erklärt wurden, machen nachdenklich …

Ich drehe mich auf die andere Seite. Doch nicht nur in mir wirbelt viel Unruhe, sondern auch um mich herum. Irgendwo in der Nachbarschaft wispert ein Fernseher. Durch die Tür, die nicht ganz in den Rahmen passt und daher nur angelehnt werden kann, dringt Gemurmel aus dem Nachbarzimmer. Helle und dunkle Stimmen verweben sich zu einem fremdartigen Klangteppich. Nach so langer Trennung und vor allem nach dem Tod des Vaters haben sich Yousif und seine Familie so viel zu erzählen. Zum Glück finde ich ein Schlafmittel in meinem Gepäck, allerdings kein chemisches, sondern ein mechanisches: Ich stopfe mir Ohropax in die Gehörgänge und drehe mich um. Übermüdet schlafe ich endlich ein.

5. Ein Zwischenlager für Menschen

Am nächsten Morgen telefoniere ich sofort nach dem Frühstück mit den „Kleinen Schwestern“ in Ankawa, die sich wie meine eigene Gemeinschaft der „Kleinen Brüder“ auf Charles de Foucauld zurückführen. Eine ältere Schwester stammt aus Frankreich, die anderen sind im Irak geboren und drei von ihnen lebten zuletzt in Mossul. Jetzt sind sie Flüchtlinge unter Flüchtlingen und wohnen in einem Camp. Sie laden mich zu einem Besuch ein und ich bitte Basman, mich zum Flüchtlingslager zu bringen.

Es hat geregnet heute Nacht und dunkle Wolken künden mit lautem Donner das nächste Gewitter an.

Die Straßen stehen stellenweise unter Wasser und Basmans Auto klatscht durch die schmutzigen Pfützen. Im Ödland rechts und links Betonskelette und würfelförmige Häuser, die schon vor ihrer Fertigstellung zu Ruinen deklariert wurden.

Wir erreichen das Auffanglager – eines von 22 in Ankawa – und Basman verabschiedet sich. Am Eingang des Lagers, das mit einem hohen Stacheldrahtzaun abgeriegelt ist, lungern ein paar Männer herum. Ich fühle mich etwas unsicher und grüße sie mit ein paar arabischen Brocken. Sie lächeln mir freundlich zu. Doch sicher fühle ich mich erst, als ich Sr. Hannah in der typischen, jeansblauen Ordenskleidung kommen sehe. Sie ist schon eine ältere Dame mit vielen Fältchen im Gesicht und unter dem blauen Kopftuch quellen angegraute Haare wellig hervor. Wir begrüßen uns, als wären wir alte Bekannte – hier erlebe ich erneut, wie tief eine gemeinsame Spiritualität verbinden kann! Dann stapfen wir auf dem schlammigen Weg ins Lager hinein, zwischen weißen Containern hindurch, die wie Schuhschachteln aneinandergereiht stehen. Durch die Regenwolken über uns wirkt die ohnehin schon triste Wirklichkeit noch grauer.

Wir begegnen nur wenigen Leuten auf den mit Pfützen übersäten Wegen. Vor einigen der Container, die aus Fertigteilen errichtet sind und etwa die Größe eines Wohnwagens haben, bieten Frauen unter einer Überdachung aus Plastikplanen Haushaltsartikel an: Besen, Eimer, Putzmittel, Scheuerlappen. Hannah erklärt mir, dass die Menschen versuchen, ihr Leben wieder zu organisieren. Einige haben einen winzigen Laden eröffnet, andere eine Werkstatt ... Ich sehe zwei junge Männer, die Holz von Paletten gestapelt haben und daraus primitive Möbel zimmern. Es gibt kaum Arbeit in Ankawa, doch durch diese kleinen Aktivitäten kommt etwas Normalität in das Leben der Geflüchteten.

5600 Christen aus Mossul und Karakosch sind vor etwa einem halben Jahr in diesem Lager eingezogen. Sie wurden alle im Sommer 2014 aus ihrer angestammten Heimat vertrieben. Ich sehe die alten Leute hier, die durch den Morast stapfen; dazwischen spielen Kinder im Schlamm. Frauen versuchen, das Wasser aus ihren Containern zu fegen, während Männer sich auf den Dächern zu schaffen machen: Sie ziehen Plastikplanen über die Blechdächer, die einem starken Regen anscheinend nicht standhalten. Während der Regenzeit verwandeln sich die Container in Tropfsteinhöhlen – und im Sommer in Backöfen. Im Juli 2015 stieg das Thermometer an mehreren Tagen auf über 52 Grad Celsius und die Klimaanlagen der Container kämpften gegen den eigenen Hitzeschlag.

Ein Kind schiebt eine alte Frau im Rollstuhl durch den Schlamm. Ich habe in den letzten Monaten von meinen irakischen und syrischen Freunden viel über die Flüchtlingslager gehört; doch was ich jetzt mit eigenen Augen sehe, schmerzt ungemein mehr. Hannah bringt mich zum Container, den sie gemeinsam mit den Schwestern Nasrin und Salama bewohnt. An der Eingangstür hängt – mit Tesa-Film angeklebt – ein kleines Kreuz mit Herz, das „Logo“ der Gemeinschaften, die auf Charles de Foucauld zurückgehen. Ich betrete das Zuhause der Schwestern, die mich wie einen lange Vermissten umarmen. Alles ist schlicht eingerichtet: An den Wänden entlang stehen Schlafsofas und in einer Ecke lädt ein Gebetsplatz zum Innehalten ein. Ich fühle mich gleich daheim.

Viele Jahre lang lebte diese Gemeinschaft von Kleinen Schwestern in Mossul, inmitten eines christlichen Stadtviertels mit einer kostbaren Kirche aus dem 5. Jahrhundert. Diese uralte Präsenz des Christentums dünnte schon seit Jahren immer mehr aus. Der Druck von islamistischen Extremisten wurde immer größer und es mehrten sich Schutzgelderpressungen, Entführungen, Vergewaltigungen und Morde an Christen.

Hannah schildert: „Immer häufiger hat man Leichen massakrierter Christen in unsere Kirche gebracht, für die wir dann den Totengottesdienst feierten. In einem schleichenden Exodus verließen die Christen ihre Stadt oder sogar den Irak. Zu Beginn des Jahres 2014 lebten von vorher 200 000 nur noch 35 000 Christen in Mossul. In unserem Viertel, das auf eine alte, christliche Tradition zurückschaut, wohnten außer uns drei Schwestern nur noch fünf christliche Familien. Im Juni hörten wir, dass sich die IS-Milizen der Stadt von Westen her näherten. Dennoch hatten wir nicht vor, Mossul zu verlassen."

Doch es sollte anders kommen. Am 10. Juni klopften muslimische Nachbarn und warnten die Schwestern: Es sei besser, aus der Stadt zu fliehen; die Milizen des IS hätten Mossul eingenommen und das Rathaus stünde in Flammen. Am Abend rief auch der Pfarrer an und bat die Schwestern, die flüchtenden Christen zu begleiten. So packten sie je einen kleinen Koffer und ließen die Wohnung der Gemeinschaft mit der schönen Kapelle zurück. Um 5 Uhr morgens zogen sie zu Fuß los zur Tigrisbrücke, die Richtung Kurdistan führt. Je länger sie unterwegs waren, umso mehr wuchs der Flüchtlingstreck an. Tausende und Abertausende verließen die Stadt, Christen und auch Muslime.

Salama fährt sich mit beiden Händen über das zierliche Gesicht.

„Mir fielen die jungen Männer auf, die barfuß gingen, etwas hier völlig Ungewöhnliches. Sicher handelte es sich um Soldaten, die ihre Uniform samt den Stiefeln weggeworfen hatten, um von den Milizen des IS nicht erschossen zu werden. Ein Mann mittleren Alters trug eine alte Frau auf dem Rücken, vielleicht seine Mutter."

Die Ladeflächen der Pickups quollen über von Koffern und Säcken. Darauf zusammengekauerte Alte, schlafende Säuglinge und schreiende Kinder. Schließlich gelangte der Treck an einen Checkpoint. Zuerst dachten die Schwestern, dass hier noch die irakische Armee kontrolliert. Aber auch dort standen schon die bärtigen Männer des IS. In dieser Nacht durften noch alle passieren. Mit Anbruch des Tages bot sich ein unbeschreibliches Bild: So weit das Auge reichte, schob sich auf der Straße Richtung Osten ein Treck aus Fahrzeugen und Fußgängern im Schritttempo in die gelbbraune Ebene hinaus. Nach drei Stunden Fußmarsch erreichten die Schwestern den Posten des autonomen Kurdengebietes.

Salama seufzt. „Für uns war es Exodus und Apokalypse zugleich: der Auszug aus der Heimat und der Untergang einer Welt, unserer christlichen Welt im Irak."

Es ist wirklich bedrückend: Noch vor zwei Jahren haben die Christen Mossuls in mehr als 30 Kirchen und Klöstern von Mossul Weihnachten gefeiert. Und heute lebt in dieser Stadt, in der über 1600 Jahre das Christentum blühte, kein einziger Christ mehr. Voller Stolz deklarieren die Führer des Islamischen Staates Mossul heute als „christenfrei".

Ich frage nach, ob nicht manche Christen zum Islam konvertiert sind, um ihre Häuser und Jobs zu retten. Hannah verneint: Es habe zwar viele Christen in Mossul gegeben, die nie zum Gottesdienst kamen; aber Muslime wollten sie unter keinen Umständen werden! Nur ein paar Kranke und Behinderte, die bettlägerig waren, mussten in Mossul zurückbleiben: Sie haben dem christlichen Glauben abgeschworen und sind zum Islam übergetreten, um nicht getötet zu werden.

Dann erzählt Hannah von einem sehr reichen, kinderlosen Ehepaar, das mit großen Geldsummen und viel Schmuck an den Checkpoint kam. Eine IS-Kämpferin kontrollierte die Frau und nahm ihr alles Gold und Geld weg. Die Frau bat, man möge ihr wenigstens ein bisschen Kleingeld lassen, damit sie den Bus bis zur nächsten Stadt zahlen könne. Die „Glaubenskämpferin“ bot ihr an: „Du kannst dein ganzes Geld und allen Schmuck behalten und auch dein schönes Haus zurückbekommen, wenn du Muslima wirst.“ Doch die Frau, die nie zum Gottesdienst kam, lehnte ab.

Überrascht frage ich nach: „Warum hat sie so entschieden?“

Die Kleine Schwester vermutet, dass für diese Frau der christliche Wert der menschlichen Person wichtig war. Sie hat durch das Christentum erfahren, dass sie auch als Frau einen unendlichen Wert hat. Selbst wenn das vielleicht längst ins Unbewusste abgerutscht war, so war im Augenblick der Entscheidung für sie klar, dass sie Christin bleiben will – auch wenn sie dafür Heimat und Besitz verliert.

Meine Neugier ist noch nicht befriedigt: „Kannst du mir das noch etwas genauer erklären?“

„Weißt du, unsere Umwelt ist vom Islam geprägt. Dass Frauen weniger wert sind als Männer, wird zum Beispiel durch die Heiratsregel zementiert: Ein Mann darf bis zu vier Frauen heiraten. Auch im ganz konkreten Alltag sind die Rechte der Frauen sehr eingeschränkt und unterliegen der Kontrolle durch Männer. Unsere christliche Kultur dagegen kennt ein anderes Frauenbild. Schon vor vielen Jahrhunderten gründeten Frauen hier Klöster, in denen sie sich selbst organisierten und sich eine Lebensregel gaben. Ich fühle mich als Ordensfrau sehr frei: Mein Wert wird nicht über einen Mann oder die Mutterrolle definiert. Auch unverheiratet und kinderlos kommt mir die gleiche Würde zu wie allen anderen Frauen und Männern. Vielleicht hat diese Frau, von der ich dir berichtet habe, das christliche Frauenbild so geschätzt, weil sie ja, wahrscheinlich ungewollt, kinderlos war.“

Hannah klatscht kurz in die Hände. „Aber jetzt wieder zurück zu unserer Vertreibung aus Mossul. Es war mitten im heißesten Sommer. Die Luft flimmerte vor Hitze – und vor allem ältere Flüchtlinge brachen erschöpft zusammen. In Ankawa angekommen, schliefen die Leute zuerst auf dem freien Feld, dann in beengten Räumen zusammengepfercht oder in Zelten.“

Salama zeigt mir Fotos auf dem Smartphone: Bilder aus dem Innenhof eines kirchlichen Gemeindezentrums in Ankawa. Bunte Stoffbahnen dienen als Raumteiler. Auf dem Boden hocken zahlreiche Kinder zwischen Kartons und Plastiktüten. Auf einem anderen Bild sitzt eine Familie auf Holzbänken. In den Händen Teegläser, in den Augen eine Leere. Männer und Frauen starren vor sich hin: aus der geliebten Heimat verjagt, zum Nichtstun verdammt, der Weg in die Zukunft versperrt. Ein Bild voll Traurigkeit und Lethargie.

Salama berichtet, dass die Christen etwa ein Jahr nach ihrer Vertreibung Containersiedlungen beziehen konnten, die von der UNO-Flüchtlingshilfe und kirchlichen Organisationen errichtet wurden. So haben sie nun wenigstens ein – mehr oder weniger dichtes – Dach über dem Kopf. Doch der Verlust schneidet tief ins Fleisch: „Den Christen von Mossul ging es gut: Unter ihnen waren Geschäftsleute, Ärztinnen und Lehrerinnen, viele Handwerker. Sie haben alles verloren. Tief verletzt und zermürbt stehen sie mit dem Rücken zur Wand. Von außen betrachtet, kann man sagen: Die Essensrationen sind ausreichend; und die Leute sind auch ordentlich gekleidet. Doch in ihrem Inneren sieht es anders aus: Denn es gibt wohl für die Christen in diesem Land keine Zukunftsperspektive. Das ist das Schlimmste: keine Zukunft zu haben, nicht einmal in der eigenen Heimat."

Salama kümmert sich vor allem um die Jugendlichen im Camp. Die sechsunddreißigjährige Ordensschwester organisiert Spiele, Gesprächsrunden und Kurse über den christlichen Glauben. Während Nasrin das Mittagessen vorbereitet, zeigt mir Salama das Lager. Es gibt Schulen und Kickplätze für die Kinder. Heute aber fallen Schule und Fußballspiel aus, weil der Schulcontainer im Wasser und der Sportplatz sogar unter Wasser stehen.

Die Kleine Schwester entdeckt gleich um die Ecke den Hausmeister der Schule und wir können die Klassenzimmer besichtigen: vier beengte Räume mit schmalen Schulbänken, die heute leer bleiben.

„In dieser Schule unterrichten die vertriebenen Lehrer die vertriebenen Mädchen und Jungen, insgesamt etwa 1000 Kinder."

Ich überschlage noch einmal die Sitzplätze der Bänke und schüttle den Kopf. Doch Hannah erläutert mir das Schulsystem: Jedes Kind hat an drei Tagen pro Woche drei Stunden Unterricht. In jedem Raum findet also von Montag bis Mittwoch, von 7 bis 10 Uhr, Unterricht für eine Klasse statt, dann von 10 bis 13 Uhr für die nächste Klasse und so weiter bis 19 Uhr. Und von Donnerstag bis Samstag sind die anderen Klassen dran. So können in vier Räumen 32 Schulklassen unterrichtet werden!

Auf dem Vorplatz der Schule haben sich ein paar Kinder versammelt. Ein Mädchen ruft mir zu. Es ist leicht behindert und will mit mir Ball spielen. Wir werfen einander einen roten Ball zu und das Kind juchzt vor Freude. Sein helles Lachen an diesem trüben Tag und in dieser düsteren Stimmung klingt wie eine Stimme aus einer anderen Welt. Nur ungern beende ich das Spiel und lasse das Mädchen traurig zurück.

Hannah erzählt mir von den Kindern im Lager, die ihren Eltern oft die Frage stellen: „Mama, Papa, wann gehen wir wieder nach Hause?" Diese Frage muss den Eltern das Herz zerreißen! Die Kinder wollen wieder heim, in ihre gewohnte Umgebung, in ihr Zimmer mit den Spielsachen, zu ihren Kameraden, zu ihrer Katze, ihrem Kaninchen …

Mit Blick auf die Gesamtsituation frage ich mich, ob es überhaupt eine Chance für ein Zurück geben kann. Denn selbst wenn der IS zurückgedrängt würde, so hat die Islamisierung der gesamten Gesellschaft dazu geführt, dass die Christen in ihrer eigenen Heimat keinen Platz mehr finden können. Was bringt es den Christen, wenn der sunnitische IS durch eine schiitische Regierung ersetzt wird? Jahrelang hat die von der USA unterstützte schiitische Regierung des Irak tatenlos zugeschaut, wenn Christen drangsaliert, erpresst oder ermordet wurden. Selbst Polizisten haben sich an den Übergriffen beteiligt. Und es war der schiitische Großayatollah des Irak, der 2012 eine Fatwa (islamisches Rechtsgutachten) verkündete, in der er die Christen des Landes aufforderte, zum Islam zu konvertieren. Andernfalls seien sie vogelfrei und könnten getötet werden. Überdies würden die Frauen und Töchter der Christen rechtmäßig den Muslimen gehören und zwar unabhängig davon, ob sie bereits verheiratet sind. Diese Fatwa wurde sogar durch das Fernsehen verbreitet!

Alle Informationen, die ich zusammentrage, bestätigen: Christen finden im Irak, in dem der Islam Staatsreligion ist, kein gleiches Recht. Die Diskriminierung wirkt sich auf viele Lebensbereiche aus. Wenn in einem christlichen Dorf auch nur ein einziges muslimisches Kind in der Schulklasse ist, hat es ein Recht auf muslimischen Religionsunterricht. Aber nur wenn mehr als 50 Prozent der Kinder in einer Klasse Christen sind, wird für diese ein christlicher Religionsunterricht genehmigt.

Ob durch eine sunnitische oder eine schiitische Regierung diskriminiert: Für die Betroffenen macht das keinen Unterschied. Welch Dilemma für die aus Mossul vertriebenen Christen, die einerseits auf die Befreiung der Stadt von der Pest des IS hoffen – doch dann die Cholera einer anderen islamistischen Strömung befürchten müssen!

Zwei Tage vor meinem Besuch wurde in dieser Siedlung eine Kirche eingeweiht, ebenfalls in Container-Bauweise. Zuvor hatte man die Gottesdienste in einem großen Zelt gefeiert. Auch der Pfarrer, der mit seiner ganzen Gemeinde vertrieben wurde, wohnt in einem Container im Camp. Vor der Kirche treffe ich eine Gruppe von Jungs. Sie umringen mich und wollen wissen, woher ich komme. Hannah übersetzt und alle wollen mir die Hand geben. Jetzt erst entdecke ich, dass bei einem aufgeweckten Elfjährigen der rechte Ärmel seines Pullovers schlaff herabfällt. Ich lasse den Jungen über Hannah fragen, wie er seinen rechten Arm verloren habe. „Eine Autobombe in Karakosch", übersetzt sie mir. Ich spüre, wie mich der Anblick dieses Jungen schmerzt und sich in mir alles zusammenkrampft.

Zunehmend hatten Christen aus den vom Terror geplagten Regionen des Irak in Karakosch Zuflucht gesucht. Dort hatte man lange geglaubt, dass man zwar von Mossul nur 30 Kilometer, von den

Karakosch: *bis Sommer 2014 die letzte von einst vielen christlichen Städten in der Ninive-Ebene. Zwölf Kirchen zählte die Stadt, die ältesten datieren ins 6. Jhd. Die alte Tradition war immer noch quicklebendig: 25 Priester und 120 Ordensfrauen prägten das christliche Leben von Karakosch mit. Es gab sogar noch ein Kloster aus dem 4. Jhd., das auf den heiligen Behnan (Mor Behnan) zurückgeht. Die rund 50 000 Einwohner lebten von der Landwirtschaft, von Handwerk und Handel. Im August 2014 überrannten Milizen des IS auch Karakosch.*

Anschlägen aber meilenweit entfernt sei. Doch die islamischen Fundamentalisten nahmen auch diese friedliche, unbewaffnete Stadt in ihr tödliches Visier:

Es ist Dienstag, 2. Mai 2010, frühmorgens. Täglich karren Busse etwa 1200 Studentinnen und Studenten aus Karakosch zur Universität von Mossul. So auch heute. Der Konvoi von 18 Bussen wird von Militärfahrzeugen der irakischen Armee eingerahmt. Kurz vor einem Checkpoint im Außenbezirk von Karakosch lauert eine Straßenbombe. Ein Blitz- und Donnerschlag aus der Erde hebt den Bus wie von Geisterhand in die Höhe. Sekunden später explodiert eine Autobombe neben dem nachfolgenden Bus. Wieder ein Knall und die Ohren werden taub vor Schmerz. Tausende von Glassplittern durchhageln den mit jungen Frauen und Männern überfüllten Bus. Ein vielstimmiger Schrei aus über hundert Kehlen. Die frischen Gesichter: wie mit Blut übergossen. Im Innern der beiden Busse ein blutverschmiertes Chaos aus Sitzbezügen, Schaumgummi, zerfetzten Rucksäcken und menschlichen Körperteilen. Die Bilanz: 180 Verletzte, viele von ihnen für den Rest des Lebens gezeichnet, und vier Tote. Dieser Anschlag gab das Signal, dass man auch in Karakosch vor dem islamistischen Terror nicht mehr sicher war. Die nächste Autobombe riss neun Menschen in den Tod.

Beim Weitergehen murmelt Schwester Hannah: „Autobomben! Wie viele Unschuldige sind in den letzten Jahren im Irak durch heimtückische Sprengstoffanschläge umgekommen. Oder die Selbstmordattentäter, die möglichst viele mit sich in den Tod reißen wollen. Oft mittels der perfiden Strategie: Wenn Christen aus den Gottesdiensten auf die Straße strömten, explodierte die Bombe. Besonders an unseren hohen Festen."

Hannah kennt viele Leute; an jeder Ecke bleiben wir stehen und sie redet mit Männern, Frauen und Kindern. Viele der Geflüchteten sind krank und es fehlt das Geld für lebenswichtige Behandlungen oder Operationen. Wir besuchen ein paar Familien in ihren Containern, die oft mit einem einfachen Holzkreuz geschmückt sind. Das ist sicher mehr als nur gedankenlose Tradition: Sie haben wie ihre Vorfahren seit vielen Generationen schmerzlich spüren müssen, was es bedeuten kann, dem gekreuzigten Christus zu folgen. Immer wieder höre ich die Geschichten der noch vor kurzem wohlhabenden Familien, die Heimat, Haus und Hof verlassen mussten – aus einem einzigen Grund: *weil sie Christen sind!*

Was bleibt ihnen anderes übrig, als von Auswanderung zu träumen: nach Europa, Amerika oder Australien. Zugleich erleben sie es als einen Alptraum: „Müssen wir wirklich unserer angestammten Heimat den Rücken zukehren?" Ein unerträgliches Dilemma zerreißt diese Menschen: Sie wollen bleiben. Und sie müssen gehen. Beides unbedingt. Und beides zugleich.

Eine Nachbarin klopft, um den Schwestern, die keinen Fernseher besitzen, eine Nachricht zu übermitteln. Gerade eben ging die Nachricht über den Bildschirm, dass sich die UNO-Flüchtlingshilfe auf einen neuen Zustrom von Menschen nach Kurdistan vorbereitet. Denn die irakische Armee will gemeinsam mit der Peschmerga auf Mossul vorrücken, um die Stadt vom IS zu befreien. Werde ich in den vier Tagen, die ich hier noch verbringen will, etwas davon mitbekommen? Oder ist alles nur Propaganda? Auf jeden Fall spüre ich, wie die Menschen hier zwischen dunkler Verzweiflung und kleinen Hoffnungsfunken hin- und hergerissen sind.

6. „Wenn man euch in der einen Stadt verfolgt, so flieht in eine andere …“ (Mt 10,23)

Am nächsten Morgen nimmt sich die Kleine Schwester Salama viel Zeit für mich. Salama stammt aus einem Dorf im Norden des Irak, das von Christen und Kurden bewohnt war. Als die irakische Armee 1968 Kurdistan bombardierte, verloren nicht nur viele Kurden, sondern auch die – an diesem Konflikt unbeteiligten – Christen ihre Heimat. Von den 180 christlichen Dörfern im Norden des Irak wurden etwa 150 dem Erdboden gleichgemacht. Auch die Türkei hat in den letzten Jahren die Kurden im Irak angegriffen – und nebenbei noch ein paar unbewaffnete christliche Dörfer bombardiert. Infolgedessen sind viele Christen ins Ausland geflüchtet. Salama lebt als Einzige ihrer Familie noch im Irak. Alle anderen haben sich auf vier Kontinente verstreut.

Vom Camp aus durchqueren wir halb fertige Straßen zwischen ewig unfertigen Häusern rechts und links und kommen nach einem längeren Fußmarsch in das alte Zentrum von Ankawa. Als Erstes zeigt mir Salama die Kirche Mor Gorgees (Heiliger Georg). Die orientalische Kuppel, die von einem Kreuz gekrönt wird, lässt sofort erkennen, dass es sich um eine alte Kirche handelt: Die Kuppel symbolisiert das Himmelsgewölbe und soll den Gläubigen zeigen, dass sie bei der Feier der Liturgie schon mit dem Himmel in Berührung kommen. Das Innere der im Jahr 816 erbauten Kirche mit seinen wuchtigen Säulen wird von kalkigem Licht erhellt und ist schlicht gehalten: kaum Bilder, über dem Altar ein Kreuz. Salama erläutert, dass das Christentum bereits im 1. Jahrhundert nach Ankawa gekommen ist. Die nahe gelegene Stadt Arbil hieß damals Arbela und war schon seit dem Jahr 104 n. Chr. ein bedeutender Bischofssitz. Mich beeindruckt der Gedanke, dass das Evangelium hier schon seit über 1900 Jahren gepredigt und gelebt wird.

In den letzten zehn Jahren hat sich aus dem christlichen Dorf Ankawa eine kleinere Stadt mit vielleicht 30 000 Einwohnern entwickelt.

Denn viele Christen aus Bagdad oder Mossul suchten in der autonomen Kurdenregion Zuflucht – manche noch in der Hoffnung, dass der Irak wieder zur Normalität zurückfinden würde und sie in ihre Häuser und zu ihrer Arbeit zurückkehren könnten. So wurden viele Reihenhaussiedlungen gebaut, aber auch Hochhäuser, Einkaufszentren, Kirchen … Dazwischen Hotels, Sportzentren und Vergnügungspaläste für die ausländischen Mitarbeiter der Erdölfirmen.

Ich frage Salama, wie viele Christen sich jetzt in Ankawa befinden. Sie berichtet, dass seit Jahren Abertausende von Christen etwa aus Bagdad nach Kurdistan geflüchtet sind. Doch wie viele von ihnen noch hier leben, weiß niemand. Dann suchten im Juni 2014 Zehntausende von Christen nach ihrer Vertreibung aus Mossul und Umgebung Zuflucht in der kleinen Stadt. Ein Teil der Vertriebenen war freilich zunächst nach Karakosch geflüchtet. Als die Terrormiliz des IS auch Karakosch einnahm, mussten die Christen aus Mossul gemeinsam mit denen, die ihnen Unterschlupf gewährt hatten, weiter nach Osten fliehen. Von einem Tag auf den anderen trafen etwa 100 000 weitere Flüchtlinge in Kurdistan ein. Die meisten der insgesamt 350 000 Christen aus Mossul und der angrenzenden Ninive-Ebene befinden sich wahrscheinlich immer noch in Kurdistan: in Ankawa, Duhok, Zahko, in Dörfern weiter im Norden. Aber wer irgendwie kann, flüchtet weiter.

Doch nun will Salama mir die Mall Ankawa zeigen. Die Straße dorthin ist sehr befahren und so marschieren wir auf dem Braunstreifen durch Pfützen und Schlamm. „Grün" gibt es hier nicht. Wenige Minuten später stehen wir vor einem mächtigen Gebäudekomplex. Das geplante Einkaufscenter wurde nie fertiggestellt. Der Eingang der von außen schmucken Bauruine ist verrammelt.

„In diesem Gebäude wurden unzählige Geflüchtete notdürftig untergebracht. Stell dir vor: Drinnen gibt es kein Tageslicht und es sieht aus wie in einer Tiefgarage. Zwischen den Wänden aus grobem Beton wurden Raumteiler aufgestellt, um den Familien wenigstens ein bisschen das Gefühl von Schutz und Geborgenheit zu geben. Ich war beim letzten Weihnachtsfest in der Mall Ankawa. Es war unbeschreiblich, wie die Menschen in diesem Betonklotz mit ihren Kindern das Weihnachtsfest feierten."

Zur Demonstration zückt Salama ihr Smartphone und sucht nach Bildern. Ich presse die Lippen zusammen und schaue mir die Fotos an: Weihnachten in einem fensterlosen Rohbau. Hunderte von Kindern in einer Halle, die mit ein paar Luftballons „weihnachtlich" geschmückt wurde. Auf einem Tisch lange Reihen von kleinen Plüschtieren für die Bescherung. Mich berühren die Gesichter der Kinder, die erwartungsvoll auf ihren billigen Plastikstühlen sitzen und auf ihr Weihnachtsgeschenk warten. Ein anderes Foto zeigt einen roten Weihnachtsmann vor einer grauen Betonwand.

„Wo sind die Leute jetzt, die in der Mall gehaust haben?", frage ich beklommen.

„Manche wohnen in schnell errichteten Mietskasernen, andere immer noch in den verschiedenen Flüchtlingslagern."

Unweit der Mall Ankawa besuchen wir ein solches Camp, das auf dem Gelände der Kirche Mor Elya errichtet wurde. Gleich am Eingang stoßen wir auf einen kleinen Spielplatz mit einigen Tischtennis-Platten aus Beton, um die eine schreiende Schar von Kindern herumjagt. Salama und ich setzen uns auf eine etwas brüchige Bank und schauen den tollenden und tobenden Kindern amüsiert zu.

„Die Kinder erhalten uns am Leben", höre ich Salama murmeln.

Ich schaue sie von der Seite her an. Sie muss meinen Blick gespürt haben.

„Weißt du, ohne die Kinder wären wir alle längst verzweifelt und in tiefe Depression gefallen. Die Leute haben alles verloren und es gibt für sie wohl kein Zurück in ihre Heimat. Auch in Kurdistan können sie auf Dauer nicht bleiben. Doch wohin gehen? Geld für Schleuser können sie nicht aufbringen. Und nur wenige Länder nehmen Flüchtlinge auf. In einer derart aussichtslosen Situation sind die Kinder der einzige Lichtblick. Denn die Kinder spielen und lachen und sind quicklebendig. Sie können sich noch ungetrübt freuen, denn sie machen sich keine Gedanken über ihre Zukunft. Sie sorgen sich nicht um morgen, sondern leben ganz im Jetzt. Schau, wie sie im Spiel völlig bei der Sache sind!“

Jetzt habe ich noch mehr Freude am ausgelassenen Getümmel der Kinder, an ihrem hellen Lachen, an ihrem begeisterten Geschrei. Und als sie Salama und mich auffordern, eine Runde mit ihnen zu spielen, da rennen auch wir um die Tischtennisplatte und ich vergesse für einen Augenblick das trostlose Lager um mich herum.

Abuna Rayan, der Pfarrer der kleinen Kirche Mor Elya, hat diese Siedlung errichten lassen, um etwa hundert Familien aus Karakosch unterzubringen. Die Container stehen enger als im anderen Lager und ich schlängele mich mit Salama durch die schmalen Gassen. Überall spielen Kinder, auf den Zäunen hängt die Wäsche zum Trocken, Frauen und auch Männer bereiten auf Gasherden im Freien das Essen zu. Es duftet nach angebratenen Zwiebeln, Knoblauch und orientalischen Gewürzen. In einem Container sitzen Frauen im Kreis auf dem Boden und formen mit ihren geschickten Händen Teigtaschen. Es gibt kein fließendes Wasser oder Toiletten in den Containern – man muss an den Rand des Camps gehen. Dafür zeigt man uns einen Container mit Nähmaschinen, einen anderen mit Computern, einen mit einem Friseurladen … Ein Versuch, den Leuten im Lager wenigstens eine kleine Beschäftigung zu bieten. Anderthalb Jahre in der Warteschleife – und wie lange noch?

Abuna Rayan bemüht sich derzeit, für die Christen aus Karakosch Visa zu erhalten. Für zehn Familien gibt ihm die Slowakei eine Zusage, Mexiko nimmt zwanzig auf. Einerseits gibt dies den dreißig Familien eine Zukunftsperspektive. Doch zugleich: Die Familien, die Freundeskreise, die Kultur, die Kirche, alles wird zersplittert!

Ein düsteres Bild: Die letzten Christen sitzen auf gepackten Koffern, falls sie überhaupt welche haben. Wenn ich das, was ich gehört habe, richtig interpretiere, bietet auch Kurdistan den Christen keine dauerhafte Bleibe. Es gibt nur wenige Arbeitsplätze, und um einen zu bekommen, muss man kurdisch sprechen. Doch die Christen sprechen aramäisch oder arabisch.

Dazu kommt ein tief sitzendes Misstrauen: Jahrhundertelang haben die Kurden die Christen drangsaliert, sie überfallen, Frauen und Mädchen geraubt … Jetzt geben sie sich tolerant. Auf dem internationalen politischen Parkett spielt es eine Rolle, wie man Minderheiten behandelt – wenn man als Staat anerkannt werden will. Doch wenn die Kurden ihren eigenen Staat einmal etabliert haben, werden sie dann die Christen immer noch als gleichberechtigte Bürger respektieren? Sicher: Es gibt säkular eingestellte Parteien in Kurdistan und derzeit genießen die Christen hier eine Freiheit und Sicherheit wie an nur wenigen Orten, wo Muslime herrschen. Aber als Nicht-Kurden und Nicht-Muslime werden sie auch hier in manchem benachteiligt. Vor allem aber droht das Gift des religiösen Fanatismus. Imame der „Islamischen Union Kurdistans", die der Muslimbruderschaft nahe steht, wiegeln ihre Gläubigen gegen die Christen auf. So sollen beispielsweise Muslime nicht auf „christlichen" Baustellen arbeiten, selbst wenn es sich um humanitäre Projekte handelt.

Ich habe gelesen, dass vor nicht allzu langer Zeit ein aufgeputschter muslimischer Mob nach dem Freitagsgebet christliche Einrichtungen und Geschäfte plünderte und zerstörte, unter anderem Friseurläden. Es wurde den Gläubigen gepredigt, dass es eine Beleidigung des Islam sei, wenn ein Christ den Bart eines Muslims rasiere.

Die Regierung des autonomen Kurdistan hat zwar nach den Ausschreitungen einige Plünderer verhaften lassen und die betroffenen Christen entschädigt. Dennoch bezweifeln viele Christen, dass sie hier in Kurdistan dauerhaft und sicher leben können. Viele von ihnen sehen daher Kurdistan nur als Zwischenstation, um nach Europa oder Amerika zu gelangen.

Mir fällt ein Satz aus dem Evangelium ein, der auf diese Christen in besonders schmerzlicher Weise zutrifft: „Wenn man euch in der einen Stadt verfolgt, so flieht in eine andere …" (Mt 10,23)

Zum Abschluss unseres Rundgangs bitte ich Salama, mich zur Kirche Mor Yousif zu begleiten.

„Gerne", nickt sie. „Aber woher weißt du von dieser Kirche? Und warum willst du sie sehen?"

„Der Architekt dieser Kirche lebt in Leipzig! Er weiß nicht, dass ich nach Ankawa gefahren bin. Ich will ihn mit einem Foto von seiner Kirche überraschen."

Salama schaut mich neugierig an und ich beginne zu erzählen.

7. Statt Einweihung: Sprengung

Als meine Mitbrüder und ich vor knapp einem Jahr zum Gedenktag von Charles de Foucauld in das Pfarrzentrum eingeladen hatten, erschien auch ein älterer Herr mit seiner Frau. Ich setzte mich im Lauf des Abends an ihren Tisch und das Ehepaar lud mich mit einem unwiderstehlichen Lächeln zu einem Besuch nach Paunsdorf ein. Wie gastfreundlich die Geflüchteten aus dem Orient in ihre Wohnungen einladen! Seit zehn Jahren lebe ich in Leipzig und habe viele gute Bekannte, doch es kommt selten vor, dass mich jemand zu sich nach Hause einlädt.

Paunsdorf ist wie Grünau eine Plattenbausiedlung von Leipzig, kleiner als unsere und am anderen Ende der Stadt gelegen. Es dauerte einige Wochen, bis ich endlich Zeit fand, der offenherzigen Einladung zu folgen. Die Straßenbahn ruckelte mich quer durch die Stadt bis zur Endhaltestelle. Dort irrte ich los und suchte zwischen Betonblöcken die angegebene Straße und Hausnummer. Am Klingelschild verriet mir der fremdländische Name „Ziyad Hani“, dass ich die richtige Adresse gefunden hatte.

Ich betrete die kleine Wohnung und nehme auf dem blauen Sofa im Wohnzimmer Platz. Auf der gegenüberliegenden Kommode stehen silbern gerahmte Fotografien: Hochzeitsbilder und Kinderfotos. Und ein Schnappschuss von Adnan, der mir im Original gegenübersitzt. Der älteste Sohn von Ziyad lebt in Berlin und ist heute zu Besuch gekommen. Er arbeitet in einem Logistikunternehmen und spricht akzentfrei deutsch, während sein Vater mit dieser holprigen Sprache seine liebe Mühe hat. Doch er lässt sich nicht entmutigen: Im Lauf des Gesprächs erfahre ich, dass Ziyad mit seinen 75 Jahren regelmäßig daran arbeitet, seine Sprachkenntnisse zu verbessern. Seit ein paar Monaten kommt sogar ein pensionierter Lehrer aus einer katholischen Pfarrei, der mit ihm Lesen und Sprechen übt – mit Hilfe einer Kinderbibel: Die einfache Sprache und der vertraute Inhalt machen dieses Buch für ihn zum idealen Unterrichtsstoff. Ziyads Frau

Raneen hingegen tut sich mit der deutschen Sprache sehr schwer. Umso mehr legt sie ihre Freundlichkeit in Gesichtsausdruck und Gesten: eine Sprache, die keiner Worte bedarf und doch so vielsagend ist.

Während ich mit Ziyad und Adnan zu plaudern beginne, zieht sich Raneen in die Küche zurück und macht sich dort zu schaffen. Bald verrät der Duft eines arabischen Kaffees, womit sie sich beschäftigt, und mein Blick wandert schon zu den selbstgebackenen Süßigkeiten, die mich aus einer Schüssel auf dem Couchtisch anlachen.

Ziyad ist ein ruhiger, älterer Herr mit einem typisch „arabischen" Gesicht: dunkle Hautfarbe, Oberlippenbart, ein paar Strähnen über die Glatze gekämmt – und eine markante Nase. Er lebt schon über vier Jahre mit seiner Frau in Paunsdorf. Nachdenklich den Kopf wiegend erklärt er mir, wie fremd diese Welt hier für ihn ist. Daheim in Mossul lebte man mit offenen Türen: Ständig kamen Nachbarn, Bekannte oder Freunde zu Besuch. Und ständig wurde man von anderen eingeladen. Aber hier sei er auch nach Jahren noch nie von Nachbarn angesprochen oder in ihre Wohnung gebeten worden. Selbst in der katholischen Pfarrgemeinde, die er und seine Frau regelmäßig besuchen, habe man sie zwar mit einem freundlichen Kopfnicken wahrgenommen. Aber das wars dann auch schon. Vor kurzem habe sich Gott sei Dank der Kontakt zu jenem Lehrer entwickelt, der mit ihm Deutsch übt. Und nach diesem sei ich der zweite deutsche Besucher in Ziyads Wohnung!

In den Worten des freundlichen alten Herrn schwingt Enttäuschung mit: Nach dem Deutschkurs an der Volkshochschule wäre es so wichtig gewesen, mit Einheimischen in Kontakt zu kommen, um diese fremdartige Sprache im Alltag zu üben. Doch niemand hat ihn oder seine Frau angesprochen. Nachdenklich frage ich mich, ob ich in meinem Umfeld auf Leute zugehe, die offenkundig Fremde sind und vielleicht mit unserer Sprache und Kultur noch Mühe haben. Und mir kommt in den Sinn, wie oft wir Deutschen von der spontanen Gastfreundschaft in südlichen Ländern schwärmen, die wir bei Urlaubsreisen genießen: wie Menschen uns einfach ansprechen, ihre Hilfe anbieten, uns einladen. Warum fällt es nur so schwer, das anderswo Erfahrene mit nach Hause zu nehmen und nun selbst zu praktizieren?

Inzwischen sitzt auch Raneen mit uns am Tisch und wir schlürfen den heißen, süßen, dickflüssigen Kaffee. Ich deute auf die Fotos und erfahre, dass Ziyads Familie in alle Welt zerstreut lebt: eine Tochter in den USA, ein Sohn in Schweden, Adnan in Berlin. Andere Familienmitglieder warten in Kurdistan auf die Möglichkeit, irgendwo auf der Welt unterzukommen. Wieder lerne ich eine Familie kennen, die durch Krieg und Terror völlig zerrissen wurde.

Ziyads Auftreten wirkt ausgesprochen höflich. Man könnte meinen, dass dieser ältere, freundliche Herr auf ein friedliches und zufriedenes Leben zurückschaut. Doch bald erfahre ich, dass dies nicht der Fall ist: Ziyad erzählt von Angst, Flucht und Zerstörung – und tut dies in einer so ruhigen Weise, dass ich nur staunen kann.

Ziyad stammt aus Mossul und hat dort als Architekt gearbeitet. Sogar acht Kirchen hat er gebaut. Dies öffnet mir erneut die Augen, dass die Christen im Irak unter dem säkularen Diktator Saddam Hussein einige Freiheiten genießen konnten. Der Irak war eines der wenigen Länder islamischer Prägung, in denen Christen beispielsweise Kirchen bauen durften.

Doch was ist aus Ziyads Lebenswerk geworden? Adnan stellt einen Laptop auf den Wohnzimmertisch und gibt in die Google-Suchfunktion arabische Wörter ein. Auf dem Bildschirm erscheint ein imposanter Kirchenbau in einem fremdartigen Stil: eine Mischung aus modernen Architekturelementen und klassischen orientalischen Formen. Der Kuppelbau der Kirche Mor Ephräm in Mossul fasziniert mich. Mit erstickter Stimme berichtet Ziyad, dass die islamischen „Glaubenskämpfer" diese Kirche zur „Moschee der Mudschahedin" umfunktioniert haben. Das nächste Bild auf dem PC zeigt, was mit dem Kreuz passiert ist, das vor dem Eingang des Gotteshauses emporgeragt hatte: Die Seitenarme wurden abgeschlagen und der verbleibende Längsbalken dient nun als wuchtiger Mast, an dem eine schwarze Tafel mit dem IS-Wappen befestigt wurde. Darauf ist in weißer Schrift, so erklärt mir Adnan, das islamische Glaubensbekenntnis zu lesen. Mir fällt ein, dass dieses Bekenntnis auch die Flagge von Saudi-Arabien ziert. Die Ähnlichkeit der beiden Banner scheint mir kein Zufall …

Auch in Karakosch hat Ziyad eine Kirche gebaut: „Mor Behnan und Sara", 2008 eingeweiht. Erneut beeindruckt mich die Kombination aus orientalischer und moderner Architektur. Ziyad zeigt mir ein Bild vom überfüllten Kirchenraum anlässlich der Erstkommunion von 238 Kindern!

Doch nicht nur Mossul, sondern auch Karakosch ist heute „christenrein", wie der IS zynisch verkündet hat. Wozu diese Kirche nun verwendet wird, bringt Ziyad nicht über die Lippen. Seine ohnehin leise Stimme wird noch verhaltener; die Trauer lässt sich nicht verbergen. Ein kurzer Blick auf Raneen, die die Fotos auf dem PC schweigend mitverfolgt: Ihr rinnen Tränen über die Wangen.

Die letzte von Ziyad erbaute Kirche hatte die armenische Gemeinde von Mossul in Auftrag gegeben. Nach drei Jahren war der Bau, der sich an den klassischen Formen der armenischen Architektur orientierte, fast fertiggestellt. Doch einen Monat vor der Einweihung im Jahr 2013 haben Islamisten eine Bombe gezündet und die Kirche zerstört. Jetzt kann auch Ziyad seine Tränen kaum noch zurückhalten. Dennoch kommt kein bitteres oder anklagendes Wort über seine Lippen; in seinem hageren Gesicht aber steht ein großer Schmerz geschrieben.

Seit Juni 2014 plünderten die Terrormilizen des IS in Mossul mehr als 30 Kirchen. Sie wandelten sie in Moscheen um, fackelten sie ab oder sprengten sie – wie etwa die Kirche der Jungfrau Maria, eine der größten und ältesten Kirchen von Mossul. Wo vorher das Kreuz auf Kuppel oder Turm vom gewaltlosen Sterben Jesu kündete, flattert jetzt das schwarze Banner des IS, das Terror und Gewalt androht.

Nur eine der acht Kirchen, die Ziyad erbaut hat, dient noch dem christlichen Gottesdienst: Mor Yousif in Ankawa. Ich schaue mir die Fotos an und Ziyad erklärt mir, dass er für diese Kirche den „babylonischen Stil" gewählt habe: Im Zentrum ragt keine Kuppel auf, sondern ein Stufenturm mit Zinnen, die sich treppenartig nach oben verjüngen. Der Kircheneingang – ein Rundbogen, von zwei Türmen eingerahmt – erinnert an die Stadttore des alten Babylon.

Mir gefällt diese Offenheit, die Stilrichtungen anderer Kulturen wertzuschätzen und sie weiterzupflegen. Was für ein Unterschied zu einem puritanischen Islam, wie ihn Muslimbrüder, Wahhabiten und Salafisten predigen. Archäologisch bedeutsame Ruinen werden gesprengt, uralte christliche Bücher verbrannt und sogar Moscheen in die Luft gejagt, weil sie christliche Elemente enthalten. Adnan erläutert, dass seine Familie nur drei Kilometer entfernt von der Moschee des Propheten Jonas gewohnt hat. Ursprünglich stand dort eine christliche Kathedrale, die später in eine Moschee verwandelt und von Juden, Christen und Muslimen gerne besucht wurde – bis der IS diese religionsverbindende Stätte 2014 dem Erdboden gleichmachte.

Was ich hier erfahre, macht mich sehr nachdenklich: Steckt hinter der Zerstörungswut der radikalen Muslime in Syrien und im Irak, in der Türkei und in Saudi-Arabien eine unbewusste Angst, dass man entdecken könnte, dass der Islam nicht vom Himmel gefallen ist? Denn genau betrachtet verdankt sich der Islam bereits in seinem Ursprung anderen Überlieferungen: Der Koran enthält viele Anleihen aus der Bibel und der christlichen syrischen Liturgie. Die „typische" Moschee mit ihrer Kuppel ist eine Kopie der östlichen Kirchen, etwa der Hagia Sophia; die Minarette der Moscheen ahmen die Kirchtürme der frühen christlichen Bauten nach. Die Ausrichtung der Moschee in eine bestimmte Himmelsrichtung, das mehrmalige Gebet am Tag und die Körperhaltungen beim Beten sind unmittelbare Erbstücke aus dem Judentum und Christentum, die durch Modifikationen „spezifisch" muslimisch umgeprägt wurden. Während etwa die Juden den Sabbat und die Christen den Sonntag als Ruhetag begehen, hat Mohammed in Abgrenzung dazu den *Freitag* als wöchentlichen Feiertag gewählt. Selbst die mystischen Gebetsweisen der Sufis gehen auf christliche Mönche zurück.

Vielleicht liegt es an dieser nahen Verwandtschaft, dass man um das Familienerbe streitet – und dass sich in bestimmten Ausrichtungen des Islam ein derart mörderischer Hass auf Juden und Christen entwickeln konnte. Handelt es sich bei diesem Hass um eine Art von Autoimmunerkrankung: Man stößt Teile des eigenen Erbes ab …? Möglicherweise liegt hier eine der Ursachen, die gewisse Strömungen des Islam so krank machen.

Tiefenpsychologisch gesprochen könnte man vom Motiv des „Muttermordes" reden: Eine Religion, die von anderen „abstammt" und vieles von ihr übernimmt, will sich emanzipieren und weder an ihre Ursprünge gebunden bleiben noch an sie erinnert werden. Denn wenn die neue Religion die alte ablösen und sich an ihre Stelle setzen will, dann muss die alte irgendwann verschwinden. In diese Linie gehören die Umwandlung von Kirchen in Moscheen und die lange Geschichte der erzwungenen Islamisierung. In jüngster Zeit äußert sich der „Muttermord" sehr brachial in der vom IS betriebenen Vernichtung aller Souvenirs an die Ahnen: Uralte Kirchen und Klöster, an denen man noch den Einfluss des Christentums auf den Islam ablesen kann – werden gesprengt und mit dem Bulldozer eingeebnet.

Inzwischen hat sich Raneen wieder in die Küche begeben. Geräusche und Gerüche verraten, dass etwas Größeres im Gange ist. Ich wollte eigentlich gar nicht so lange bleiben, aber nun kann ich die Einladung zum Abendessen nicht mehr ausschlagen. Auf der anderen Seite freue ich mich, dass Adnan dadurch ausführen kann, wie er und seine Familie nach Deutschland gekommen sind.

Adnan hat in Mossul Englisch studiert und noch unter der Regierung von Saddam Hussein als Dolmetscher gearbeitet. Als englisch-arabischer Übersetzer wurde er immer mehr von Saddams

Geheimdiensten konsultiert. In dieser Zeit versuchten westliche Geheimdienste, die Regierung von Saddam Hussein auszuspionieren, und manches deutete auf die Vorbereitung eines Krieges hin. Adnan wurde als Übersetzer zum Mitwisser von geheimdienstlichen Vorgängen und militärischen Projekten – und fühlte sich immer unwohler in seiner Haut. Er wusste zu viel und wollte dafür nicht sterben … Daher suchte er nach einer Gelegenheit, sich ins Ausland abzusetzen: Eilig schloss er noch ein Dolmetscherstudium für die türkische Sprache ab und fand eine Anstellung bei der UNESCO in Arbil. Mit Hilfe eines legalen Passes reiste er von dort in die Türkei und schlug sich nach Istanbul durch. Bei einer Ausreise aus der Türkei mit dem Flugzeug, so überlegte er, würde ihm der Geheimdienst des Irak schnell auf die Schliche kommen. So entschied er sich, 7500 Euro an eine Schleuserbande zu bezahlen und mit dem Schiff von der Türkei nach Italien überzusetzen. Im September 2001 bestieg er ein Boot, auf dem eigentlich nur hundert Leute Platz hatten. Doch dieses kleine Schiff legte mit 220 Personen an Bord über das Mittelmeer Richtung Kalabrien ab.

Nach mehreren Wochen auf hoher See und ständig vom Sturm bedroht, wurde das Boot schließlich von der italienischen Küstenwache Italiens entdeckt und konnte in Otranto festmachen. Dort sollte Adnan registriert werden, doch er wollte sich nach Deutschland absetzen und tauchte – kaum an Land – sofort unter. Zu Fuß, mit dem Bus, per Autostopp gelangte er nach Rom, nach Genua – und von dort nach Ventimiglia an der italienisch-französischen Grenze. Zusammen mit zwölf anderen Flüchtlingen, zumeist Kurden, bestieg er einen Güterzug und klammerte sich zwischen den Waggons fest. Der Zug passierte die Grenze, doch auf der französischen Seite wurden sie sofort aufgegriffen und verhaftet. Bei der Durchsuchung fiel einem Grenzbeamten auf, dass Adnan ein kleines Kreuz trug. Er nahm ihn beiseite und fragte ihn, ob er Christ sei. Als Adnan ihm dies und seine Herkunft aus dem Irak bestätigte, gab ihm der französische Grenzpolizist den Tipp: „Wir müssen dich jetzt zurückschicken. Wenn du es noch einmal versuchen willst, dann laufe zu Fuß durch den Eisenbahntunnel, der direkt vor der Grenze liegt. Aber sei vorsichtig: Es ist gefährlich!“

Danach wurde er gemeinsam mit den anderen gefassten Flüchtlingen wieder nach Italien abgeschoben. Die Übergabe der Gefangenen erfolgte nach einem strengen militärischen Protokoll: Eine Abordnung von Grenzpolizisten beider Länder marschierte Richtung Niemandsland, wobei die französische Abteilung 13 mit Handschellen gefesselte Männer mit sich führte. An der Grenze wurden die französischen Handschellen durch italienische ersetzt, dann salutierten die Grenzwächter und nun wurden die Flüchtlinge von den italienischen Polizisten abgeführt. Kaum waren die Franzosen außer Sichtweite, da hielten die Italiener an und entfernten erst einmal die Handschellen. Dann klärten sie die Flüchtlinge darüber auf, dass es bessere Wege gäbe, um die Grenze zu überschreiten, und dass sie lieber nach Deutschland als nach Frankreich flüchten sollten. Adnan hingegen hatte schon seinen Geheimtipp und behielt ihn für sich.

In der nächsten Nacht näherte er sich vorsichtig dem kleinen Eisenbahntunnel nahe der Steilküste. Unter ihm klatschten die Wellen an die Felsen und er kletterte über Gebüsch und Geröll bis zum Eingang des Tunnels. Dort fand er drei weitere, ihm bisher unbekannte Flüchtlinge und sie beobachteten den Rhythmus der Züge, die durch den Tunnel ratterten. Sie rechneten aus, dass man knapp zehn Minuten Zeit hat, um zwischen zwei Zügen auf den Gleisen durch die Galerie zu rennen, die schätzungsweise einen Kilometer lang war. Als gerade wieder ein Zug den Tunnel passiert hatte, stürmten sie diesem hinterher. Aufgrund des groben Schotters und der schlechten Beleuchtung kamen sie langsamer voran als erhofft. Ein Zug näherte sich schon von hinten und unter Aufbietung alle Kräfte schafften es die vier, am Ausgang des Tunnels gerade noch rechtzeitig von den Gleisen zu springen.

Adnan lief bis Nizza, dann schlug er sich nach Paris durch. Welch andere Welten begegneten ihm hier! Vor seiner Flucht hatte er noch nie den Irak verlassen und nun durchquerte er Städte wie Rom, Genua, Nizza und Paris. Die nächste Station war Den Haag und schließlich gelangte er über Aachen nach Köln. Dort meldete er sich bei der Polizei und wurde für sechs Stunden eingesperrt. Er beantragte Asyl, was ihm bald gewährt wurde.

Eine große Angst saß ihm freilich noch im Nacken: Da er ja als „Geheimnisträger" untergetaucht war, könnte seiner Familie in Mossul etwas zustoßen… Adnan wusste, dass im Irak die Telefone überwacht wurden, und konnte daher nur indirekt Nachrichten übermitteln. Plötzlich wurde seine Familie aufgefordert, ihm eine Mitteilung zu machen: Er solle sich bei einer bestimmten Person in Bonn melden. Nun wusste er, dass man ihn aufgespürt hatte und dass jetzt vielleicht sein Leben auf dem Spiel stand. Um zu vermeiden, dass man seine Familie in Mossul bedrohte, nahm er die Aufforderung an und verabredete sich mit einem „Mitarbeiter" aus dem Irak. Mit großem Herzklopfen und innerer Anspannung betrat er das Bürogebäude, in das er einbestellt worden war. Sein Gegenüber war ihm wohlgesonnen und riet ihm, sich möglichst bedeckt zu halten und nicht aufzufallen. Adnan fiel ein Stein vom Herzen. Wenig später verstand er diese „Botschaft", denn die USA griffen den Irak an, um Saddam Hussein zu stürzen. Wahrscheinlich hatte der Mitarbeiter des Geheimdienstes in Bonn schon geahnt, dass die Tage von Saddam Hussein gezählt waren – und daher Adnan eine Entwarnung gegeben. Mit dem Sturz des Regimes von Saddam Hussein und der Zerschlagung seiner Geheimdienste war Adnan endlich frei.

Seiner Familie in Mossul drohte hingegen eine neue Gefahr: Radikale islamische Gruppierungen begannen, die Christen zu terrorisieren. Zunächst flatterte ein Drohbrief mit einer hohen Schutzgeldforderung ins Haus. Ziyad zahlte in der Hoffnung, sich damit Frieden und Sicherheit zu erkaufen. Der nächste Erpressungsversuch ließ freilich nicht lange auf sich warten. Überstürzt rafften Ziyad und Raneen ein paar Sachen zusammen und fuhren mit dem Auto nach

Syrien. In Damaskus mieteten sie eine kleine Wohnung und wurden eher zufällig auf das Flüchtlingshilfswerk der UNO aufmerksam. Dort ließen sie sich registrieren. Zugleich hofften sie, dass sich die Situation in Mossul wieder beruhigen würde. Ziyad organisierte von Damaskus aus Geld und zahlte zum zweiten Mal Schutzgeld an die Islamisten. Dann fuhr er mit seiner Frau nach Mossul zurück in der Hoffnung, in seiner Heimat bleiben zu dürfen.

Doch in Mossul mehrten sich die Anschläge auf Christen und die Propaganda in den Moscheen sprühte vor Hass. Ein Onkel und dann ein Bruder von Ziyad wurden entführt. In Ziyads Briefkasten landeten Drohbriefe, die ihm den Frevel vorwarfen, er habe christliche Kirchen erbaut. Schweren Herzens entschlossen sich die beiden Alten, sich ein zweites Mal nach Syrien abzusetzen. In Damaskus konnte die UNO weiterhelfen: Weil ihr Sohn Adnan in Deutschland Fuß gefasst hatte, erhielten sie über die Deutsche Botschaft ein Visum und wurden dem Asylbewerberheim in Chemnitz zugeteilt.

Nach dem reichhaltigen Abendessen mit den Köstlichkeiten der orientalischen Küche breche ich auf. Ich verabschiede mich von dem liebenswürdigen Ehepaar und zum Schluss von Adnan. Der hat in Deutschland wirklich Wurzeln geschlagen und baut derzeit bei Berlin ein Haus. Er legt mir das nicht ganz ohne Sorge dar und vertraut mir an: „Vor ein paar Tagen sagte ich zu meiner Frau: Bald werden wir in unser neues Haus einziehen. Doch in zehn oder fünfzehn Jahren wird der IS kommen – und uns wieder vertreiben." Ich schüttle den Kopf und verabschiede mich. Von Adnans letzten Sätzen hingegen kann ich mich noch nicht so schnell verabschieden.

Die Worte Adnans fallen mir wieder ein, während ich hier in Ankawa auf meiner Couch sitze und noch einmal die Fotos durchklicke, die ich heute von Ziyads Kirche aufgenommen habe. Ziyad wird sich sicher freuen, wenn er das Bild sieht, das mich am Eingang seiner Kirche zeigt. Draußen donnert ein Gewitter los und untermalt meine innere Unruhe. Wieder fällt der Strom aus und das Zucken der Blitze bleibt für die nächsten Minuten meine einzige Lichtquelle.

Im Wohn-/Schlaf-/Esszimmer klappert Geschirr. Wenig später geht das Licht wieder an und ich esse mit Yousif und seiner Mutter zu Abend. Eine muslimische Familie kommt zu Besuch. Eine junge Frau mit Kopftuch, ein hochgewachsener Mann und drei kleine Kinder nehmen auf den Sofas Platz. Yousif stellt mir Hamoudi vor: „In Mossul waren wir Nachbarn und sehr gut befreundet!"

Dann erfahre ich Hamoudis Geschichte. Die Terroristen des IS haben jesidische Frauen und Mädchen gefangen genommen und für den „Eigenbedarf" nach Mossul deportiert. Dort wurden sie in verschiedenen Häusern eingesperrt. Hamoudi befreite ein vierzehnjähriges Mädchen und flüchtete mit diesem und seiner eigenen Familie nach Kurdistan. Diesem Mann gebührt meiner Ansicht nach ein Ehrentitel, so wie die Retter von Juden im Dritten Reich als „Gerechte Israels" honoriert werden. Aufgrund seines mutigen Einsatzes lebt er nun im Exil und kann nicht mehr nach Mossul zurück.

Ein weiteres Mal wird mir deutlich, wie viele Muslime Opfer des islamistischen Terrorismus geworden sind. Und ich bin sehr froh, einem Muslim begegnet zu sein, der sich für eine „Ungläubige" eingesetzt und dabei sein eigenes Leben riskiert hat. Gerade solche Muslime, die sich nach mehr Demokratie und Achtung der Menschenrechte sehnen, mussten aus ihren Heimatländern flüchten und bitten in Deutschland um Asyl. Ich habe in Leipzig einen jungen muslimischen Mechaniker kennengelernt, den man zwingen wollte, bei der Konstruktion von Autobomben mitzuarbeiten – und der daraufhin unter Lebensgefahr nach Deutschland geflohen ist.

Wenn ich daran denke, dass solche Muslime dann Opfer von blinder Islamfeindlichkeit werden, spüre ich Traurigkeit und Wut. Mir wird jedoch auch bewusst, dass ich selbst manchmal zu wenig differenziere. Um dieser komplexen Wirklichkeit mehr gerecht zu werden, muss man genauer hinschauen. Es gibt so viele Muslime, die ja deshalb nach Europa kommen, weil sie gerade keinen salafistisch geprägten Islam wollen. Sie haben in den diktatorischen Systemen ihrer Heimatländer, die den Islam oft ideologisch missbrauchen, großes Leid erfahren und wollen endlich eine andere politische und soziale Kultur leben. Sie brauchen meine und unsere Unterstützung, damit innerhalb des Islam diejenigen Strömungen eine Chance haben, die eine Diskriminierung von Nicht-Muslimen oder Gewalt im Namen der Religion ablehnen.

Wenn es uns gelingt, sie zu integrieren, dann ist dies ein wichtiger Schritt zur Humanisierung unserer Welt und stärkt auch die Chancen, dass sich nichtfundamentalistische Strömungen des Islam ausbreiten können. Menschen wie Hamoudi verdienen unsere volle Unterstützung: Denn sie leben eine tolerante Interpretation des Koran – und kämpfen für Respekt und Menschenwürde.

Hamoudi gibt mir einen Einblick in das alltägliche Leben von Mossul unter der Knute des IS: Wenn ein Mann sich rasiert, erhält er zehn Stockhiebe. Wer ein Handy bei sich trägt: zehn Stockhiebe. In der Schule lernen die Kinder jetzt das Einmaleins mit kriegerischen Symbolen: Eine Granate plus eine Granate ergibt zwei Granaten. Und noch etwas: Das Pluszeichen wird durch ein anderes Symbol ersetzt, denn es erinnert zu sehr an ein Kreuz. Und der Sportunterricht heißt nun „Ertüchtigung zum Dschihad".

Mit der „Dschihadisierung" des Schulunterrichts werden schon kleine Kinder einer Gehirnwäsche unterzogen, um sie der salafistischen IS-Ideologie hörig zu machen und gegen Christen aufzuhetzen. Welch ein Horror-Regime: Kinder werden getötet und andere Kinder zum Töten erzogen!

Noch von weiteren Maßnahmen berichtet Hamoudi: An der Universität von Mossul wurden die Fakultäten wie Archäologie, Politologie oder Kunst aufgelöst. Alle Fächer, die mit Demokratie, Kultur oder weltlichem Recht zusammenhängen, sind verboten. Wer protestiert, wird hingerichtet. Und in der Universitätsbibliothek von Mossul

Dschihad *heißt wörtlich übersetzt: „Anstrengung" oder „Bemühung". Im Koran bedeutet „Dschihad" in mehr als 80 Prozent der Fundstellen: „einen Krieg um des Glaubens willen führen". Ebenfalls im Koran findet sich schon die Vorstellung, dass die im Glaubenskrieg Gefallenen als „Märtyrer" unmittelbar ins Paradies gelangen.*

Der religiöse Kriegsgedanke, der bei Mohammed vor allem in einer bedrängten Situation eine wichtige Rolle gespielt hatte, wurde später offensiv gedeutet. Der Dschihad wurde sogar zu einem höchst geachteten religiösen Werk.

Nachdem im 8. Jhd. die islamische Herrschaft über den Nahen Osten und den südlichen Mittelmeerraum gesichert war, wurde der Dschihad verstärkt spirituell interpretiert und der kriegerische Einsatz für Gott trat mehr in den Hintergrund. Insbesondere die Mystiker schätzten einen überlieferten Ausspruch Mohammeds, der zwischen dem „großen Dschihad" (die Mühe um ein religiös einwandfreies Leben) und dem „kleinen Dschihad" (der bewaffnete Krieg) unterscheidet. Dennoch tauchten auch in späteren Jahrhunderten immer wieder Gelehrte auf, die an die Pflicht zum erobernden Dschihad erinnerten: Der Islam soll auch kämpferisch ausgebreitet werden! Die ambivalente Lehre vom „Heiligen Krieg" gehört zu den Wesensmerkmalen des Islam und zeigt bis heute – bei den Dschihadisten aller Couleur, unter ihnen auch Frauen – ihre Wirkung: Im Jahr 2014 starben weltweit durchschnittlich 168 Menschen pro Tag durch Attentate von Dschihadisten!

werden alle von Christen verfassten Werke aussortiert und entfernt. Denn, so die Überzeugung der Salafisten: Nur Muslime können die Wahrheit erkennen …

8. Petros Mouche: ein Bischof ohne Land

Es schüttet wie aus Gießkannen. Tropfen trommeln auf das Blechdach, unter das Yousifs Verwandte ihre alten Autos abgestellt haben. Mein Freund scheint ein begabter Mechaniker zu sein. Jedenfalls bringt Yousifs Verwandtschaft dessen Fähigkeiten, ihre Rostlauben wieder flottzukriegen, großes Vertrauen entgegen. Weil Yousif also zu tun hat, bringt mich Onkel Wadid zu Bischof Petros Mouche. Ich habe in DER ZEIT von ihm gelesen und über die Kleinen Schwestern mit ihm Kontakt aufgenommen.

Petros Mouche ist – oder besser: war – Bischof von Karakosch. Diese Stadt bildete bis vor kurzem das Zentrum eines Restgebietes, in dem die Christen immer noch die Bevölkerungsmehrheit stellten und ihre aramäische Muttersprache pflegten. Ursprünglich lebte Bischof Petros in Mossul, doch aufgrund der vielen Anschläge gegen Christen hatte er seine Residenz bereits vor Jahren nach Karakosch verlegt, bis er auch von dort vertrieben wurde. Jetzt hat Bischof Petros Mouche keine Residenz mehr: Er wohnt am Rand von Ankawa. Dort, wo die Wüste beginnt.

Onkel Wadid lässt sich von einem Bekannten am Telefon den Weg beschreiben. Die Scheibenwischer laufen auf Hochtouren und wir fahren durch große Wasserlachen, dass es nur so klatscht und spritzt. Im Zickzack durch überflutete Straßen erreichen wir endlich den Stadtrand und irren zwischen Baustellen umher. Auf der linken Seite ein Flüchtlingslager aus weißen Blechkästen.

„Hier wurden Jesiden untergebracht, die vor dem Islamischen Staat geflohen sind“, erzählt der Onkel. Doch dann weiß er nicht mehr weiter.

Wir landen in der Sackgasse einer halb fertiggestellten Siedlung, wie man sie hier überall findet: Stillgelegte Bauprojekte öden vor sich hin. Aus hohen Betonpfeilern ragen rostige Eisenstäbe stachlig heraus. Wir halten an, doch bei diesem Sauwetter ist niemand auf der Straße, den man fragen könnte. Das Handy hilft weiter: Wir drehen

*Die **Jesiden** sind eine kleine Religionsgemeinschaft, die hauptsächlich im Norden des Irak lebt. Sie sind Monotheisten (Ein-Gott-Glaube); sie kennen kein heiliges Buch, sondern nur mündliche Traditionen. In ihrer Geschichte wurden sie von muslimischen Herrschern oft verfolgt, weil sie als „Ungläubige" galten. Auch die Milizen des Islamischen Staates haben viele Jesiden vertrieben, versklavt oder ermordet.*

und fahren über einen schlammigen Feldweg in die Wüste hinaus. Im Nieselgrau des Regens sieht diese Landschaft ohne Baum und Strauch noch trostloser aus.

Endlich gelangen wir zu einer Baustelle mitten im Niemandsland. Hier soll ein kleines Zentrum der syrisch-katholischen „Diözese von Mossul, Karakosch und Kurdistan" entstehen. Ein Teil des Gebäudes ist bereits fertiggestellt. Dort wohnt Bischof Petros Mouche, mit dem ich mich für heute, Mittwoch, 11. November 2015, verabredet habe. Ich verabschiede mich von Wadid und renne durch den Regen bis zum Eingang des Hauses.

Bischof Petros Mouche ist 72 Jahre alt. Sein markantes, rundliches Gesicht wird silberweiß eingerahmt von vollem, kurz geschnittenem Haupthaar und einem gepflegten Bart. Unter den buschigen Brauen schauen die schwarzen Augen traurig in die Welt. Ich folge ihm in einen größeren Raum, wo wir Platz nehmen. Es ist feucht und kühl und gerne nehme ich die Einladung zu einem heißen Tee an, den uns ein junger, sportlich aussehender Priester bringt. Wir sprechen Französisch und ich lasse mir von Bischof Petros und seinem Sekretär schildern, was ihnen und ihrer Kirche widerfahren ist.

„Der Islamische Staat hat mir meine Diözese gestohlen", klagt der Bischof. „Als die Terroristen in der Nacht vom 9. auf den 10. Juni 2014 Mossul überrannten, suchte die irakische Armee ihr Heil in der Flucht und ließ die Stadt im Stich. Nach einigen Wochen wurden ich und andere Kirchenführer zu den Kommandanten des IS vorgeladen. Uns war klar, dass es sich um eine Falle handelte, und wir erschienen nicht. Wenig später wurde über die Lautsprecher der Moscheen das Gesetz der Scharia verkündet: Die Christen sollen zum Islam konvertieren – im anderen Fall müssen sie ein Schutzgeld zahlen. Oder sie müssen binnen 24 Stunden die Stadt verlassen. Daraufhin verließen so gut wie alle Christen panikartig ihre Heimatstadt."

Es gab auch Widerspruch. Bischof Petros erzählt mit Hochachtung von dem sunnitischen Universitätsprofessor Mahmoud al-Asali, der öffentlich gegen die Vertreibung der Christen protestierte. Daraufhin wurde er brutal ermordet. Dem syrisch-katholischen Bischof Petros und den Christen blieb keine Wahl: Sie emigrierten nach Karakosch, in die letzte Stadt der aramäischsprachigen Christen. Sein Haus in Mossul wurde niedergebrannt und in der Residenz des syrisch-orthodoxen Bischofs hat sich der IS eingenistet.

Bischof Petros berichtet, wie es den Christen aus Mossul erging: Kurz nach der Einnahme der Stadt durch die Dschihadisten rückten Peschmerga-Truppen in die Ninive-Ebene vor. Der Präsident der Autonomen Region Kurdistan verkündete, dass die Peschmerga die Stadt Karakosch verteidigen werde: Denn diese sei als „Tor nach Arbil" für die Sicherheit von Kurdistan von strategischer Bedeutung. Ende Juni 2014 entbrannte zwischen den Kämpfern der Peschmerga und des IS ein heftiges Gefecht, worauf die meisten der 120 000 Christen aus der Ninive-Ebene nach Kurdistan flüchteten. Die Peschmerga konnte ihre Stellungen halten und plötzlich schwiegen die schweren Geschütze. Die Schlacht schien zu Ende. Bischof Petros rief die Gläubigen auf, wieder in ihre Häuser in Karakosch zurückzukehren, was viele dann auch taten.

Am 6. August 2014 rückten die Truppen des IS erneut nach Osten Richtung Kurdistan vor. Die Wasser- und Stromleitungen, die Karakosch versorgten, wurden gekappt und es kam wieder zu Gefechten mit der Peschmerga. Geschützdonner und Gerüchte versetzten die Christen von Karakosch in Unruhe.

Der Bischof berichtet von einer jungen Mutter: Sie befand sich mit ihren beiden kleinen Kinder im Garten vor dem Haus, als ein ohrenbetäubendes Heulen durch die Luft zischte und Sekunden später Granaten in Karakosch einschlugen. Die Explosion zerriss die Körper der beiden Kleinen und ihrer Mutter. Am Nachmittag wurden die drei Opfer auf dem Friedhof beerdigt. Zur selben Zeit sickerte die Nachricht von einem bevorstehenden IS-Angriff durch.

Die Peschmerga sicherte Bischof Petros zu, sie würde die Stadt vor dem IS schützen. Daraufhin rief er gegen Abend die Verantwortlichen der Gemeinden zusammen und teilte ihnen mit, dass die kurdischen Kämpfer die Stadt verteidigen werden. Doch das Gegenteil trat ein: Völlig überraschend drangen die Truppen des IS gegen Mitternacht in die Stadt vor, die völlig unbedeckt geblieben war – die kurdischen Truppen hatten sich heimlich zurückgezogen. Nun brach in Karakosch das Chaos aus! Auch die vielen Christen aus Mossul, die noch ein wenig Hab und Gut nach Karakosch gerettet hatten, ließen in dieser Flucht nach der Flucht ihre letzten Habseligkeiten zurück. Viele rannten einfach los, um sich in Sicherheit zu bringen. Auch die umliegenden Dörfer waren von den Kurden ungeschützt zurückgelassen worden. Mitten in der Nacht setzte sich ein unübersehbarer Flüchtlingstreck Richtung Arbil in Bewegung. Als letzte verließen Bischof Petros und die Priester ihre Stadt Karakosch.

Auf der Flucht wurden viele Christen von den „Glaubenskriegern" des IS ausgeraubt: Selbst die Heiratsurkunden und Grundbuchauszüge mussten sie abgeben. Ein achtzigjähriger Mann stellte den Terroristen die Frage, warum man seiner Familie auch die Lebensmittel für die Kinder wegnahm. Darauf wurden ihm die Hände und Füße abgehackt.

Den wenigen Leuten, die in Karakosch zurückgeblieben waren, erging es ähnlich: Einem Mann wurden die Augen ausgeschlagen und sein neunjähriger Sohn wurde mit einem Auto durch die Straßen geschleift.

Was Bischof Petros besonders schmerzt: „Wir haben das Vertrauen zu unseren muslimischen Nachbarn verloren. Ich sage dies aus bitterer Erfahrung und vor allem, weil uns die sunnitischen Araber aus den umliegenden Dörfern beim IS verraten haben. Sie haben sich sogar den Fanatikern angeschlossen. Was für eine bittere Erfahrung: Unsere muslimischen Nachbarn und Freunde haben unsere Städte und Dörfer ausgeplündert."

Der junge Priester, der als Sekretär des Bischofs arbeitet, seufzt.

„Auch in Mossul haben wir Christen vergeblich auf die Hilfe unserer muslimischen Freunde gewartet, mit denen wir so lange Jahre Tür an Tür zusammengelebt hatten. Nicht einmal eine Botschaft der Solidarität auf dem Handy! Zu Recht hat der Patriarch von Bagdad Louis Raphael I. gefragt: Wo war der Aufschrei der islamischen Welt, als über hunderttausend Christen in einer einzigen Nacht im Namen des Islam vertrieben wurden? Welche Imame haben dagegen protestiert, dass man uralte Kirchen niederbrennt oder Klöster in die Luft jagt? Die schüchterne und schwache Reaktion der offiziellen islamischen Welt auf diese Gewalt gegen Christen ist schockierend!"

Der junge Mann hat in Rom studiert und zitiert ein lateinisches Sprichwort: „Wer schweigt, scheint zuzustimmen."

Nach einer kurzen Stille fährt der junge Priester fort: „Wie kann man wieder Vertrauen aufbauen? Wir können nicht einfach vergessen, was geschehen ist. Und wie kann es eine Versöhnung mit unseren muslimischen Nachbarn geben, wenn von ihnen keinerlei Bedauern geäußert wird? Doch können Muslime uns Christen gegenüber je eine Schuld eingestehen?"

Mit leiser Stimme meldet sich jetzt wieder Bischof Petros zu Wort: „Wir spüren auch unsere eigene Aggressivität in dieser Situation. Wir müssen uns selbst bekehren. Der Wille Gottes ist, dass wir den Feind lieben!"

Bewegt schweige ich: Eine solche Haltung in einer derart brutalen Situation einzunehmen, macht mich sprachlos. Der Bischof wiegt bedächtig mit dem Kopf.

„Wir können nicht einfach vergessen, was geschehen ist. Wir werden Gott aber bitten, den Tätern zu vergeben und ihr Denken zu verändern."

Zugleich steht dem weißhaarigen Bischof ein großer Schmerz ins Gesicht geschrieben: Denn der IS hat auch dieses letzte Christengebiet im Irak in seine Gewalt gebracht und eine fast zweitausendjährige Ortskirche ausgemerzt. Karakosch gleicht jetzt einer Geisterstadt. Am meisten quält Bischof Petros das Schicksal eines dreijährigen Mädchens und einiger junger Frauen, die aus den christlichen Dörfern der Ninive-Ebene verschleppt worden sind. Ihnen droht – wie den jesidischen Frauen – sexueller Missbrauch, Zwangsverheiratung mit islamischen Kämpfern und Sklaverei.

Da die Kurden die Befürchtung hegten, dass Terroristen des IS die Flüchtlingskolonnen nutzen könnten, um sich nach Kurdistan einzuschleusen, mussten die Christen am Ende zu Fuß und nur mit der Kleidung am Leib kurdischen Boden betreten. Das Elend der neu angekommenen Flüchtlinge war unbeschreiblich. Es fehlte an allem: Lebensmittel, Kleidung, Medikamente. Man sah Männer auf der Straße stehen und weinen.

Der Bischof klagt, dass die 12 000 Familien aus Karakosch nach dieser überstürzten Flucht auf 57 verschiedene Lager oder Orte verteilt wurden. Dazu gehörte die kleine Kirche Mor Schimuni in Ankawa. Der Fußmarsch von zwanzig bis dreißig Kilometern durch die brütende Sommerhitze hatte die Leute völlig erschöpft. Sie schliefen in der Kirche und auf dem Vorplatz. Am nächsten Morgen feierte Bischof Petros dort einen Gottesdienst und bekannte unter Tränen, dass er getäuscht worden sei: „Man hat euch und mich im Stich gelassen!" Dieser Vorwurf richtete sich an die Peschmerga, vor allem aber an die irakische Regierung in Bagdad, die ein friedliches christliches Volk, das in seiner zweitausendjährigen Geschichte nie Krieg geführt hat, nicht geschützt hat. Anfangs nächtigten die ungezählten Flüchtlinge auf den wüstenartigen Feldern, in Kirchen und Schulen. Andere schliefen in Rohbauten; das Essen wurde auf dem Boden zubereitet; alte Zeitungen dienten als Tischtuch. Es gab keine Toiletten … Manchmal waren in einem Raum bis zu 20 Personen zusammengepfercht: Männer, Frauen, Kinder – monatelang. Diese unerträgliche Situation führte zu Spannungen und Depressionen.

Bei diesem Bericht des Bischofs höre ich die Müdigkeit zwischen seinen Worten. Auch er wohnte zusammen mit sieben Familien, das heißt mit insgesamt 47 Personen in einem Haus. Man schlief in Schichten – dem Bischof stand ein Bett von 11 Uhr nachts bis 5 Uhr morgens zu; dann kam die nächste Person dran. Später wurden Zeltstädte errichtet. Nach etwa zehn Monaten waren die Containersiedlungen fertiggestellt. „Mit Hilfe unserer Ärztinnen und Ärzte haben wir Krankenstationen eröffnet und wurden dabei von kirchlichen Hilfswerken unterstützt. Und wir haben Schulen errichtet, damit unsere Lehrerinnen und Lehrer die Kinder wieder unterrichten können. Die Kinder müssen doch eine Chance für die Zukunft bekommen!"

Der Sekretär nahm den Faden auf: „Unser Bischof blieb mitten unter seinem Volk und lebte wie auch wir Priester in einem Container. Wir haben jetzt in den Camps wieder Gemeinden gegründet und vor drei Tagen wurde eine Container-Kirche in einem Flüchtlingslager eingeweiht."

Bischof Petros nickt: „Meine Diözese hat jetzt wieder ein Gotteshaus, wenn auch nur eine Notkirche. Und wie Sie sehen, wohne ich jetzt im neuen Zentrum meiner Diözese – mitten in einer Baustelle!"

Ich spüre, wie der Bischof hin- und hergerissen wird: „In den letzten 16 Monaten haben wir in den Lagern, in denen die syrisch-katholischen Christen zerstreut leben, rund 600 Kinder getauft und 420 Hochzeiten gefeiert. Doch was soll auf Dauer werden? Soll ich die Leute ermutigen, hierzubleiben und einer ungesicherten Zukunft entgegenzusehen? Soll ich hoffen, dass Karakosch oder Mossul von der Terrorherrschaft des IS befreit wird?" Bischof Petros zuckt hilflos die Schultern: „Oder soll ich unsere Christen ins Exil schicken und sie ermutigen, nach Europa, Amerika oder Australien auszuwandern? Wir wollen nicht weg! Diese Erde ist uns heilig und kostbar. Denn sie ist mit dem Blut unserer Vorfahren getränkt, die so oft um ihres christlichen Glaubens willen Gewalt erleiden mussten und sich dabei von der Gewalt nicht anstecken ließen! Und auch jetzt gilt für die Christen: Sie haben alles verloren, nur nicht ihren Glauben!"

Mit etwas Bitterkeit führt der alte Bischof aus, dass er sich in Europa umsonst bemüht hat, für sein kleines Volk eine „Heimstätte" zu finden. Er ist an verschiedene europäische Regierungen und auch an deutsche Parlamentarier mit der Bitte herangetreten, die aus Karakosch Vertriebenen geschlossen aufzunehmen, damit sie nicht in alle Welt zerstreut werden.

„Ich habe darum gebeten, uns ein sicheres Gebiet zuzuweisen, wo wir gemeinsam weiterleben können. Dann wäre es uns auch möglich, unsere Sprache und Kultur weiterzupflegen. Wir brauchen Hoffnung, dass vielleicht der Tag kommt, an dem im Irak wieder Frieden und vor allem Freiheit für Nichtmuslime herrscht. Dann könnten wir ja wieder in die alte Heimat zurückkehren. Dieser Schritt wäre umso leichter, wenn sich die Menschen ihre familiären Bindungen, ihre Kultur und ihre Sprache erhalten könnten."

Doch mit seiner Bitte war Bischof Petros in Europa auf taube Ohren gestoßen: Man wolle in Europa keine Ghettos. Ich schüttle verständnislos den Kopf: Der Bischof wollte doch keine Parallelgesellschaft errichten, sondern einem kleinen Volk eine Chance geben, seine Sprache und Kultur zu erhalten. Zudem hätten die aramäischen Christen keine großen Probleme, sich in der europäischen Kultur zurechtzufinden. Denn sie kennen keine religiösen Vorschriften im Blick auf Speisen oder die Kleidung der Frau; als Christen verpflichten sie sich zur Einehe und legen von alters her einen großen Wert auf Bildung.

„Mein Volk ist friedliebend und fleißig. Wir haben nie Waffen in die Hand genommen, um Krieg zu führen. Und wir haben unsere muslimischen Nachbarn immer akzeptiert und respektiert. Sie wurden ohne Unterschied in unseren Schulen unterrichtet und in unseren Krankenhäusern behandelt. Wir Christen haben viel für den Aufbau der Gesellschaft und die Kultur dieses Landes getan. Und jetzt wurden wir davongejagt."

Der alte Bischof seufzt lauf auf. „Meine Gläubigen sind unschuldige Opfer eines Spiels von politischen Parteien und den Supermächten, die ihre Interessen durchsetzen wollen, ohne nach den betroffenen Menschen und ihrer Würde zu fragen."

Dann findet er einen Vergleich: In den westlichen Ländern engagieren sich viele Menschen für den Schutz von Tierarten, die vom Aussterben bedroht sind. Aber alle Appelle, das Aussterben der ältesten christlichen Kultur, eines Volkes und einer Sprache zu verhindern, hat die westliche Welt nicht interessiert.

Ich werde daran erinnert, dass die „Gesellschaft für bedrohte Völker" schon 2007 in einem Memorandum an Bundeskanzlerin Angela Merkel gefordert hat, dem christlichen Siedlungsgebiet einen autonomen Status zu geben und es zusammen mit dem multiethnischen Bundesstaat Kurdistan unter internationalen Schutz zu stellen. Denn vor allem die orientalischen Christen hatten für die missglückte Politik der USA und ihrer Verbündeten einen hohen Blutzoll zahlen müssen. Doch das wurde ihnen nicht entlohnt.

Wann hat sich die Weltpolitik ernsthaft um die christliche Minderheit und deren Schutz in den islamischen Staaten gekümmert? Welche Staaten haben die Gleichberechtigung der Christen deutlich angemahnt? Wäre es die Kultur der aramäischen Christen nicht wert gewesen, sie zu einem immateriellen Weltkulturerbe zu erklären: eine Urkirche, in der die Leute noch in der Muttersprache Jesu reden und in dieser Sprache ihre Liturgie feiern? Doch nun geht diese Welt unter – vor den gleichgültigen Augen der westlichen Länder, die sich angeblich für die Menschenrechte einsetzen …

Eine Frage möchte ich Bischof Petros noch stellen: „Wie schätzen Sie den Islam ein? Sie haben ja als Christ Ihr ganzes Leben in einem islamischen Land verbracht."

„Die große Mehrheit der Muslime will in Frieden leben, ihrer Arbeit nachgehen und sich an ihren Kindern freuen. So wie die allermeisten Menschen. Aber der Islam liegt im Widerstreit mit sich selbst – und die einheimischen Christen, die nie Krieg geführt haben, werden in diesem Konflikt zerrieben. Wir haben viele Jahre gut mit unseren Nachbarn zusammengelebt. Doch unsere muslimischen Freunde haben uns menschlich sehr enttäuscht, denn sie haben uns elend im Stich gelassen. Manche haben sogar die Terroristen des IS unterstützt."

Der Bischof zieht die Stirn kraus und stellt kritische Fragen: „Die berühmten islamischen Gelehrten, die bei großen internationalen Treffen betonen, dass der Islam die Religionsfreiheit und die Menschenrechte achte und eine Religion des Friedens sei: Wo waren sie, als wir vertrieben wurden – nur weil wir Christen sind? Wann werden die muslimischen Gelehrten die Wurzeln der Gewalt, die sich aus dem Islam heraus rechtfertigt, einer kritischen Prüfung unterziehen?"

Bischof Petros zitiert seinen Amtskollegen, Bischof Amel Shimon Nona: Auch der Islam kennt ein humanistisches Potential. Aber dieses wird nicht genutzt, weil der Islam seit Jahrhunderten im Stillstand verharrt. Stattdessen wächst der radikale Fundamentalismus. Bischof Nona weist den Westen mit aller Deutlichkeit auf den kritischen Punkt hin: „Der Islam sagt nicht, dass alle Menschen gleich sind. Eure Werte sind nicht die seinigen." Ob es einen aufgeklärten Islam geben kann, das muss sich erst noch zeigen. Jedenfalls stellen Imame oder Intellektuelle, die einen modernen Islam propagieren, in muslimischen Ländern eine Randerscheinung dar – und werden oft mit dem Tod bedroht.

Dagegen gereichen die europäischen Werte und Rechte wie Religionsfreiheit und Toleranz dem Islam und dessen Ausbreitung zum

Vorteil – ohne dass sich der Islam selbst diese grundlegenden Rechte aneignen muss! Europa lebt in der Illusion, dass massenweise friedfertige und tolerante Muslime in die europäischen Länder strömen. Im Unterschied dazu nehmen Saudi-Arabien und Katar keine Geflüchteten auf, obwohl sie die gleiche Religion, Sprache und Kultur teilen – auch weil sie Unruhe und Terror befürchten. Bischof Petros runzelt die Stirn und sagt: „Die Saudis sind klüger als eure Regierungen!"

Mit einem Blick auf die Uhr bedauert der alte Bischof, dass unser Gespräch zu Ende gehen muss. Er steht auf und verabschiedet sich mit tieftraurigen Augen: „Bete für uns!"

Dann bietet er mir an, mich mit dem Auto ins Zentrum von Ankawa mitzunehmen. Er muss zu einem Termin bei der diplomatischen Vertretung der Slowakei. Es geht um die Aufnahme von Flüchtlingen seiner Gemeinde. Er drückt mir einen Packen Papier in die Hand, den ich unter meine Jacke stecke, damit er auf dem Weg zum Auto nicht nass wird. Ich nehme auf der Rückbank Platz und lege die Papiere neben mir ab. Es sind Taufurkunden: Auf diesen bezeugt der Bischof, dass die genannten Personen getauft sind und der syrischen Kirche angehören. Und jetzt dienen die Taufurkunden dazu, Leben zu retten – aber auch dazu, diese Kirche zu zerreißen und ihre Mitglieder in alle Welt zu zerstreuen!

Als wir beim Lager der Jesiden vorbeifahren, wendet sich der Bischof nach hinten.

„Mir fällt gerade ein, dass es für dich interessant sein könnte, dich mit Claire zu treffen. Die gebürtige Französin kümmert sich vor allem um jesidische Frauen."

Er wischt auf seinem Smartphone herum und diktiert mir eine Telefonnummer. Wenig später stehe ich auf einem kleinen Platz im Zentrum von Ankawa und wähle diese Nummer. Ich habe Glück: Claire wohnt in einem Hotel – und hat Zeit für mich. So viele Besucher, die französisch sprechen, scheinen hier nicht aufzukreuzen. Wir verabreden uns in einem Café in der Nähe.

Während ich warte, geht mir noch das Gespräch mit Bischof Petros durch den Kopf. Besonders beeindruckt mich seine Haltung, trotz allem erlittenen Unrecht nicht auf Rache zu sinnen, sondern auf Versöhnung zu hoffen. Hier treffe ich auf einen zentralen Kern des Christentums.

Als Claire das Café betritt, begrüße ich sie auf Französisch und wir setzen uns. Sie trägt ein knielanges dunkelblaues Kleid und hat sich einen beigen Pullover übergezogen. Wir sitzen einander gegenüber und während ich mich kurz vorstelle, schaue ich in ihr schmales Gesicht mit klugen Augen und einer Stupsnase. Claire ist vielleicht 50 Jahre alt und arbeitet für eine kirchliche Hilfsorganisation. Sie

Jesus von Nazaret *verkündete einen Gott, der wie ein Vater alle Menschen als seine Kinder liebt. In seinem Handeln zeigte Jesus, dass die neue Welt Gottes dann beginnt, wenn Kranke geheilt, Ausgeschlossene aufgenommen und Zerstrittene miteinander versöhnt werden. Mit dieser Botschaft einer neuen und universalen Geschwisterlichkeit soll auch die Gewaltanwendung unter Menschen prinzipiell ein Ende finden. Jesus hat durch Wort und Vorbild gezeigt, dass der tödliche Kreislauf der Gewalt durch Barmherzigkeit und Vergebung unterbrochen werden und somit ein neuer Friede unter den Menschen wachsen kann.*

Jesus selbst wurde als Opfer von ungerechter Gewalt zum Tod verurteilt. Doch Gott hat ihn im Tod nicht untergehen lassen, sondern durch die Auferweckung Jesu aus dem Tod seine Botschaft von Gewaltlosigkeit, Versöhnung und Frieden für immer ins Recht gesetzt.

Damit öffnet sich dem Menschen ein neuer Freiheitsspielraum: Er muss sich selbst nicht mehr gewaltsam durchsetzen. Er findet zur Freiheit der Liebe bis hin zur Feindesliebe. Dem Gebot Jesu, auch die Feinde zu lieben, geht es primär nicht um ein Gefühl, sondern darum, auch die Gegner als Menschen zu achten und ihre Rechte zu respektieren.

kennt auch unsere Gemeinschaft und so ist schnell wieder eine Vertrauensbasis hergestellt. Claire berichtet mir von ihrer Arbeit in den Flüchtlingslagern. Dann vertraut sie mir ihre erschütterndste Erfahrung an: Nachdem die Dschihadisten die hauptsächlich von Jesiden bewohnte Stadt Sindschar eingenommen hatten, versklavten sie zahlreiche Frauen und Mädchen.

In Bruno Schirras Buch über den IS hatte ich schon mit Entsetzen gelesen, dass Scheich Fawzan, einer der höchsten saudischen Geistlichen, die Sklaverei als Teil des Islam und des Dschihad bis heute rechtfertigt. Ganz auf dieser Linie verkündet auch der IS voller Stolz die Wiedereinführung der Sklaverei als urislamisch. Von Anfang an bildeten nicht nur die Wonnen des Paradieses einen Anreiz für den Dschihad, sondern auch sehr irdische Freuden wie Kriegsbeute und sexuelle Befriedigung durch Sklavinnen. Und so sind für verdiente Kämpfer des IS die „ungläubigen" Frauen und Mädchen auch heute noch Sexobjekte, auf die sie für ihren Einsatz im „Heiligen Krieg" gemäß ihrer Glaubensüberzeugung ein Recht haben, sozusagen als Prämie. Dementsprechend nahmen die Krieger des IS bei ihrem Eroberungszug durch den Irak Tausende jesidische und christliche Kinder, junge Mädchen und Frauen gefangen und verkauften sie auf regelrechten Sklavenmärkten.

Mehrere Gruppen der in Mossul oder Sindschar missbrauchten Frauen konnten entfliehen. 500 von ihnen wurden auf Initiative der „Gesellschaft für bedrohte Völker" in Deutschland aufgenommen, um ihnen therapeutische Hilfe zu leisten. Claire wurde zur Mitarbeit in einem Team von Frauen gebeten, welche die Jesidinnen auf die Reise nach Deutschland vorbereiten sollten. In den Gesprächen musste sie erfahren, was diesen Frauen angetan worden war. In Mossul sperrte man jesidische Frauen in einem beschlagnahmten Haus eines Christen ein und sortierte sie nach Kriterien: Jungfrau – junge, bereits verheiratete Frau – ältere verheiratete Frau. Dann wurden die Frauen je nach „Kategorie" unterschiedlich teuer verkauft oder den „Glaubenskämpfern" zur freien Verfügung überlassen.

„Eine junge Frau vertraute mir an, dass sie tagelang ohne Unterbrechung von einem Dutzend Männer auf alle Arten vergewaltigt wurde. Sie war so erschöpft, dass sie diese Männer anflehte, sie endlich umzubringen. Doch die hätten nur gelacht und zynische Bemerkungen gemacht. Und sie immer wieder verprügelt. Als diese Frau mir davon erzählte, bekam sie fürchterliche Weinkrämpfe und ich musste sie lange in meinen Armen halten."

Entsetzlich war auch ein anderer Bericht: „Die Terroristen hatten alle jungen Frauen meines Dorfes in ein Haus gesperrt. Plötzlich hörte ich draußen Schüsse und schaute durch einen Vorhangschlitz hinaus. Da sah ich, wie unsere Männer einer nach dem anderen abgeknallt wurden. Ich schrie laut auf. Sofort kam eine Bewacherin und drohte: Wenn du noch einmal aufmuckst, werdet ihr alle erschossen."

Viele Frauen und Mädchen nehmen sich nach den Vergewaltigungen vor lauter Scham das Leben. Sie fühlen sich in ihrer Ehre und Würde derart verletzt, dass sie nicht mehr weiterleben können. Dazu kommt, dass ihre eigenen Familien eine Vergewaltigung als Schande betrachten, die nicht mehr gutzumachen ist.

Claire spricht leise, oft mit geschlossenen Augen. Ich sehe, wie es sie quält, diese Begegnungen wieder in Erinnerung zu rufen. Ich wehre mit den Händen ab, um zu signalisieren, dass sie nicht weitersprechen muss und ich auch gar nicht mehr wissen will. Doch Claire holt tief Luft und fährt fort, vielleicht, weil sie etwas loswerden und mit jemandem teilen will.

„Ich habe auch christliche Mädchen kennengelernt, die von Dschihadisten auf bestialische Weise missbraucht worden waren. Eine davon: Raphid. Ich wusste, was passiert war, und besuchte sie in der Baracke, in der sie mit ihrer Familie wohnte. Sie wollte nicht mit mir reden. Ihr Gesicht wirkte verstört und ihre Augen leer, als ob ihre Seele erloschen wäre. Die Mutter saß am Tisch und weinte, der Vater starrte nur vor sich hin. Ich machte mir große Sorgen um dieses Mädchen. Aber ich konnte sie nicht mehr ins Leben zurückholen.

Am nächsten Tag schon erfuhr ich, dass sie Rattengift genommen hatte, um sich umzubringen. Sie war nicht mehr zu retten: Die stundenlangen Krämpfe und der Todeskampf waren grauenvoll."

Meine Augen werden feucht und ich lege meine Hand auf Claires Arm.

Sie nickt und schweigt. Nach einer Weile schaut sie mich traurig an.

„Weißt du, auch für die christlichen Familien ist manchmal die Ehre derart wichtig, dass sie den Selbstmord nicht zu verhindern suchen."

Wir verabschieden uns und ich spüre, wie sehr uns die Sorge um die Geflüchteten verbindet.

Wieder ein voller Tag und ich bin überfüllt von Eindrücken.

Ziemlich ermattet steige ich die scheppernde Eisentreppe zu Yousifs Familie hoch. Dort sitzen noch Taghrid, Basman und Yousif bei einer Tasse Tee. Erschöpft lasse ich mich auf eine Couch fallen und bin fast zu müde, um die Einladung zu einer Tasse Tee noch anzunehmen.

Kurz erzähle ich von meinen Begegnungen. Eine Frage will ich noch loswerden.

„Ihr kommt aus Mossul. Was wisst ihr von euren Vorfahren? Wann kamen sie nach Mossul?"

Yousif deutet auf seine Mutter: „Ihre Familie lebt schon immer in Mossul. Vielleicht seit den Anfängen des Christentums. Aber mein Opa väterlicherseits war ein Flüchtling."

Ich werde neugierig und will mehr wissen: „Ein Flüchtling? Woher?"

„Aus Siirt. Das liegt in der heutigen Türkei."

„Und wann kam er nach Mossul?"

„1915. Vor genau hundert Jahren. Er war damals 12 Jahre alt."

„Weißt du noch mehr von dieser Flucht und dem, was in Siirt passiert ist?"

„Ich habe meinen Opa nicht mehr gekannt. Mein Vater wusste viel von dem, was Opa ihm geschildert hatte." Yousif nickt traurig. „Aber den können wir nicht mehr fragen."

Ich atme laut durch und senke den Blick. Eine Weile bleibt es ganz still. Dann höre ich Yousif fortfahren: „Onkel Jonah, der weiß auch viel. Er hat sogar noch ein altes Buch, das mein Opa geschrieben hat."

Ich bin wie elektrisiert: „Ich würde das Buch gerne sehen. Meinst du, dass dein Onkel ein bisschen Zeit hat?"

Yousif lacht trocken auf.

„Den Leuten hier fehlt fast alles. Nur eines haben sie im Überfluss: Zeit! Ankawa gleicht einem großen Wartesaal. Onkel Jonah freut sich über jede Abwechslung. Besonders seit dem Tod seiner Frau vor zwei Jahren. Morgen besuchen wir ihn."

9. Nichts Neues unter dem Halbmond

Onkel Jonah wohnt ebenfalls in einem Billigbau; immerhin grünt ein kleiner Garten vor dem Reihenhaus. Da Yousif sich auch heute wieder unter ein Auto legen muss, bringt mich Wadid zu seinem Bruder, der schon ein Mittagessen vorbereitet hat. Jonah ist ein äußerst höflicher Mann und freut sich riesig über mein Interesse an der Geschichte seiner Familie.

Er hat sogar eine Flasche Rotwein geöffnet und erläutert stolz, dass er rechtzeitig ein paar Kostbarkeiten aus Mossul nach Kurdistan gerettet hat: ein paar Flaschen guten Weines – und eine Kiste mit alten Büchern. Wir stoßen an – auf bessere Zeiten. Nach dem Essen räumt Jonah den Tisch ab und holt noch einen anderen Schatz, den er aus Mossul mitgebracht hat, aus seinem Schrank: ein von Hand geschriebenes Buch seines Vaters. Dieses sollte nicht den Terroristen des IS in die Hände fallen, denn die hätten es sicher verbrannt. Vorsichtig öffnet Jonah das wertvolle Erbstück. Die gestochen scharfe Handschrift fasziniert mich. Ich kann sie aber nicht gleich einordnen. Arabisch ist es wohl nicht, wenngleich irgendwie ähnlich …

Wadid kann Gedanken lesen: „Das ist Syrisch – man kann auch sagen: Aramäisch!“

Ich blättere ehrfürchtig weiter und bewundere die akkuraten Buchstaben, die an die Bibelhandschriften in den europäischen Klöstern erinnern, und darf ein paar Fotos machen.

„Worum handelt es sich?“

„Mein Vater hat große Teile der Bibel abgeschrieben“, lässt mich Jonah nun wissen.

Begeistert blättere ich weiter, zugleich aber auch ein wenig enttäuscht. Denn ich hatte gehofft, dass der Großvater von Yousif eine Art von Tagebuch oder Memoiren verfasst hat.

„Was wisst ihr von eurem Vater?“

Jonah läuft noch einmal zu seinem Bücherschrank und zieht ein paar andere Bücher hervor. Leider keine handgeschriebenen. Aber dafür Bücher mit Illustrationen und Karten, anhand derer mir die beiden Brüder die Geschichte ihrer Familie und ihres Volkes darlegen: „The Assyrians: The oldest Christian People"; „The Hakkari Massacres"; „The Forgotten Genocide".

Yousifs Großvater stammte aus Siirt, einer Stadt in Ost-Anatolien, damals noch West-Armenien, mit einem hohen christlichen Bevölkerungsanteil. Die meisten Christen waren Armenier und wurden beim Völkermord 1915 abgeschlachtet oder deportiert. Die ethnischen Säuberungen durch die „jungtürkische" Regierung betrafen allerdings nicht nur die Armenier, sondern auch die beachtliche griechische Minderheit – und die aramäischen Christen. Die Bevölkerung auf dem Gebiet der heutigen Türkei war um 1900 noch zu gut 20 Prozent christlich. Doch der nationale Wahn, ein reines Land der Türken zu schaffen, führte zum ersten großen Völkermord des 20. Jahrhunderts. Der Erste Weltkrieg lenkte die öffentliche Aufmerksamkeit weit weg von dem, was in den abgelegenen Regionen des Osmanischen Reiches geschah. Im Schatten der großen Gräuel an den Griechen (ca. 350 000 Tote) und Armeniern (ca. 1,5 Millionen Tote) nimmt die Weltöffentlichkeit den Genozid an etwa 300 000 aramäischen Christen bis heute kaum wahr.

Die Motive für den Völkermord waren komplex: Im Ersten Weltkrieg kämpfte das Osmanische Reich im Kaukasus gegen das (christliche) Russland und betrachtete die Christen im eigenen Land als mögliche Kollaborateure mit dem Feind. Dazu kam die nationale Ideologie: Einflussreiche Politiker nannten die Christen „Mikroben", „Viren" und „innere Tumore", die den türkischen Volkskörper befallen hätten – und folglich bekämpft und ausgerottet werden müssten. Materielle Gier spielte ebenfalls eine große Rolle: Denn nun konnte man sich der christlichen Häuser und Geschäfte bemächtigen! Und da die Christen einen großen Wert auf Schulbildung gelegt hatten, kamen auch Neid und Eifersucht der weniger gebildeten Türken ins Spiel.

Doch der Völkermord von 1915 war nicht nur politisch oder sozial motiviert, sondern auch religiös. Dies wird bereits dadurch sichtbar, dass man armenische oder aramäische Christen vor die Alternative stellte: Konvertiere zum Islam, dann darfst du alles behalten – oder du wirst ermordet!

Zahlreiche Dokumente belegen: Die religiös motivierte Verachtung für die Christen stellt einen wichtigen Faktor für die unsägliche Brutalität des Mordens von 1915 dar. Diese Feindseligkeit gründet in der systematischen Diskriminierung von Christen unter dem Halbmond, die sich immer wieder – und unabhängig von einer Kriegssituation – in Massakern geäußert hatte.

Im Jahr 1843 verübten Kurden nördlich von Mossul ein entsetzliches Gemetzel an Tausenden von aramäischen Christen. Die hinterbliebenen Frauen und Mädchen wurden entführt und zwangsislamisiert. Wer sich widersetzte, wurde verbrannt. Der deutsche Orientalist Eduard Sachau schrieb damals: „Die Kurden haben Christenblut in solchen Strömen vergossen, dass man Mühlen damit treiben könnte."

1894–96 hetzten Imame auf Weisung des berüchtigten „Blutsultans" Abdülhamid II. (1842–1918) die Muslime zur Gewalt auf; bei den antichristlichen Pogromen wurden etwa 50 000 aramäische Christen umgebracht und ungefähr 100 000 gezwungen, den Islam anzunehmen.

Die größte und blutigste Verfolgung der aramäischen Christen wurde dann 1915 von der osmanischen Regierung systematisch organisiert: Ziel war die „Endlösung" der Christenfrage auf türkischem Boden. Auch hier galt die Devise: Vertreibung und Tod – oder Konversion zum Islam. Von einer ganzen Gruppe von Christen wird berichtet, dass sie im Angesicht ihres Schicksals geistliche Lieder sangen. Dann mussten sie niederknien und einem nach dem anderen wurde das Messer an den Hals gesetzt mit den Worten: „Bekenne dich zum Islam – oder wir bringen dich um!" Keiner wollte seinen christlichen Glauben verleugnen. So wurde jedem Einzelnen die Kehle durchschnitten. Insgesamt wurden über zwei Millionen Christen aufgrund ihres christlichen Glaubens vernichtet; Hunderttausende „bekehrten" sich unter dem Eindruck von Feuer und Schwert zum Islam.

Schweigend und mit zusammengepressten Lippen sitze ich über den historischen Fotos in Onkel Jonahs Büchern: ausgemergelte Körper von Kindern; Berge von Leichen; Gehenkte und Verstümmelte. Diese Fotos erinnern mich an Dokumentationen der Judenverfolgung im Dritten Reich, „Shoah" oder auch „Holocaust" (= Ganzopfer, das verbrannt wird) genannt. Jetzt erfahre ich, dass die Verwendung des Begriffs „Holocaust" für die Vernichtung von Menschen auf die Verbrennung von Christen im Osmanischen Reich zurückgeht. Bei den Pogromen 1895 hatten armenische Christen in der Bischofskirche von Urfa Zuflucht gesucht. Die Türken verrammelten die Kathedrale von außen, so dass niemand entfliehen konnte, und zündeten das Gebäude an. Die US-Amerikanerin Corinna Shattuck musste mit ansehen, wie mindestens 3000 Männer, Frauen und Kinder bei lebendigem Leib verbrannt wurden, und bezeichnete diesen Massenmord als „Holocaust". 1915 wendeten die Türken die „Methode des Holocaustes" zur Vernichtung der Christen in der Türkei systematisch an. Erst 1955 übertrug man den Begriff „Holocaust" auf die Auslöschung der Juden durch die Nazis.

„Und was ist in Siirt passiert?", will ich von Onkel Jonah wissen.

„Mein Vater hatte sechs Geschwister und war mit meinem Großvater für ein paar Tage in ein Dorf gegangen, um Verwandte zu besuchen. Als sie zurückkehrten, war das Gemetzel der Türken an den Christen in vollem Gange. Ein muslimischer Nachbar erkannte meinen Großvater und dieser wurde vor den Augen seines zwölfjährigen Sohnes geköpft. Dann schnitt man ihm Arme und Beine ab und warf sie auf die Straße, den Hunden und Ratten zum Fraß."

Es herrscht eine kurze, bedrückende Stille im Raum. Dann fährt Wadid fort: „Mein Vater hat mir oft davon erzählt, wie er vor Angst geschrien hat und davonlaufen wollte. Da wurde er schon gepackt und auf den Platz vor der Kathedrale geschleppt, wo man viele aramäische Frauen und Kinder zusammentrieb. Sie sollten umgesiedelt werden und hatten ein notdürftiges Gepäck zusammengeschnürt. Er fand seine Tante und fragte nach seiner Mutter. Doch die war mitsamt den sechs Kindern bereits abgestochen worden."

Die türkischen Militärs und ihre kurdischen Hilfstruppen wendeten immer dieselbe Strategie an: Sie überfielen die zahlreichen christlichen Städte und Dörfer und trieben als Erstes die wehrfähigen Männer zusammen. Ein Teil von ihnen wurde in Ketten gelegt und zur Arbeit, etwa beim Bau der Bagdad-Bahn (einem vom Deutschen Reich unterstützten Wirtschaftsprojekt!), abkommandiert – wo sie nach getaner Arbeit mit dem Bajonett erstochen wurden. Die anderen Männer wurden sofort außerhalb der Dörfer oder Städte erschossen oder geköpft. Dann bemächtigte man sich der Frauen und Kinder. Man sammelte sie und schickte sie auf Todesmärsche, die offiziell als Umsiedlung deklariert wurden. Wer sich wehrte, wurde sofort getötet. Ziel war die mesopotamische Wüste. Die älteren oder kranken Christen starben bei den Fußmärschen meistens schon in den ersten Tagen. Wenn die Deportierten unterwegs durch Dörfer kamen, wurden sie dort oft ausgeraubt, so dass sie am Ende fast nackt waren. Die Männer dieser Dörfer bedienten sich der Frauen und Mädchen und vergewaltigten sie in aller Öffentlichkeit – oder sie suchten sich die Schönsten aus und verschleppten sie in ihre Harems. Ebenso beschnitten sie viele Knaben und steckten sie in muslimische Familien. Während des langen Marsches ging ein Großteil der Frauen und Kinder an Erschöpfung, Hunger oder Durst grausam zugrunde. Dem Zug der ausgedörrten Gestalten, die von den türkischen Soldaten gnadenlos weitergetrieben wurden, folgten am Himmel die Geier und auf der Straße ein Rudel von Hunden, die um jeden neuen Leichnam kämpften.

Die Berichte von den Deportationen sind schier unerträglich: „Wenn die Nacht anbrach und wir unter freiem Himmel ausruhten, kamen die Milizen und suchten nach hübschen Mädchen, indem sie jeder mit Streichhölzern ins Gesicht leuchteten. Wenn sie sie missbraucht hatten, überließ man sie den Kurden, die sie töteten." „Einige Kurden, die uns weiter auf dem Weg begleiteten, fielen plötzlich über zwei, drei junge Mädchen her, die mit uns waren, und vergewaltigten sie vor unseren Augen. Wir blieben nackt und bloß zurück..." „Mein Blick fiel auf eine völlig nackte Frau, die durch einen Dolchstich verwundet war. Sie blutete stark und hielt mit den Händen ihre hervorquellenden Eingeweide zurück."

Ich kann den Blick in die Deportationsberichte kaum ertragen. Doch Onkel Wadid fährt fort. Er zeigt mir in einem der Bücher einen Abschnitt, der über das Blutbad in Siirt berichtet: Mit den Christen wurden auch der Bischof der Stadt und sämtliche Priester seiner Diözese umgebracht. Die Türken der Stadt brachten ihre Freude darüber zum Ausdruck, dass nun alle Christen in Siirt vernichtet und vertrieben waren. Die Mullahs (= islamische Geistliche), die an der Schlächterei teilgenommen hatten, erklärten, dass von jetzt an kein Christ es mehr wagen solle, nach Siirt zurückzukehren: Er würde sofort getötet werden.

Die Kathedrale von Siirt wurde in einen Viehstall umgewandelt und die berühmte Bibliothek eingeäschert. Auf dem christlichen Friedhof zerschlug man alle Grabsteine und entwürdigte die Gräber durch Beschmutzung mit Kot. Auch die Nonnen des Klosters von Siirt wurden deportiert. Weil ihre Äbtissin für den Fußmarsch zu alt war, nagelte man sie in Siirt an ein Kreuz. Die 16 Schwestern sangen beim Auszug aus der Stadt Litaneien und ließen sich durch all die Abscheulichkeiten nicht einschüchtern, ihren christlichen Glauben zu bekennen. Unterwegs stürzten sich viele Mädchen aus Siirt in einen Fluss: Sie wollten lieber ertrinken, als während des Deportationszugs vergewaltigt zu werden.

Nach längerem Schweigen setzt Wadid die Erzählung über das Schicksal seines Vaters fort: „Von den Tausenden Christen aus Siirt hatten nur etwa hundert die Massaker und Todesmärsche überlebt. Als der Zug von Deportierten mit blutenden Blasen an den Füßen in Mossul ankam, war mein Vater zwar bis auf die Knochen abgemagert. Aber er lebte noch und wurde in ein Waisenhaus aufgenommen."

Onkel Wadid schaut mich durchdringend an und flüstert: „1915. Und genau 100 Jahre später passiert das Gleiche wieder: der Exodus eines ganzen Volkes. Mord und Vergewaltigung. Und dann das Dahinsiechen in Flüchtlingslagern."

„Der Exodus eines ganzen Volkes …", wiederhole ich. „Karakosch und die Ninive-Ebene."

„Und damals Westarmenien, Tur Abdin und das Hakkari-Gebirge. Hast du schon einmal etwas von den Bergassyrern gehört?"

„Nein …", muss ich gestehen.

Wadid beginnt zu erzählen und ich hänge fassungslos an seinen Lippen.

Die syrische Kirche stand bis zum 13. Jahrhundert von Persien bis zum Mittelmeer immer noch in Blüte. Doch die mongolischen Horden ermordeten Hunderttausende von Christen, brannten Städte, Kirchen und Klöster nieder und löschten das Christentum im Osten fast überall aus. Nur in Gebirgsregionen wie im Libanon oder im Tur Abdin konnte sich eine christliche Bevölkerung erhalten. So auch in den Hakkari-Bergen, einem alpenähnlichen Hochgebirge, das sich nördlich von Mossul erhebt. Dort führten die christlichen Stämme der Bergassyrer unter Leitung eines Patriarchen ein relativ autonomes Leben. Sie waren wehrhaft organisiert, um ihre Dörfer und Herden vor räuberischen Kurdenstämmen zu schützen.

Am 4.2.1916 veröffentlichte die „Frankfurter Zeitung" einen Hilferuf des Patriarchen: „Als die Konstitution in der Türkei eingeführt wurde, schenkten wir den Versprechungen der Regierung Glauben, die uns Sicherheit verbürgte, und verkauften einen großen Teil unserer Waffen, da man uns glauben machte, die Kurden seien auch entwaffnet worden. Dadurch wurde unser Volk wehrlos. Nach der Erklärung des Dschihad (‚Heiligen Krieges') beschlossen die Türken, uns ebenso wie die Armenier auszurotten, und ließen uns durch ihre Truppen und durch die Kurden, in deren Mitte wir wohnen, überfallen. Ende Mai brachen türkische Truppen aus Mossul in unser Gebiet ein. Mit dieser Zeit begannen die offiziellen Massaker und Verwüstungen in unseren Dörfern."

Der Hilferuf des Patriarchen in der deutschen Presse nützte nichts: Das gesamte Volk der Bergassyrer musste seine Heimat mit den uralten Kirchen und Klöstern verlassen und durch das Gebirge bis in die persische Urmia-Ebene flüchten. Dort hofften sie, von den Russen, mit denen sie sich zwischenzeitlich verbündet hatten, beschützt zu werden. Bei diesem Exodus eines ganzen Volkes kamen von den ursprünglich 160 000 Christen etwa die Hälfte durch Abschlachtung, Seuchen und Hunger ums Leben. Die Leichen blieben unbestattet liegen, denn die muslimische Bevölkerung setzte die „unreinen" Christen aus Verachtung nicht bei.

Erneut folgen grauenvolle Berichte: „Zu den schrecklichsten Dingen, die der medizinischen Abteilung [der US-presbyterianischen Mission in Urmia] zur Kenntnis kamen, gehörte die Behandlung der Frauen und Mädchen, die durch die Türken, Kurden und einheimische Muslime vergewaltigt worden waren. Nach dem Massaker im Dorf N. wurden alle Frauen und Mädchen vergewaltigt; dabei starben unter den Händen dieser muslimischen Schurken zwei Mädchen im Alter von acht und zehn Jahren. Eine Mutter berichtete, dass kein Mädchen über zwölf diesen Vergewaltigungen entgangen ist. Ein Mann, der im Norden der Urmia-Ebene ziemlich einflussreich ist, hat sich damit gebrüstet, dass er elf Christenmädchen vergewaltigt hat, davon zwei, die unter sieben Jahren gewesen wären."

Wadid schlägt ein anderes Buch auf und ich überfliege einen Abschnitt: Die muslimische Bevölkerung war an dieser Schlächterei höchst aktiv beteiligt. Nur in seltensten Fällen gewährten Muslime den verfolgten Christen Unterschlupf. Denn viele fürchteten, durch den Kontakt mit Christen „unrein" zu werden. Im Gegensatz dazu fanden Christen öfter bei jüdischen und jesidischen Familien Hilfe.

Erschüttert starre ich auf die offenen Bücher mit ihren Berichten von 1915. Und was ich da hören und lesen muss, fand nicht nur 100 Jahre und 1000 Meilen entfernt statt. Auch heute, im Jahr 2015, nur 30 Kilometer weit weg: Wieder werden Christen erschossen, geköpft oder gekreuzigt – nur weil sie Christen sind. Die historischen Fotografien in den Büchern zeigen Grässliches. Heute führen Videos im Internet vor, wie Christen mit dem Ruf „Allahu akbar!" der Kopf abgesäbelt wird oder wie eine umstehende und gaffende Menge die Gekreuzigten verhöhnt. Ihre Leichen werden verstümmelt und den Hunden zum Fraß vorgeworfen. Aufgehetzt von Imamen plündern Muslime die Häuser der Christen und fackeln ihre Kirchen ab. Islamisten vergewaltigen Frauen und Mädchen und missbrauchen sie als Sex-Sklavinnen. Das Gespräch mit Claire fällt mir ein und dann Bischof Petros Mouche, den die Sorge um die verschwundenen Mädchen um den Schlaf bringt.

Eine Frage richte ich noch an Jonah: „Was ist aus den geflohenen Bergassyrern geworden?"

„Ach, eine traurige Geschichte, die leider kein gutes Ende gefunden hat: Die Russen ließen nach der Revolution von 1917 die Assyrer im Stich. Erneute Massaker waren die Folge und die Überlebenden mussten von Urmia weiter in den Süden fliehen. Sie landeten in Flüchtlingslagern und wurden viele Jahre lang hin- und hergeschoben."

Ich erfahre, dass die Vertriebenen nach dem Ersten Weltkrieg wieder in ihre Heimat zurückwollten. Die Siegermächte kümmerten sich jedoch nicht um das Schicksal dieses kleinen Volkes, und die Türken verwehrten ihnen gewaltsam die Rückkehr. Ihre Dörfer wurden von Kurden besetzt; die Kirchen, die zum Teil aus dem 4. Jahrhundert stammten, wurden zerstört oder als Moscheen genutzt, die alten Klöster mit den unersetzlichen Handschriften niedergebrannt. In diesem urchristlichen Gebiet lebt heute kein einziger Christ mehr. Die Überlebenden in den Flüchtlingslagern wurden zum Spielball der Kolonialmächte. In der Hoffnung, dass Großbritannien die Rückkehr in die Heimat unterstützen würde, stellten sich Assyrer als Soldaten in den Dienst der Briten. Doch anstatt eines versprochenen Siedlungsgebiets bekamen die Flüchtlinge nach dem Rückzug der Briten den Hass der neuen arabischen Herrscher zu spüren. 1933 kam es in der Mossul-Ebene zu einem erneuten Massenmord, dieses Mal durch das irakische Militär: Wieder wurden junge Männer, die sich weigerten, zum Islam überzutreten, erschossen und Frauen vergewaltigt. Schwangeren schlitzte man den Bauch auf und überrollte Kleinkinder mit schweren Fahrzeugen. Säuglinge wurden in die Luft geworfen und mit dem Bajonett aufgespießt …

Frankreich und Großbritannien schoben sich gegenseitig die Schuld an dieser Katastrophe zu; dann planten sie, die Bergassyrer in Timbuktu, Britisch-Guayana oder in Brasilien anzusiedeln. Am Ende fanden die Christen aus dem Hakkari-Gebirge in Syrien Aufnahme und siedelten in 34 Dörfern entlang des Chabur-Flusses. Sie nannten ihre Dörfer „Kampi", weil es sich ja eigentlich um Flüchtlingscamps handelte und sie immer noch die Hoffnung hegten, eines Tages in ihre alte Heimat zurückzukehren. Immerhin: Sie konnten in Syrien in relativer Freiheit leben, ähnlich wie die Aramäer in den nahe gelegenen Städten Hassake und Qamishli – bis im Jahr 2015 die „Glaubenskämpfer" des IS auftauchten: Sie überfielen die christlichen Dörfer. Über 200 entführte Christen befinden sich bis heute in ihrer Gewalt, darunter 39 Kinder unter zehn Jahren. Genau 100 Jahre nach ihrer Vertreibung wurden die Bergassyrer wieder davongejagt. Dieses Mal nach Europa, Australien, Amerika. „Wenn wir noch einmal vertrieben werden, dann müssen wir auf den Mond emigrieren", legte ein aramäischer Christ einer deutschen Zeitung dar. Aber kann dieses kleine Volk überhaupt überleben? Jetzt wird es ja in alle Welt zerstreut und seine Kultur, Sprache und christliche Tradition für immer ausradiert.

Als Jonah die Weinflasche leert und wir noch einmal „Auf eine bessere Zukunft!“ anstoßen, wird mir ganz mulmig zumute. Nachsinnend schaut Yousifs Onkel in die Ferne: „Vielleicht lernen die Menschen irgendwann einmal aus der Geschichte …“

Dann steht er auf, läuft zu einem Regal und holt ein Paperback-Buch: „Es riecht noch ganz druckfrisch.“ Der alte Buchdrucker lächelt und hält die scharf gebogene Nase zwischen ein paar aufgeschlagene Seiten. „Das ist von Bischof Saliba, den du am Sonntag in der Kirche gesehen hast. Er hat eine Enzyklopädie aus dem 11. Jahrhundert aus dem Aramäischen ins Arabische übersetzt.“

Das interessiert mich: „Ein Bischof, der sich als Übersetzer betätigt?“

„Ja, er ist ursprünglich ein Mönch. In unseren östlichen Kirchen wählen wir traditionell Mönche für das Bischofsamt.“

„Gehört er zu einem Kloster?“

„Ja. Zu einem berühmten Kloster sogar: zu Mor Mattai.“

„Kann man dieses Kloster besichtigen?“

Wadids Stirn legt sich in Falten. „Hm, das Kloster liegt ganz nah an der Front zwischen der Peschmerga und dem Islamischen Staat.“

Ich spüre meine Enttäuschung, denn ich hätte gerne ein so altes und berühmtes Kloster der syrischen Kirchen besichtigt. Ich fühle mich merkwürdig hingezogen zu diesem Ort. Es ist fast so, als ob ich noch einen letzten Blick auf ein untergehendes Land werfen will, bevor es im Meer versinkt. Oder auf einen Sarg, bevor er mit Erde zugeschüttet wird.

Daheim bei Yousifs Familie läuft wie jeden Abend der Fernseher – und wie jeden Abend wird das Wohnzimmer zum Kriegsschauplatz: Bomben explodieren, Maschinengewehre rattern, Panzer rollen. Im Irak, in Syrien, im Jemen, in Palästina, im Libanon, in Libyen.

Dazwischen ein Werbespot für die Peschmerga: Junge, gut aussehende Männer in Kampfuniform präsentieren bei Popmusik ihre Gewehre; dann Bilder von Panzern, die Granaten abfeuern; Raketenwerfer in voller Aktion; Soldaten, die Häuser stürmen; und dann wieder ein fescher Kämpfer, der den Refrain singt: „Peschmerga, Peschmerga!" Ein hässlicher Gedanke schleicht mir durchs Gehirn: Vielleicht wurde diese Werbung von den deutschen Waffenschmieden gesponsert, die die Peschmerga aufrüsten …

Eine Nachricht lässt uns besonders aufhorchen: Am heutigen Donnerstag, dem 12. November 2015, haben Truppen der Peschmerga und der Jesiden die IS-Kämpfer aus Sindschar vertrieben. Diese Stadt und das nahe liegende Gebirge bilden das Zentrum der für ihre Friedfertigkeit bekannten jesidischen Bevölkerung, die durch den IS so unendlich viel gelitten hat. In einem Interview spricht jemand davon, dass auch Mossul aus den Klauen des IS befreit werden soll. Yousifs Familie starrt schweigend auf den Bildschirm. Die Mutter hat mir gestern Abend einen Schlüsselbund gezeigt: Darf sie davon träumen, dass sie ihr Haus wieder zurückerhält? Wahrscheinlich haben die Terroristen des IS längst die Türen aufgebrochen und das Haus von Yousifs Familie in Besitz genommen, es geplündert und verwüstet. Oder gibt es doch noch eine Hoffnung?

10. Auf Sichtweite mit dem Islamischen Staat

Mein letzter Tag in Ankawa. Onkel Wadid hat mich zu einem Ausflug eingeladen. Über das Ziel herrscht merkwürdige Unklarheit. Da man Mor Mattai nicht besuchen kann, hatte ich gestern Abend gefragt, ob es weiter im Osten Kurdistans vielleicht noch eine alte Kirche oder ein frühchristliches Kloster gebe. Yousif und Wadid haben sich beratschlagt und mir dann einen Namen genannt. Ich bin ein bisschen aufgeregt, weil ich nicht genau weiß, was mich erwartet.

Tante Fadia und die beiden Töchter Janet und Wasan, die freitags schulfrei haben, begleiten uns. Wir frühstücken um 6.30 Uhr und Fadia bereitet nebenher ein leckeres Picknick vor: Sie brät ein paar Geflügelschnitzel an, schneidet Gemüse zurecht und packt Brot und Käse in eine große Tüte. Die Luft draußen riecht nach dem Regen der letzten Tage aufmunternd frisch und der anbrechende Morgen enthüllt uns einen tiefblauen, wolkenlosen Himmel. Wir durchqueren Arbil, das sich mit seinen prächtig angelegten Grünstreifen von seiner besten Seite präsentiert. Die Straße hingegen hält mit großen Schlaglöchern und nicht angekündigten Straßenschwellen holprige Überraschungen bereit, die jedoch den Geschwindigkeitsrausch von Wadid nicht bremsen können. Yousif hat das Auto wirklich in Schuss gebracht. Für das Gezeter, das bei den Überholmanövern von der Rückbank her tönt, scheint Onkel Wadid taub zu sein.

Bald tauchen Anlagen zur Ölförderung am Horizont auf, daneben immense Tanks und auf hohen Schornsteinen wird Gas abgefackelt. Ich frage mich, wie die arabischen Länder heute aussehen würden, wenn kein Öl gefunden worden wäre: keine Einmischung westlicher Kolonialmächte; keine Abermilliarden von Petrodollars zur islamistischen Hochrüstung. Wie wäre die moderne Geschichte des Islam verlaufen ohne die Unsummen, die weltweit in den Bau von Moscheen und die Rekrutierung von Salafisten gepumpt worden wären? War das schwarze Gold für die Golfstaaten und ihre Bevölkerung ein Segen? Wie viele Schlachten wurden in dieser Region geführt, um sich der Erdölquellen zu bemächtigen: in den zwei Weltkriegen, den Golfkriegen … bis heute.

Die beiden Mädchen und ihre Mutter beginnen zu singen; es sind Kirchenlieder der syrischen Liturgie, in aramäischer Sprache. Wir fahren nach Westen: Straßenschilder verraten mir, dass wir uns auf Mossul zubewegen. Dann Absperrungen, Checkpoints. Schon von weitem bremst Onkel Wadid und wir bewegen uns im Schritttempo auf die Schranken zu. Hinter aufgetürmten Sandsäcken glitzert eine Blechbude, auf der eine halb zerfetzte kurdische Flagge weht. An einer Mauer lehnen ein paar blutjunge Peschmerga-Kämpfer und imponieren mit ihren Kalaschnikows. Wadid hält an und lässt die Scheibe herunter. Er spricht ein bisschen Kurdisch und deutet auf den Rosenkranz, der am Rückspiegel baumelt. Wir werden durchgewunken: Von Christen braucht man nichts zu befürchten.

Jetzt fahren wir nördlich, Richtung türkische Grenze. Ab und zu passieren wir kleine Dörfer. Die Häuser: in die Landschaft hineingewürfelte Flachbauten in Weiß und Erdfarben, in Rosa und Blau. Zwischen den ungeordneten Bauklötzen sticht manchmal ein Minarett schlank und spitz wie ein Bleistift hervor. Die Ebene geht in eine sanft gewellte Landschaft über. „Jetzt ist alles braun und vertrocknet", erklärt mir Wadid. „Aber im Frühjahr ist das ganze Land erfrischend grün. Auf riesigen Flächen wird Weizen angebaut." Ich stelle mir den grün gewellten Teppich vor, der sich über das weite Land ausbreitet.

Wieder eine Kreuzung mit Checkpoints. Ich höre, wie Fadia auf dem Rücksitz telefoniert. An einer Abzweigung ein kurzer Wortwechsel zwischen Fadia und Wadid.

„Wir haben uns jetzt für das Ziel entschieden", erklärt mir Wadid mit einem breiten Lächeln. Mehr will er nicht verraten und ich traue mich nicht, meine Hoffnung durch ein zu frühes Wort zunichtezumachen. Bald taucht ein Gebirgsrücken am Horizont auf, der weit sichtbar aus der sonst eintönig flachen Landschaft herausragt. Wir nähern uns dem Dschebel Maklu.

Endlich wird das Geheimnis gelüftet: Wir fahren doch nach Mor Mattai, jenem frühchristlichen Kloster, mit dem Yousifs Familie seit Generationen eng verbunden ist. Fadia hat vorhin mit einem Mönch des Klosters telefoniert und sich nach der aktuellen Sicherheitslage erkundigt. Jetzt bin ich noch mehr aufgeregt! Vor allem bin ich gerührt, weil Yousifs Familie meinen Wunsch erfüllen will, ein altes Kloster zu besuchen. Zugleich bekomme ich ein bisschen Herzklopfen: Denn der IS ist ja gerade für seine überraschenden Vorstöße berüchtigt. Ich denke an Janet und Wasan auf dem Rücksitz. Doch ohne die beiden Mädchen wäre dieser Ausflug kaum möglich gewesen, wie mir Wadid später erklärt. Wenn wir zu zweit gefahren wären: Zwei Männer sind immer verdächtig; noch dazu, wenn einer einen irakischen und der andere einen deutschen Pass bei sich trägt. Vor nicht allzu langer Zeit ist ein deutscher Dschihadist, Abu Osama al Almani, mit einem Auto voller Sprengstoff in einen Peschmerga-Posten gerast und hat 20 Kurden mit sich in den Tod gerissen.

Wir passieren einen weiteren Checkpoint, dann noch einen. Wir nähern uns der Front, und damit dem IS. Wieder ein Checkpoint. Der Rosenkranz am Rückspiegel wird zum Passierschein. Vor allem aber machen eine Frau und zwei Mädchen auf dem Rücksitz Wadids Erklärung glaubwürdig: Wir sind eine christliche Familie, die aus Mossul vertrieben wurde und am freien Freitag einen Familienausflug zum Kloster Mor Mattai unternimmt.

Ein Geländewagen der Peschmerga überholt uns und ruckelt über die schadhafte Straße. Das Geschütz, das auf der Ladefläche montiert ist, zielt direkt auf uns. Mir fällt ein, dass die Bundesrepublik Deutschland derzeit die Peschmerga mit Waffen versorgt und die Bundeswehr ihre Einheiten ausbildet. Hoffentlich haben sie schon die Lektion gelernt, wie man ein Geschütz dagegen sichert, dass sich auf einer holprigen Straße versehentlich ein Schuss löst … Eine Weile fahren wir in dieser beklemmenden Position, dann endlich biegen die kurdischen Kämpfer ab. Ich atme auf und meine Anspannung lässt ein wenig nach.

Wenig später deutet Onkel Wadid auf einen sandsteinfarbenen Fleck im zerklüfteten Gebirge. Jetzt sehe ich hoch oben, inmitten einer steilen Felslandschaft versteckt, die mächtige Klosteranlage. Ein kunstvoll angelegter breiter Fußweg schlängelt sich vom Fuß des Berges in die Höhe. Seit einigen Jahren gibt es auch eine Serpentinenstraße und während Onkel Wadid schwungvoll in die Kurven steuert, singt die ganze Familie wieder Lieder aus der syrischen Liturgie. Ein Straßenschild verrät, dass Mossul nur 35 Kilometer entfernt liegt. Wadid erinnert sich, dass viele Christen von dort gerne nach Mor Mattai pilgerten: ein Wallfahrtsort der aramäischen Christen, in atemberaubender Lage, wo man von den Mönchen gerne aufgenommen wurde.

Auch wir werden von einem Mönch freundlich begrüßt, dann sehe ich Bischof Saliba mit schwarzer Kutte und roter Kopfbedeckung auf einer Bank am Kircheneingang sitzen, in tiefem Ernst versunken. Ich versuche, in seinem faltigen und ehrwürdigen Gesicht zu lesen: Wie viel Schmerz mag in diesem gebildeten alten Mönch wohnen, der die letzten Reste seiner Kirche untergehen sieht … Als der Bischof Wadids Familie erblickt, mit der ihn eine generationenlange Bekanntschaft verbindet, begrüßt er uns mit offenen Armen.

Wir durchschreiten von Arkaden gegliederte Höfe und steigen auf weite Terrassen, die einen phantastischen Ausblick eröffnen: Unten in der Ebene kauern ein paar christliche Dörfer, deren Einwohner zumeist geflüchtet sind. Denn direkt hinter dem nächsten niederen Hügel beginnt die Terrorherrschaft des IS. Ich strenge meine Augen an, kann aber nichts Außergewöhnliches erkennen.

„Nachts“, so klärt mich Wadid auf, „kriecht das Scheinwerferlicht der Terrormiliz über das Gelände.“

Jetzt wird mir deutlich, dass wir uns mit dem Auto einem IS-Posten bis auf einen Kilometer genähert hatten … Beim Gedanken, dem IS so nahe getreten zu sein, wird mir flau im Magen. Auf dem Glockenturm singt eine Art von Kanarienvogel in den höchsten Tönen. Hier oben atmet alles Frieden. Ein eigenartiges Gefühl: eine Oase des

Friedens – und in Sichtweite ein von Krieg und Terror beherrschtes Land.

Außer uns sind zwei weitere Familien gekommen. Früher sei das Kloster an freien Tagen von Menschen überflutet gewesen: In den Sommermonaten hätten viele Christen das stickig-heiße Mossul verlassen und im frischen Abendwind auf den weitläufigen Terrassen Erholung gesucht. Der letzte große Andrang liegt 16 Monate zurück. Doch damals, im Juni 2014, suchte man nicht die Sommerfrische, sondern eine Zuflucht. Viele christliche Familien fanden nach ihrer Vertreibung aus Mossul in Mor Mattai Aufnahme. Das Kloster platzte aus allen Nähten; man schlief zu Hunderten auf den Terrassen und kochte zusammen auf den Gasherden der Gemeinschaftsküche. Zwei Monate lang lebte man wie eine große Familie – bis die „Glaubenskrieger" Richtung Kloster vorrückten und die Verjagten wieder Hals über Kopf aufbrechen mussten, dieses Mal Richtung Ankawa oder Duhok.

In einer Kuppel über dem reich verzierten Klosterportal hängt die Glocke, die Yousifs Vater und dessen Brüder dort aufgehängt und wieder zum Klingen gebracht haben. Am Eingang zur Kirche stehen Schuhregale und ich ziehe meine Schuhe aus, um die mit Teppichen ausgelegte Kirche betreten zu können. Der Altar ist hinter einem Vorhang verborgen; davor steht ein Lesepult mit einem Evangelienbuch, das wir alle mit einer tiefen Verbeugung küssen. Wir setzen uns auf eine Bank und verharren eine Weile in stillem Gebet. In dieser typisch syrischen Kirche gibt es fast keine Bilder. Über dem Altar hängt ein Kreuz aus Holz. Die Enden sind dreifach abgerundet, wie ein dreiblättriges Kleeblatt, ein Sinnbild für die Dreifaltigkeit. Auf den Kreuzen der syrischen Kirchen wird nie ein Gekreuzigter dargestellt. Sie sind immer leer: Sinnbild dafür, dass der Tod nicht das letzte Wort hat. Gott hat Jesus Christus, der unschuldig gelitten und sterbend für seine Widersacher gebetet hat, zu neuem Leben auferweckt. Eine Kirche, die seit ihrem Ursprung so viel Kreuz und Passion erfahren hat, schaut auf das Bild ihrer Hoffnung: Menschen, die unschuldig leiden und dennoch lieben, dürfen hoffen, dass ihr Leiden nicht vergeblich und ihre Liebe nicht vergänglich ist.

In einem Nebenraum treten wir an die Grabnische von Mor Mattai. Ich lese, dass dieser Heilige mit dem Namen des Evangelisten Matthäus aus Amida (heute: Diyarbakir in der Türkei) stammte. Er verließ seine wohlhabende Familie und kam in dieses wilde Gebirge, um hier als Einsiedler zu leben. Aus einer Inschrift entnehme ich, dass Scheich Mattai, wie er auch genannt wird, im Jahr 344 (also mehr als 150 Jahre vor Benedikt von Nursia!) eine Mönchsgemeinschaft gründete, die an diesem Ort seit über 1600 Jahren betet, Liturgie feiert und Gäste empfängt. Eines der christlichen Dörfer im Tal trägt den Namen Alfaf – dieses arabische Wort für „Tausend" erinnert daran, dass hier bisweilen tausend Mönche gebetet und gearbeitet haben. Die syrischen Klöster stellten Orte der Gelehrsamkeit dar. Kein Wunder, dass Mor Mattai eine reiche Bibliothek mit seltenen Manuskripten beherbergt.

Vor allem aber waren die syrischen Klöster Orte der Stille, des Gebetes, der Meditation. Dazu dienten auch die Einsiedeleien in den Felswänden. Wadid winkt mir und wir klettern etwas waghalsig zu einer Grotte hinauf, die mitten im Fels verborgen liegt und mit einer Holztür verschlossen ist. Anscheinend wird diese Eremitage noch genutzt.

Ich bin sehr berührt, denn zur Spiritualität meiner Gemeinschaft der „Kleinen Brüder" gehört der regelmäßige Rückzug in eine Eremitage. Wir pflegen die Stille, um wieder nach innen zu gehen. Ich stehe an dieser Felsgrotte und fühle mich geistesverwandt mit dieser großen Tradition der Mönche, die im Schweigen und der Abgeschiedenheit nach Gott suchten. Augustinus schrieb: Wenn du Gott finden willst, gehe nicht nach außen, ins Äußerliche. „Kehre in dich selbst zurück. Im Inneren des Menschen: Dort wohnt Gott." Um Gott zu begegnen, muss man innehalten und sich aus dem äußeren Betrieb und Funktionieren verabschieden. In der Einsamkeit durfte ich manchmal spüren, dass ich im Innersten nicht allein bin, sondern nah bei Gott. Ich wurde wieder aufmerksamer auf das, was mich innerlich bewegt: Erinnerungen, Gefühle, Sehnsüchte. Manchmal war es mir möglich, mehr Frieden zu schließen mit Verletzungen, die ich weggeschoben hatte und die in der Stille endlich Raum fanden, um heiler zu werden.

Ich setze mich kurz auf einen Felsen und schaue in die Weite. Ich fühle mich von den Eindrücken der letzten Tage förmlich überschwemmt und würde sie gerne ins Gebet nehmen, sie vor Gott noch einmal in Ruhe anschauen – und ihm das Schmerzliche, Ungelöste und Verstörende in die Hände legen. Wie gerne würde ich jetzt länger hierbleiben!

Doch Yousifs Onkel ist schon ein Stückchen vorausgegangen und deutet auf Felswände in einem Seitental, wo viele verlassene Grotten zu sehen sind und mir eine Ahnung vom Leben der zahlreichen Eremiten inmitten einer kargen Gebirgslandschaft vermitteln. Ich folge Wadid, der über das Geröll in ein Tal absteigt, um mir dort die Wasserleitung zu zeigen. Früher mussten die Mönche das Wasser mit Hilfe von Eseln auf dem eindrucksvollen Serpentinenweg nach oben transportieren. Daher hatte Wadids Vater schon vor Jahrzehnten dem Kloster eine Pumpe spendiert und eine Wasserleitung installiert.

Aus der Ferne dröhnt Geschützdonner und Wadid kommentiert: „Jetzt hörst du den IS!“ Wir kehren zum Kloster zurück, genießen noch einmal das Panorama und lassen uns das Picknick schmecken. Am Ausgang des Klosters erwartet uns ein trauriger Abschiedsgruß: eine Bauruine. Hier sollte das Studienseminar für junge Mönche errichtet werden. Doch seit der Vertreibung der Christen aus Mossul ruht der unverputzte Rohbau und wird wohl nie abgeschlossen werden, denn woher sollten jetzt noch junge Mönche kommen? Ich schaue noch einmal zum Abt und dem jüngeren Mönch hinüber. Sie sitzen auf der Aussichtsterrasse und schauen – wohl aussichtslos – in die Ferne, Richtung Mossul: Dort herrschen die „Glaubenskrieger“ des IS mit Terror und Gewalt. Ob die drei Mönche von Mor Mattai, die Gott in Stille und Frieden suchen, hier im Irak die letzten Exemplare einer aussterbenden Art darstellen?

Wenn ich mich nicht irre, ist Mor Mattai das einzige der alten Klöster im Irak, in dem die Tradition des östlichen Mönchtums noch lebendig ist. Immer wieder kam es zu Zerstörungen der Klöster durch die Perser, die Araber, die Mongolen, die Türken, die Kurden. Mönche wurden massakriert und die unschätzbaren Handschriften der Klöster ein Raub der Flammen. Heute setzt der IS dieses Zerstörungswerk fort. Die aktuelle Variante eines muslimischen Fanatismus sprengt sogar noch die Ruinen und ebnet alles ein, um jede Erinnerung daran zu tilgen, dass sich der Islam auch jüdischen und christlichen Wurzeln verdankt.

Die zahlreichen Klöster im Zweistromland, Orte der Bildung und Horte der Kultur: Eines nach dem anderen wurde in Schutt und Asche gelegt. Aus einer nächtlichen Vogelperspektive sähe es aus, als ob ein Licht nach dem andern ausgelöscht wird. Ein Countdown von *Hunderten* von Klöstern bis …

Drei: das berühmte Kloster Rabban Hormizd, das wie ein Adlerhorst in einer Felswand hängt. Im Jahr 1850 plünderten Kurden das Kloster und dessen bedeutende Sammlung von Handschriften ging für immer verloren. Bei der Bekämpfung von aufständischen Kurden durch die irakische Armee wurde das Kloster 1969 wiederum ausgeraubt, nachdem man zuvor hilflose, unbewaffnete Mönche und christliche Zivilisten niedergemetzelt hatte.

Zwei: Das Kloster von Mor Behnan und Sarah im Südosten von Mossul wurde 2014 von den Kriegern des IS besetzt und verwüstet. Die Mönche wurden vertrieben und auch hier gingen Manuskripte, die 1500 Jahre alt waren, in Flammen auf.

Eins: Mor Mattai. Die Islamisten des IS haben sich dem Kloster bis auf drei Kilometer Luftlinie genähert. Noch steht das Kloster. Doch selbst wenn der IS besiegt würde, wuchern andere extremistische islamische Gruppen weiter. Und das „Hinterland des Klosters“, die christlichen Dörfer und Städte, aus denen junge Männer kommen könnten, um Mönche zu werden, ist seit anderthalb Jahren verödet:

Die letzten Quellen für den Fortbestand des Mönchtums im Irak sind zugeschüttet worden. Bei diesen Gedanken werde ich wehmütig und spüre sogar einen körperlichen Schmerz: Es schnürt mir den Brustkorb ein und ich fühle eine Beklemmung.

11. Der Untergang des christlichen Morgenlandes

Seit meinem Besuch in Mor Mattai lässt mich die Geschichte des syrischen Christentums nicht mehr los. Es ist ein ganz eigenartiges Gefühl: Als ob ich jemanden kennengelernt hätte, um ihn gleich wieder zu verlieren. Ich kann vom großen Strom der Geschichte der orientalischen Christen noch ein letztes Rinnsal berühren – und muss zusehen, wie es vor meinen Augen im Sand versickert – und vielleicht für immer verschwindet. Ich stehe am Ende einer faszinierenden Geschichte und schaue von dort auf sie zurück.

Nach dem Tod Jesu wurden seine Jüngerinnen und Jünger von einer umwerfenden Erfahrung überwältigt: Gott hat den am Kreuz Ermordeten von den Toten auferweckt! Es drängte die Zeugen des Ostermorgens, ihre Hoffnung in alle Welt zu tragen und in allen Sprachen zu verkünden. In der Apostelgeschichte wird diese Mission schon vorgezeichnet: Die Botschaft des Evangeliums wird den Römern und Bewohnern von griechischen Provinzen verkündet; dann auch denen von Ägypten und Libyen bis Zyrene hin. Als erste aber werden genannt: Parther, Meder und Elamiter, Bewohner von Mesopotamien! (vgl. Apg 2,9–11)

Von Anfang an verbreitete sich das Christentum also dreikontinental. Symbolisch stehen dafür drei Apostel: Paulus verkündete das Evangelium für den Westen mit seiner griechisch-römischen Kultur; Markus missionierte in Alexandria und symbolisiert damit die Kirche von (Nord-)Afrika; Thomas schließlich wird als der große Missionar verehrt, der nach Asien und vielleicht bis nach Indien gezogen ist.

Von jeher dienten die Handelsrouten auch als Nachrichtenwege. In kürzester Zeit gelangte das Christentum auf den großen Verkehrsstraßen von Damaskus über Palmyra nach Osten, nach Mari, Arbela und Basra. Die legendäre Seidenstraße führte von Antiochien über Buchara, Merw und Samarkand immer weiter in den Orient.

Aufgrund der politischen Grenzen entstanden zwei **syrische Kirchen:** eine westliche innerhalb des Römischen Reiches und eine östliche Kirche im persischen Herrschaftsbereich (Parther, Sassaniden).

- Die Kirche innerhalb der römisch/byzantinischen Reichsgrenzen bezeichnete sich als „syrische Kirche" mit dem Patriarchensitz in der bedeutenden Stadt Antiochia. Dort wurden die Jünger Jesu zum ersten Mal „Christen" (Apg 11,26) und ihr Gebetshaus wurde „Kirche" (Kyriakon) genannt. Heute wird diese Kirche als „syrisch-orthodoxe Kirche" bezeichnet.
- Das Zentrum der „Apostolischen Kirche des Ostens" („Persische Kirche"; „Kirche des Ostens") lag zunächst in Seleukia-Ktesiphon (am Tigris), später in Bagdad. Nachdem das Christentum im Römischen Reich Staatsreligion geworden war, brach über die Christen im persischen Herrschaftsgebiet eine brutale Verfolgung herein: Denn für die Perser standen die Christen jetzt in Verdacht, mit den feindlichen Römern zu kollaborieren.

Die „Kirche von Antiochia" und die „Kirche des Ostens" gingen durch die politische Trennung bedingt verschiedene Wege, auch in ihrer theologischen Entwicklung. Trotzdem blieben die gemeinsame Sprache und Kultur – bis heute – ein verbindendes Element dieser beiden Kirchen, die eine so hinreißende Spiritualität, eine reiche Liturgie und eine umfassende Gelehrsamkeit hervorgebracht haben.

Durch die Veränderung der politischen Grenzen (vor allem durch das Vordringen der islamischen Araber) überlappten sich in der Folgezeit die Ausbreitungsgebiete der beiden Kirchen, die sich später noch weiter aufspalteten. Wenn im Folgenden von den „syrischen Kirchen" die Rede ist, so sind alle Konfessionen, die von der aramäischen Sprache und syrischen Kultur geprägt sind, inbegriffen. Wenn eine bestimmte Konfession gemeint ist, so wird diese eigens benannt.

Anknüpfungspunkte für ihre Mission fanden die ersten Christen, die oft jüdische Wurzeln hatten, in den weit verstreuten jüdischen Gemeinden von Mesopotamien. Auch von Paulus wissen wir, dass er auf seinen Missionsreisen in der Wagenspur des Judentums unterwegs war und immer zuerst in den Synagogen predigte: in Ikonion, Athen, Thessalonich. Im Unterschied zu den Briefen des Paulus sind von den Aposteln, die gen Osten zogen, keine Schreiben an ihre Gemeinden erhalten. Daher wissen die Wenigsten, dass das Urchristentum nicht nur in Ephesus, Korinth oder Rom Fuß fasste, sondern auch in Nisibis, Seleukia-Ktesiphon und Gondeschapur.

Die Umgangssprache in Palästina, in der römischen Provinz Syrien und in Mesopotamien war Aramäisch und wurde zur Sprache des syrischen Christentums, das eine lange und große Blütezeit erlebte. Mönche aus dem alten Syrien gründeten sogar in Italien Klöster und Einsiedeleien; aus dieser Tradition konnte Benedikt von Nursia schöpfen und das abendländische Mönchtum prägen, das die Kultur Westeuropas über Jahrhunderte maßgeblich beeinflusst hat. Im 7. und 8. Jahrhundert wurden sogar mehrmals Syrer zum Papst von Rom gewählt.

In den Wüsten und abgelegenen Gebirgen Vorderasiens entstand und blühte das christliche Mönchtum. Über Jahrhunderte übte diese Lebensform eine unglaubliche Anziehungskraft aus und Tausende von Frauen und Männern zogen sich in die Einsamkeit zurück. Sie pflegten die Stille und das kontemplative Gebet, wie etwa das sogenannte „Jesus-Gebet“, das mantraartige Wiederholen des Namens Jesu.

Die Kirchen in den Städten und Klöstern wurden prächtig ausgestattet und sollten – erfüllt von den berückenden Gesängen der syrischen Liturgie – einen Vorgeschmack auf den Himmel vermitteln. Ephräm der Syrer (303–373) wurde als großer Gelehrter der frühen Kirche vor allem durch seine Dichtungen und Hymnen berühmt. Er gilt als der Erfinder der Frauenchöre: Während im lateinischen Westen Frauen noch lange von der Mitwirkung in der Liturgie ausgeschlossen waren, verschaffte er den Frauen in der christlichen Liturgie Sitz und Stimme, indem er viele Hymnen eigens für Frauenchöre dichtete.

Die „Kirche des Ostens" machte ihrem Namen alle Ehre und gelangte über Kaufleute und Mönche bis nach China und Sibirien, nach Indien und auf die Philippinen. Es gab Bischofssitze und Klöster in Kabul und Peking. In ihrer ganzen Geschichte war diese Kirche nie Staatskirche; sie führte keine Kriege und missionierte nie mit Zwang, sondern mit innerem Feuer. Ihre Missionare kamen mit den verschiedensten Kulturen in Berührung und traten in einen fruchtbaren Dialog. Ein eindrucksvolles Symbol für die Kontakte mit dem Buddhismus ist die Kombination von Kreuz und Lotosblüte. Christliche Mönche halfen indischen Buddhisten, ihre Sutren ins Chinesische zu übersetzen. Über Jahrhunderte zeichnete es diese Kirche aus, dass sie mit anderen Religionen Kontakte suchte und an deren Werte anknüpfend das Evangelium verkündete. Als leuchtende geistige Zentren der östlichen Christenheit ragten Edessa, Nisibis (heute: Nusaybin) und Gondeschapur hervor, wo die griechisch-römische und die persische Bildung bewahrt und weitergegeben wurden.

Zu Recht wird die große Bedeutung der islamischen Philosophie gerühmt, durch die das antike Wissen und Denken nach Westeuropa gelangte. Zu Unrecht aber wird die große Bedeutung der aramäischen Christen für diesen Prozess unterschlagen. Denn in den syrischen Klosterschulen studierte man Aristoteles und christliche Gelehrte vermittelten die griechische Philosophie und die antike Wissenschaft an ihre islamischen Kollegen. Eintausend Jahre lang brachte das syrische Christentum Gelehrte hervor, die den Grundstein für die islamische Wissenschaft legten. In Bagdad beauftragte beispielsweise der legendäre Kalif Harun-al-Rashid den gelehrten christlichen Patriarchen Timotheus, die *Topik* des Aristoteles ins Arabische zu übersetzen. Der christliche Arzt und Philosoph Hunain b. Ishaq übersetzte mehr als 100 antike Schriften ins Syrische und 30 ins Arabische. Paul der Perser, Georg der Araberbischof und viele andere christliche Philosophen legten die Basis für die islamische Philosophie. Vor allem besaßen die Syrer auch eine Kultur lebendigen philosophischen Unterrichts, die sie an die Muslime weitergaben. Das „Haus der Weisheit" von Bagdad setzte die Tradition der christlichen Hochschule von Gondeschapur fort, indem es von dort zahlreiche christliche Gelehrte übernahm. Neben Philosophie galt das Interesse der syrischen Gelehrten auch der Astronomie, Mathematik, Medizin, Musik und Optik. Gondeschapur beherbergte das älteste bekannte Lehrkrankenhaus. Es waren sogar aramäische Christen, die zum ersten Mal das indische Zahlensystem aufgriffen, das wir heute „das arabische" nennen – und zwar lange bevor sich dieses Verfahren unter muslimischen Gelehrten verbreitet hatte.

Seit dem 7. Jahrhundert lebten die syrischen Kirchen unter arabisch-muslimischer Oberhoheit. Die arabischen Herrscher behandelten die Christen anfangs noch mit ziemlich großer Toleranz. Dies geschah auch aus politischem Kalkül heraus: Man wollte keine Aufstände provozieren. Denn die Christen stellten etwa in Syrien noch über Jahrhunderte die Bevölkerungsmehrheit – unter einer muslimischen Oberherrschaft. Zudem waren die im Kriegshandwerk überlegenen Araber in der Verwaltung, in Handel und Architektur, in Medizin und Wissenschaft auf die Christen angewiesen. Viele Christen konvertierten damals aus freiem Entschluss zum Islam, der in seiner Anfangszeit dem syrischen Christentum in vielem ähnelte.

Im sogenannten „Goldenen Zeitalter" des Islam (unter der Herrschaft der Abbasiden, 8.–13. Jhd.) konnten christliche, jüdische und muslimische Gelehrte in Bagdad gemeinsam eine große Blütezeit von Philosophie und Wissenschaft einläuten. In der philosophischen Debatte herrschte Gleichberechtigung – allerdings nicht im Alltag.

Denn dort mussten die Christen erfahren: Je mehr sich die muslimische Herrschaft etablierte, umso härter übte man sozialen Druck auf die Christen aus. Als „Schutzbefohlene" waren sie wie die Juden als Anhänger einer „Buchreligion" zwar geduldet, doch die Bezeichnung „Schutzbefohlene" bringt die Problematik ihres sozialen Status schon zum Ausdruck: Sie mussten für die Religionsausübung ein „Schutzgeld" zahlen. Über lange Zeiträume hinweg diente die „Dschizya" (Kopfsteuer) den islamischen Herrschern als wichtigste Einnahmequelle. Manche Stämme mussten die Hälfte ihres Besitzes abgeben, wenn sie Christen bleiben wollten. Wer die Steuerlast nicht begleichen konnte, dem blieb kein anderer Ausweg als die Konversion zum Islam – ansonsten wurden seine Kinder in die Sklaverei verkauft. Langfristig erwies sich die Kopfsteuer somit als ein wirksames Zwangsmittel zur Islamisierung einer Bevölkerung.

Als „Schutzbefohlene" waren die Christen ihren „Schutz-*Herren*" natürlich gesellschaftlich nicht ebenbürtig. Dies zeigte sich etwa darin, dass das Zeugnis eines Christen vor Gericht weniger galt als das eines Muslims. Die Überlegenheit des Islam und die Minderwertigkeit der Nichtmuslime muss öffentlich sichtbar sein: Daher wurden die Christen – ähnlich wie die Juden – gezwungen, sich durch Kleidung kenntlich zu machen; der Judenstern in Europa geht auf diese muslimische Diskriminierung zurück. Christen hatten auf Landbesitz oder auf öffentliche Ausübung ihrer Religion (wie das Läuten von Glocken) zu verzichten; seit früher islamischer Zeit durften sie keine neuen Klöster oder Kirchen mehr bauen („Umar-Vertrag").

Die gebildete christliche Schicht geriet zunehmend unter Druck. Denn die gesetzlichen Weichen waren auf das Ziel einer langfristigen Islamisierung der gesamten Bevölkerung gestellt. Manche Berufe und höhere Stellungen in Staat und Gesellschaft blieben Muslimen vorbehalten. Dies bedeutete umgekehrt: Die „Bekehrung" zum Islam erwies sich als Eintrittskarte in den Club jener, denen ein sozialer Aufstieg offen stand. Der Abfall vom christlichen Glauben wurde von den muslimischen Herrschern immer reich belohnt.

In einer Gesellschaft, in der die Ehre eine so große Bedeutung hat, setzte man Christen gezielten Demütigungen aus: Christen durften nicht auf einem Pferd, sondern nur auf einem Maulesel reiten – und auch dies nur auf einem Holzsattel. Eine wichtige Rolle für die

Islamisierung spielte auch die Heiratsregel, gemäß der eine Muslima niemals einen Christen heiraten darf, wohl aber ein Muslim eine Christin, wobei die Kinder dann automatisch Muslime werden.

War man in der Frühzeit des Islam dem Christentum noch mit Respekt begegnet, begann ab dem 9. Jahrhundert eine wachsende Polemik gegen die Christen. Zu den verbalen Attacken gesellten sich brachiale: Fanatische Muslime massakrierten wehrlose Christen. Dabei ist zu beachten, dass es je nach Herrscher oder geographischer Region auch wieder Zeiten größerer Duldsamkeit gab. Insgesamt zeigt sich allerdings, dass die Vorstellung eines „toleranten Islam" (oft konstruiert als Gegensatz zu einem „intoleranten Christentum") einen Mythos darstellt. Die Geschichte ist wesentlich komplexer und die Toleranz im Islam galt nur im wörtlichen Sinn einer „Duldung". Für eine solche mussten Christen wie Juden immer einen hohen Preis zahlen und blieben dauerhaften Diskriminierungen ausgesetzt.

Seit dem 13. Jahrhundert wurden die Gesetze für die Minderheiten immer schärfer ausgelegt. Viele wurden zum Übertritt zum Islam gezwungen und wer sich weigerte, erhielt ein Brandmal, wurde auf einem Auge geblendet, kastriert oder lebend verbrannt.

Trotz all dieser bedrohlichen Entwicklungen stand die „Kirche des Ostens" auch im 13. Jahrhundert noch in großer Blüte, vor allem durch ihre Mission bis tief nach Asien hinein. Diese lebendige Kirche erlitt um das Jahr 1400 ein jähes und gewaltsames Ende – durch die muslimischen Mongolen. Die Horden des Timur Leng metzelten nicht nur die 200 000 ostsyrischen Christen von Bagdad und Tikrit nieder, sondern auch die westsyrischen von Damaskus und Mossul, wo die Christen immer noch die Bevölkerungsmehrheit stellten. Der Mongolenführer Timur prahlte: Er habe das Schwert des Islam im Blut der Ungläubigen gewaschen! Zahlreiche Bischofssitze wurden ausgelöscht und Kirchen in Asche gelegt. Uralte Klöster mit kostbarsten Handschriften gingen in Flammen auf. Von da an konnte das syrische Christentum nur noch ein klägliches Restdasein in unzugänglichen Gebirgsregionen und einigen Enklaven wie etwa dem nördlichen Mesopotamien führen.

Auch in Kleinasien kamen die syrischen Kirchen zunehmend in Bedrängnis. Der Vormarsch der Türken ab dem 11. Jahrhundert ging zu Lasten der einheimischen Christen und ihrer reichen Kultur. Die Türken brannten bei ihrem Vordringen Klöster und Kirchen nieder. Die berühmte Bibliothek von Edessa (Urfa) wurde ein Raub der Flammen; die christlichen Bewohner wurden ermordet oder versklavt. Es zeigte sich, dass die Türken noch aggressiver antichristlich waren als die Araber. Führten die Türken unbewusst weiter, was sie in ihrer eigenen Geschichte erlebt hatten? Denn die Araber hatten die Turkvölker, die ursprünglich einer schamanischen Religion anhingen, vor die Alternative gestellt: „Annahme des Islam – oder Tod". Gefürchtet waren die Foltermethoden der Türken, mit denen sie jene zu Tode quälten, die nicht zum Islam übertreten wollten: Menschen wurden gekreuzigt, gepfählt, bei lebendigem Leib zersägt. Im Osmanischen Reich mussten die Christen dann sogar menschliche Tribute zahlen: die sogenannte „Knabenlese". Christliche Familien mussten einen Knaben abgeben, der dann radikal muslimisch erzogen und für die Eliteeinheit des Sultans („Janitscharen") ausgebildet wurde.

Schließlich wurden die räuberischen Kurden zur Plage der auf dem Land und im Gebirge verbliebenen christlichen Bevölkerung, die unbewaffnet bleiben musste. Sie überfielen die Dörfer, vernichteten die Ernte, entführten Frauen und Mädchen, brandschatzten Klöster und raubten wertvolle Handschriften und Pergamente – um mit ihnen Feuer zu machen …

Und immer wieder: Massaker. So ließ beispielsweise ein persischer General im Jahr 1743 rund 150 Mönche im Kloster Mor Elya bei Mossul abschlachten, weil sie „die Einladung" zum Islam nicht annahmen. Im Jahr 2016 wurde berichtet, dass dieses 1400 Jahre alte Kloster nun endgültig zerstört wurde. Der IS ließ die Klosterruine mit Bulldozern niederwalzen. Die uralte Bausubstanz ist für immer vernichtet: Man soll das Kloster nie wieder aufbauen können.

Der rote Faden durch die Geschichte der syrischen Kirchen: eine Blutspur! Von Anfang an war diese Kirche eine Märtyrerkirche und ist es bis heute geblieben. Die Gläubigen der „Kirche des Ostens“ lebten immer unter Fremdherrschaft und ihre Lage schwankte zwischen anerkannt, geduldet oder verfolgt hin und her – mit der Tendenz zu wachsender Unterdrückung. Die syrischen Kirchen bluteten aus: demographisch durch die muslimischen Heiratsregeln; finanziell durch den Aderlass der Kopfsteuer; und immer mehr im wörtlichen Sinn durch blutige Massaker.

Onkel Wadid stößt mich von der Seite an. Seine Frau und die beiden Mädchen sitzen schon im Auto und warten, dass ich mich endlich vom Anblick des Klosters und meinen Zeitreisen verabschiede. Ich blicke noch einmal zum Eingang des Klosters Mor Mattai zurück. Wenn die Steine reden könnten, welch große Geschichte würden sie erzählen: von einem ursprünglichen Christentum, das bis heute die Sprache Jesu bewahrt hat; von ungezählten Mönchen, die in der Einsamkeit der rauen Felswände Gott gesucht und mit sich selbst zu kämpfen hatten; von Bischöfen und Gelehrten, die den Faden der antiken Kultur nicht abreißen ließen; von Angst und Verfolgung, die immer wieder über diesen Ort hereinbrach und zahllose Opfer gefordert hat; von den Flüchtlingen, die noch bis vor kurzem auf den weitläufigen Terrassen lagerten; von den hinreißenden Hymnen in der alten Klosterkirche, wo drei Mönche mit letzter Kraft die Hoffnung auf die Auferstehung besingen.

Ich steige ins Auto und Wadid braust los. Die kurdischen Checkpoints holen mich mit Gewalt in die Gegenwart zurück. Überall stoßen wir auf Spuren des Krieges: eine zerbombte Brücke, zerschossene Häuser, ein ausgebranntes Fahrzeug. Meine Gefühle und Gedanken rasen durcheinander, schneller noch als Onkel Wadids Auto – und ohne Lenkrad.

Am späten Nachmittag bringt mich Wadid direkt zum Eingang des Flüchtlingslagers, wo ich mich von den Kleinen Schwestern verabschieden möchte. Mich erfüllt eine tiefe Dankbarkeit für die dichten Gespräche und Begegnungen. Und mir ist auch klar, dass ich „meine" Schwestern so schnell nicht wiedersehen werde. Denn sie werden hierbleiben, selbst wenn viele andere gehen sollten. Eine Linie ihrer Spiritualität heißt ja: Dorthin gehen, wo andere wegziehen, um ein Zeichen der Hoffnung zu setzen. Wer zum Bleiben gezwungen ist, soll erfahren können, dass er von Gott nicht verlassen ist. Dafür geben die Schwestern im Camp ein starkes Zeugnis.

Die Schwestern haben noch ein junges Ehepaar eingeladen: Salay und Ayad. Die Eltern des schlanken dunkelhaarigen Ayad leben in Leipzig und er will mir einen Brief für sie mitgeben. Salay und Ayad sprechen sehr gut Englisch. Sie stammen aus Bagdad und mussten erleben, dass sie als Christen in diesem Land keinen Platz mehr haben. Ayad seufzt: „Meine Eltern sind schon ausgereist und wohnen in der Nähe von Leipzig."

„Wo denn?", frage ich neugierig.

„In Markranstädt."

„Das ist ja ganz in der Nähe von Grünau, wo ich lebe. Da kann ich sie besuchen."

Salay hat etwas für Ayads Eltern vorbereitet: einen Brief und ein paar selbst gebackene Süßigkeiten. Gerne nehme ich das Päckchen an mich.

Ich frage weiter: „Und ihr, bleibt ihr in Arbil?"

Salay hat eine Arbeit als Lehrerin gefunden; doch die Gehaltszahlungen sind drei Monate in Verzug. Ayad schlägt sich mit Gelegenheitsjobs durch.

Ich frage sie, ob sie Kinder haben.

Ayad verneint: „In dieser Situation wollen wir keine Kinder bekommen. Wir sehen hier keine Zukunft. Vielleicht können wir ausreisen in ein anderes Land. Wenn es für uns dort eine Zukunft gibt, würden wir auch gerne Kinder bekommen. Aber hier geht das nicht."

Ich höre die Trauer in seiner Stimme und meine, in den Augen von Salay Tränen zu sehen. Ich frage nicht weiter, sondern verabschiede mich von den beiden, dann von den Schwestern. Wir umarmen uns fester als gewöhnlich, als wollten wir uns gegenseitig stärken.

Nachdenklich, traurig, von so vielen Eindrücken überwältigt laufe ich in der anbrechenden Dunkelheit zu Fuß zur Siedlung zurück, in der Yousifs Familie wohnt. An der Mauer hängt immer noch das große schwarze Plakat. Ich denke an das Kloster ohne Zukunft; an Ayad und Salay, die keine Kinder bekommen wollen. Hier in Ankawa, wo das Christentum seit seinen Anfängen in Blüte stand, sticht mir ein schwarzes Plakat ins Auge: die Todesanzeige einer ganzen Kirche.

Am späten Abend verabschiede ich mich von Yousifs Familie, die mich so herzlich und offen aufgenommen hat. Die Gastfreundschaft des Orients ist sprichwörtlich und ich durfte sie wieder am eigenen Leib erfahren. Yousif bleibt noch zwei Tage länger; gemeinsam mit seinem Bruder Basman und Onkel Wadid begleitet er mich bis zum Flughafen von Arbil, der großräumig abgesperrt ist. Wir müssen durch verschiedene Checkpoints und Schleusen. Dann umarme ich die drei zum Abschied: von Yousif für nur kurze Zeit, von den anderen vielleicht für immer. Wer weiß … Mein Flugzeug soll am Samstag, 14. November morgens um 3.55 Uhr, starten. Alles verläuft ruhig. Nach der Zwischenlandung in Istanbul bummle ich im Transitbereich an einem Zeitungsstand vorbei. Fette Lettern auf einem türkischen Extrablatt ziehen meine Aufmerksamkeit auf sich. Ich kann drei Worte oder Zahlen identifizieren: Paris – Terror – 100. Ich ahne, dass etwas Fürchterliches passiert ist.

In Berlin angekommen endlich mehr Informationen. Diese grauenvollen Attentate mit mehr als 130 Toten – ich bin fassungslos! Ich verfolge die Nachrichten und kann den Reaktionen nur zustimmen: Die Opfer solcher Gewalt verdienen die Aufmerksamkeit und das Mitgefühl der ganzen Welt! Zugleich stellen sich mir auch Fragen. Denn nach meiner Reise in den Irak ist mir bewusst geworden, wie viele Menschen dort unschuldig ums Leben kamen und kommen – und von denen kaum jemand Notiz nimmt. Auf 12000 Anschläge soll es der radikal-islamische Terror im Irak in den letzten 20 Jahren gebracht haben! Über lange Zeit hat sich der IS durch ganze Landstriche gemordet. Doch die westlichen Länder haben dem relativ tatenlos zugeschaut. Das wird jetzt deutlich: Denn als Reaktion auf das Attentat von Paris kündigt die französische Regierung an, man werde den IS unter Beschuss nehmen. Vorher hatte man also den IS anscheinend nur halbherzig bekämpft. Und dass jetzt die Finanzquellen des IS ausgetrocknet werden sollen, besagt doch, dass man die Finanzierung des Terrors bislang nicht entschieden genug bekämpft hatte.

Beim Nachdenken über diese Zusammenhänge spüre ich Trauer und Empörung. Denn ich habe konkrete Menschen vor Augen, die mir ans Herz gewachsen sind: Frauen, Männer und Kinder, die von den Dschihadisten vertrieben wurden. Und deren Angehörige den Mordgesellen des IS zum Opfer gefallen sind. Meine Bekannten in Arbil und Leipzig stehen für Tausende, die nicht gesehen und gehört wurden. Immer wieder stoße ich auf das Rätsel, warum unsere westlichen Medien so wenig über die Bedrängnis der Christen im Nahen Osten berichten. Erzbischof Casmoussa aus Mossul formulierte sogar: Die Presse schweigt über unser Schicksal fast so, als ob darüber eine Nachrichtensperre verhängt worden wäre! Und in der Tat: Wenig war zu lesen über den Terror, den die orientalischen Christen als „Sündenböcke" für die westlichen Länder zu erleiden hatten; über die Flucht der Christen aus Mossul, über die Vertreibung des aramäischen Volkes aus der Ninive-Ebene.

Unbewusst mag dabei eine Rolle spielen, dass der Westen nicht so genau hinschauen will, was seine Politik angerichtet hat. Und man will es sich ja auch mit den großen Öllieferanten wie Saudi-Arabien oder Katar nicht verscherzen, zumal diese sich inzwischen in die Wirtschaft des Westens gut eingekauft haben. Wes' Öl ich brauch, des' Lied ich sing…

Dass unsere freie Presse sich für das Schicksal der im Orient einheimischen Christen so wenig interessiert, hängt vielleicht auch mit Unkenntnis zusammen. Ich selbst habe – als Theologe! – erst in der letzten Zeit vom Reichtum der östlichen Kirchen erfahren, zu einem Zeitpunkt, wo diese höchst bedroht sind. Die Christen im Nahen Osten haben auch keine Lobby in der westlichen Gesellschaft und finden sogar in unseren Kirchen nur wenig Solidarität. Auch hier kann Ignoranz oder sogar eine „alte Aversion" der westlichen Kirchen gegen die Kirchen im Orient eine Rolle spielen. Denn diese hatten sich theologisch und auch von der Struktur her anders entwickelt und wurden daher als „fremd", „exotisch", manchmal sogar als „häretisch" (d.h. vom wahren christlichen Glauben abweichend) betrachtet.

Dass unsere Medien manchmal wenig Verständnis für die Problematik der Verfolgung von Christen im Orient aufbringen, kann auch noch andere Ursachen haben. Es fällt uns nämlich schwer, uns vorzustellen, dass diese Christen unter ganz anderen politischen Bedingungen leben als wir – und dass sie manchmal sogar für die Freiheiten des Westens als „Geiseln" herhalten müssen. Deutlich wurde mir das im Blick auf Karikaturen, die im Rahmen der Freiheiten demokratischer Systeme ihren ganz normalen Platz haben. In einer globalisierten Welt jedoch können diese Karikaturen in anderen, undemokratischen Systemen brutale Reaktionen auslösen: Als im Jahr 2006 in Dänemark Mohammed-Karikaturen veröffentlicht wurden, kündigte die Terrorgruppe „Rat der Mudschahedin" an, dass die Christen im Irak dafür büßen werden – was dann auch passierte.

Dieser Zusammenhang wurde von den Medien zu wenig gesehen. Wenn umgekehrt die Zeichner von Mohammed-Karikaturen in Paris umgebracht werden, kondolieren die Staatsmänner der Welt und zum Jahresgedächtnis des Attentats werden Gedenktafeln enthüllt. Wenn freilich für diese Karikaturen Menschen ermordet werden, die nicht einmal von ihnen wissen geschweige denn für sie verantwortlich sind, so ist das weder einer Pressemeldung noch einer Gedenktafel wert! Hier zeigt sich meiner Meinung nach eine Diskrepanz in der Wahrnehmung – und ich möchte dafür plädieren, dass man versucht, *alle* Opfer des Terrorismus zu sehen, vor allem aber diejenigen, die völlig unschuldig sind und weder Lobby noch Stimme haben.

Noch ein letzter Punkt, über den ich im Zusammenhang mit der Verfolgung von Christen in muslimischen Ländern nachdenke. Dieser Begriff entspricht wohl nicht der „political correctness". Vielleicht herrscht Angst, dass entsprechende Pressemeldungen von politisch rechten Strömungen propagandistisch missbraucht werden können. Wenn man in einer öffentlichen Diskussion dann trotzdem auf diese Verfolgungen hinweist, wird man oft reflexartig auf die „Kreuzzüge" verwiesen. Als ob man die heutige Verfolgung von Christen deshalb tabuisieren müsste, weil es das historische Unrecht von Christen gegen Muslime gegeben hat.

Hier mag ein christlicher Schuldkomplex eine Rolle spielen. Dieser hat seine Berechtigung darin, dass Waffengewalt im Namen des Christentums dem Buchstaben des Evangeliums und dem Geist Jesu widerspricht. Zu Recht hat daher Papst Johannes Paul II. ein öffentliches Schuldbekenntnis abgelegt und das Unrecht der Kreuzzüge beklagt. Eine Selbstkritik darf aber nicht dazu führen, dass man sich nicht mehr traut, auch auf die Problematik der anderen Seite aufmerksam zu machen.

Mir scheint, dass wir uns einer größeren Gerechtigkeit und Versöhnung nur dann nähern können, wenn das himmelschreiende Unrecht nicht verschwiegen wird, das Christen in islamisch geprägten Ländern erlitten haben und bis heute erleiden. Dabei ist immer zu differenzieren zwischen den vielen Muslimen, die als friedliebende Menschen leben – und den Anhängern fundamentalistischer Gruppen, die im Namen des Islam auftreten. Ebenso muss man im Blick behalten, dass der Dschihadismus nicht nur von religiösen, sondern von unterschiedlichsten sozialen und politischen Motiven geprägt ist. Aber eben auch von religiösen!

12. Eine Rakete im Dach

Nach meiner Rückkehr aus dem Irak finde ich mich viel zu schnell in meiner alten Welt wieder. Klar: Die liegengebliebene Arbeit muss nun mit doppeltem Tempo nachgeholt werden. Zugleich bleibe ich innerlich noch lange in Kurdistan hängen. In meiner Freizeit intensiviere ich meine Kontakte zu den christlichen Geflüchteten, deren Schicksal mich nicht mehr loslässt.

Mein erster Besuch führt mich nach Markranstädt. Dort habe ich ja Grüße und ein Päckchen aus Ankawa abzugeben. Nach kurzer Suche stehe ich an der Eingangstür einer kleinen Wohnung.

Warda, die Mutter von Ayad, ist vielleicht 65 Jahre alt, ein bisschen rundlich und spricht sehr gut Englisch. Auch Ghasan, wohl ein paar Jahr älter, beherrscht die englische Sprache, wobei er ein wenig stottert. Seine schlanke, hoch gewachsene Gestalt und sein volles, schlohweißes Haar verleihen ihm ein würdevolles Aussehen. Die beiden Alten freuen sich riesig über die Grüße ihres Sohnes und ihrer Schwiegertochter aus Kurdistan und laden mich zu Tee und den aus Ankawa importierten Plätzchen ein.

Ghasan und Warda stammen beide aus Bagdad, wo bis vor kurzem noch eine zahlenmäßig starke christliche Minderheit gelebt hat. Sie haben sich während ihres Physikstudiums an der Universität von Bagdad kennen- und lieben gelernt. Sie heirateten und bekamen drei Kinder. Von 1980 bis 1988 tobte zwischen dem Irak und dem Iran ein mörderischer Krieg. Auch Ghasan wurde eingezogen und an die Front geschickt. Dort erlebte er die Grauen des Krieges: Die Iraker hatten sich hinter einem Minenfeld verschanzt. Die Iraner schickten Tausende von Kindern über diese Minen, um sie zum Explodieren zu bringen und auf diese Weise den hinterherstürmenden Soldaten den Weg frei zu machen. Diese Kinder trugen ein grünes Band am Kopf, auf dem das muslimische Glaubensbekenntnis stand. An ihrem Hals hing ein Plastikschlüssel – zum Zeichen dafür, dass sie nach ihrem Tod sofort Zugang ins Paradies erhielten.

Ghasans Gesicht erstarrt und in seinen Zügen ist ein tiefer Schmerz zu lesen. „Ich sah, wie die Kinder auf der iranischen Seite losrannten – und dann: Explosionen, ein Feuerwerk aus Blut und menschlichen Gliedmaßen."

Erschüttert von diesen Schilderungen senke ich den Kopf. Wahrscheinlich wird Ghasan diese Bilder nie mehr vergessen können.

Über mehrere Jahrzehnte war der Irak von einer relativ säkularen Politik geprägt. Warda erzählt, dass man mit den muslimischen Nachbarn und Freunden gut zusammenlebte. Doch im Zug der Re-Islamisierung der gesamten muslimischen Welt spielte die Religionszugehörigkeit eine immer wichtigere Rolle. Damit wuchs auch die Tendenz, Nicht-Muslime als Ungläubige, als Außenseiter, als Feinde abzustempeln. Die Rückbesinnung auf einen fundamentalistischen Islam zerstörte die natürliche Solidarität des Alltags.

Auch Ghasan und Warda bekamen zu spüren, dass Christsein einen Makel darstellt. Arbeitskollegen sprachen Ghasan an: „Du bist ein guter Kollege und ein netter Mensch. Dir fehlt nur eines: Du musst Muslim werden!" Dahinter stand eine echte Sorge: Als Christ bist du „gottlos" und landest in der Hölle … Auch die Kinder in der Schule hatten darunter zu leiden, dass mit dem Erstarken der islamischen Religiosität die Toleranz immer mehr schwand. Die beiden Mädchen von Ghasan und Warda mussten von ihren Lehrern regelmäßig hören: „Ihr seid so hübsche Mädchen. Aber ihr seid unrein! Ihr müsst Muslimas werden."

Schon in den Neunzigerjahren kam es in Bagdad vereinzelt zu Übergriffen und Anschlägen auf Christen; noch aber blieb die Gesamtsituation erträglich. Das änderte sich mit dem Einmarsch der amerikanischen Truppen im Jahr 2003. In diesem Krieg wurden Zivilisten, die durch Bomben oder Raketen ums Leben kamen, als „Kollateralschäden" bezeichnet. Dieser zynische Begriff bemäntelt, dass bei Bomben- und Raketenangriffen der Tod von Unschuldigen billigend einkalkuliert wird. Muslime wie Christen fielen den amerikanischen Luftangriffen zum Opfer.

Warda erzählt:

„Mitten in der Nacht riss uns ein gewaltiger Knall aus dem Schlaf. Wir wussten nicht, was passiert war. Vielleicht eine Bombe vor unserem Haus? Ich stand auf und machte Licht. Als ich die Schlafzimmertür öffnete, stand ich in einer Staubwolke. Ghasan trat hustend ins Treppenhaus. Dann sahen wir das Unglaubliche: Eine Rakete hatte unser Haus getroffen und das Dach durchbohrt. Aber sie war nicht explodiert. Die Spitze der Rakete ragte ins Wohnzimmer. Dort hatten wir eine kleine Statue der Gottesmutter Maria stehen."

Ghasan ergänzte mit leiser, fast ehrfürchtiger Stimme: „Ja, es war ein Wunder. Wir und alle Nachbarn wären mit einem Schlag tot gewesen."

Im weiteren Verlauf unseres Gesprächs erfahre ich Hintergründe einer Entwicklung, die zu fürchterlichen Gewalttaten an den Christen geführt hat. Denn noch einen anderen „Kollateralschaden" nahmen die Amerikaner in Kauf. Dass nämlich die einheimischen Christen für den Einmarsch der Amerikaner büßen müssen, hätte aus der Geschichte der Kreuzzüge oder des Ersten Weltkrieges bekannt sein müssen. Wie konnte es die USA oder Großbritannien so gleichgültig lassen, dass die unschuldigen christlichen Minderheiten für ihre Ölpolitik bluten mussten?

Die Zahl der ermordeten Christen erhöhte sich von 15 im Jahr 2003 auf 113 im Jahr 2004. Im selben Jahr wurden in Bagdad in einer koordinierten Aktion 19 Anschläge gegen Christen und ihre Einrichtungen ausgeführt. Christen, von denen viele gut ausgebildet und wohlhabend waren, wurden entführt, um hohe Lösegelder abzupressen.

Die Gewalttaten der Dschihadisten wurden immer bestialischer: Sie verbanden gefesselten Christen die Augen, führten sie auf Terrassen von Hochhäusern und stürzten sie in die Tiefe. Anderen schnitten sie – wie bei den Lämmern – mit einem Messer die Kehle durch.

Sie erhängten und kreuzigten Christen. Frauen wurden vergewaltigt. Selbst vor der Ermordung von Kindern schreckten die „Glaubenskrieger“ in ihrem Hass gegen die sogenannten Ungläubigen nicht zurück.

Am Karfreitag 2007 wurde ein vierzehnjähriger Junge in Bagdad gekreuzigt. Als der Bub am Balken hing, schlitzten ihm die Dschihadisten mit einem Schwert noch den Unterleib auf, so dass der Junge mit dem Blick auf seine heraushängenden Gedärme qualvoll sterben musste. Ebenfalls in Bagdad entführten sie ein Kleinkind: Weil die christliche Mutter das Lösegeld nicht zahlen konnte, wurde das Kind enthauptet, verbrannt und auf einem Tablett mit Reis zur Mutter zurückgeschickt.

Immer mehr Kirchen wurden durch Bombenanschläge völlig zerstört und Priester gezielt ermordet. Wer einen Gottesdienst besuchte, musste mit Entführung oder Anschlägen rechnen.

Mit Schrecken erinnert sich Warda daran, dass der Imam Hatim al-Razzaq die Christen des Landes am 17. Mai 2007 aufforderte, binnen 24 Stunden zum Islam zu konvertieren – oder das Land zu verlassen. Um diesem als Fatwa formulierten Ultimatum Nachdruck zu verleihen, stachelten muslimische Geistliche über die Lautsprecher der Moscheen dazu auf, sich am Hab und Gut der Christen zu bereichern. Als Reaktion auf diese Drohung kam es in Bagdad und Umgebung zu einem regelrechten Exodus von Christen. Für die verbliebenen wurde das Leben immer unerträglicher.

Warda fragt: „Hast du nie etwas vom Überfall auf unsere Kirche Our Lady of Salvation in Bagdad gehört?“

Ich kann mich nicht recht entsinnen und frage nach.

31. Oktober 2010, am Vorabend von Allerheiligen. Ghasan und Warda gingen nicht in den Abendgottesdienst der syrisch-katholischen Gemeinde, wohl aber ihre älteste Tochter Faris, die im sechsten Monat schwanger war. Während der Messe stürmten sieben mit Gewehren, Handgranaten und Sprengstoffgürteln bewaffnete radikalislamische Kämpfer in die Kirche.

Einer der beiden Priester unterbrach sein Gebet und stellte die Frage: „Was wollen Sie hier?" Die Antwort war: „Allahu akbar!" – und eine Salve aus den Kalaschnikows, die den siebenundzwanzigjährigen Pfarrer niedermähten. Die nächsten Kugeln zielten auf das Kreuz der Kirche. Das war der Introitus zu einem verheerenden Blutbad, in dem Männer, Frauen und Kinder unterschiedslos erschossen wurden. Zunächst jedoch verbarrikadierten sich die „Glaubenskrieger", um mit den 300 Gottesdienstbesuchern als Geiseln die Freilassung von islamischen Fundamentalisten im Irak und in Ägypten zu erpressen.

Warda unterbricht ihre Erzählung und beginnt laut zu weinen. Erschüttert flüstere ich: „Ihr müsst jetzt nicht weiterreden."

Doch Ghasan, auch er unter Tränen, fährt fort und stottert dabei immer mehr: „Nach etwa zwei Stunden begannen die Terroristen, Geiseln zu töten und wild um sich zu schießen. Unsere Tochter Faris stand Todesängste aus und dachte immer an das Kind in ihrem Bauch. Ein Mann, der direkt neben ihr saß, wurde getroffen; er fiel seitlich um und sein Kopf sank in den Schoß unserer Tochter. Das Blut spritzte und strömte über ihr Kleid. Faris lehnte ihren Kopf rückwärts an die Wand und schloss die Augen. Derart blutverschmiert sah sie aus wie tot. Das rettete ihr Leben."

Sie musste nun allerdings durch die halb geschlossenen Augenlider mit ansehen, wie ihr Onkel, der beim Gottesdienst die Orgel gespielt hatte, von einer Kugel getroffen wurde und tot zu Boden stürzte. Im allgemeinen Chaos schrie ein Baby, das eine Mutter ängstlich an sich drückte. „Ruhe!", brüllte einer der Terroristen und erschoss Mutter und Kind. Und dann das widerwärtigste Bild: Einer der religiösen Fanatiker schnappte sich ein vierjähriges Kind und schnitt ihm auf dem Altar den Kopf ab. Dann warf er das Kreuz vom Altar und trampelte mit seinen Füßen auf ihm herum.

Wenig später stürmte eine Sondereinheit der irakischen Armee die Kirche. Die Dschihadisten zündeten zwei Sprengstoffgürtel. 58 Tote und 67 Verletzte waren die grausige Bilanz dieses Überfalls auf eine friedliche Gottesdienstgemeinde. Verantwortlich für diesen Terrorakt erklärte sich die Organisation „Islamischer Staat Irak" und ließ verlautbaren: „Alle Christen, ihre Organisationen, Institutionen und Führer sind legitime Ziele der Glaubenskrieger."

Ich sitze stumm und erschüttert bei den beiden Alten, die trotz all dieser Bedrohungen immer noch nicht bereit waren, ihre Heimat zu verlassen. Bei einem Bombenanschlag während des Weihnachtsgottesdienstes kamen 2013 wieder über 30 Christen ums Leben.

Im folgenden Jahr klingelte es an der Haustür. Ghasan öffnete und ihm gegenüber standen drei maskierte Männer, alle drei mit Kalaschnikows bewaffnet.

Die Aufforderung der Terroristen war eindeutig: „Du bist ein Ungläubiger. Du musst dieses Haus verlassen."

Ghasan ließ sich nicht einschüchtern: „Mit welchem Recht wollen Sie mich vertreiben?"

Einer der drei Maskierten schrie: „Ihr seid Christen!"

Ghasan ließ nicht locker: „Das ist auch unser Land! Wir waren schon vor euch hier! Und wir haben euch nie aufgefordert, dieses Land zu verlassen. Warum sollen *wir* jetzt gehen?"

Als Antwort auf diese unerschrockene Frage folgte kein Argument, sondern Gewalt. Der Wortführer der drei Dschihadisten feuerte eine Kugel auf den kleinen schneeweißen Pudel, der herbeigelaufen war und bellte. Der Hund sank tot zu Boden und der Terrorist grinste überlegen: „Du hast drei Tage Zeit. Gibt es noch Fragen?"

Dann drehten er und seine Komplizen sich um und verschwanden.

Warda zeigt mir auf dem Smartphone ein Bild ihres süßen Hundes – und dann auf dem nächsten Bild den toten Pudel mit einem roten Blutfleck auf dem flauschigen, weißen Fell.

Seit diesem Tag hat Ghasan, der einmal an einer Universität unterrichtet hat, Mühe beim Sprechen. Und je länger er von den Schrecken durch Raketen, dem Terroranschlag auf seine Heimatkirche und dem

Drohbesuch durch die Dschihadisten erzählte, umso mehr geriet er ins Stottern.

Für Warda und Ghasan blieb damals keine Zeit zum Überlegen. Sie packten ein paar persönliche Dinge zusammen und konnten durch einen glücklichen Zufall ein Visum für Italien erhalten.

Von dort aus fuhren sie nach Deutschland, weil ihre Tochter Faris mit ihrer Familie bereits seit vier Jahren in Hamburg lebte. Gemäß der EU-Verordnung Dublin II müssten sie freilich in Italien bleiben, wo sie allerdings niemanden kannten. Sie stellten einen Antrag, doch der wurde gerichtlich abgelehnt. Ich lasse mir den Entscheid zeigen: zehn Seiten voller Verweise auf Gesetze und andere Gerichtsentscheidungen, ein auch für mich sprachlich und menschlich völlig unverständlicher Text. Die einzige Chance, bei der Familie ihrer Tochter zu bleiben, bestand nun darin, dass sich Warda und Ghasan die nächsten sechs Monate versteckten, um nicht nach Italien abgeschoben zu werden. Dann könnten sie auch in Deutschland einen Asylantrag stellen. Jetzt leben die beiden Alten ständig in Angst, dass es nachts klingelt und die Polizei sie zur Abschiebung abholt. Nach so viel Furcht und Schrecken müssen Ghasan und Warda sich jetzt auch noch vor der deutschen Polizei fürchten und versteckt halten …

Dazu kommt die quälende Sorge um ihren Sohn und die Schwiegertochter, die in Ankawa leben. Ghasan sagt pessimistisch: „Als Christen werden sie in einem muslimischen Land keine Zukunft haben."

Dann stöhnt er: „Was ist das eigentlich für eine Religion, die eine solche Gewalt gebietet oder zumindest nicht verhindert?"

Ich versuche, auch andere Gesichtspunkte ins Spiel zu bringen. Ghasan nickt müde.

„Es gibt gebildete Muslime, die von einer tiefen Menschlichkeit geprägt sind. Doch die Glaubenskämpfer, die den Koran wörtlich nehmen, sie sind barbarisch."

Dann berichtet er mir, dass er in Leipzig mit Salafisten diskutiert hat, die in der Fußgängerzone den Koran verteilten. Es waren junge

Deutsche, die ganz gut arabisch sprachen. Ich nehme mein Notizbuch und schreibe mit, was der alte Herr mir anvertraut.

Ghasan sprach einen der Bärtigen an, der ihm einen Koran anbot: „Du bist mein Bruder, weil du ein Mensch bist. Aber wenn du dieses Buch wörtlich nimmst, wirst du zum Terroristen! So wie die Leute des IS."

Der Muslim wehrte sich: „Wir haben nichts mit dem IS zu tun! Woher kommst du?"

„Ich komme aus dem Irak. Schau auf meine weißen Haare: Mein ganzes Leben habe ich mit Muslimen zusammen verbracht. Es gibt gute Muslime. Doch wenn sie diesem Buch wörtlich folgen …"

Der muslimische Missionar wandte ein: „Mohammed bringt Frieden!"

Ghasan schüttelte den Kopf.

„Ihr seid weit weg vom Frieden!"

„Unsere Religion ist Frieden!"

Ghasan ließ nicht locker: „Nein! Ihr kommt mit dem Schwert. Ich weiß, wovon ich rede. Ich habe es selbst erlebt."

Zwischen Ghasan und mir entspinnt sich eine lange Diskussion über den Zusammenhang von Religion und Gewalt im Islam. Zwei Aspekte scheinen uns wichtig: zum einen die Frage, wie der Koran zu lesen ist. Daran scheiden sich die Geister: Kann man den Koran z. B. auf der Basis der frühen Offenbarungen interpretieren – und die späteren, kriegerischen Verse als zeitbedingt relativieren? Oder stellen solche Relativierungen die Absolutheit des Koran als wortwörtliche Offenbarung Gottes in Frage?

Der zweite Aspekt betrifft die Person des Propheten Mohammed. Auch seine Gestalt kann in unterschiedlichem Licht gesehen werden: Am Anfang zeigte er sich als friedlicher Verkünder einer Botschaft, später aber auch als Anführer kriegerischer Stämme. Jedenfalls reicht die Verquickung von religiöser Botschaft und politischer Macht bis in die Anfänge des Islam zurück.

Es gab im Lauf der Geschichte durchaus islamische Staaten, die den Minderheiten eine zwar eingeschränkte, aber für damalige Verhältnisse beachtliche Toleranz zugestanden. Allerdings wurde in islamischen Gesellschaften den Nicht-Muslimen noch nie eine wirkliche Religionsfreiheit gewährt, die sie den Muslimen rechtlich gleichstellt. Ghasan nennt ein aktuelles Beispiel aus dem Irak. Die (von den USA unterstützte!) Regierung hat im Jahr 2015 folgendes Gesetz verabschiedet: Wenn ein Christ zum Islam konvertiert, wird automatisch seine gesamte Familie muslimisch, einschließlich der erwachsenen Kinder. Und dann gilt: einmal Muslim – immer Muslim. Es gibt kein Recht auf ein Zurück zum Christentum. Es zeigt sich: Überall dort, wo der Islam zur Macht kam, wurden und werden bis auf den heutigen Tag die Andersgläubigen durch staatliche Gesetze diskriminiert.

Im Christentum ist das Verhältnis von Staat und Religion anders geprägt. Jesus selbst lehnte es strikt ab, seine religiöse Sendung mit staatlicher Gewalt durchzusetzen: „Mein Reich ist nicht von dieser Welt!" (Joh 18,36) Mit seiner Unterscheidung „Gebt dem Kaiser, was dem Kaiser gehört – und Gott, was Gott gehört!" (Mt 22,21) legte er die religionsgeschichtlich revolutionäre Basis für eine Trennung von Religion und Staat. Die Kirchen im Orient kennen dies nicht anders: Sie verfügten zu keiner Zeit ihrer langen Geschichte über staatliche Macht.

In den Kirchen des Westens verlief die Entwicklung anders. Nach Verfolgungen der Christen durch den römischen Staat wendete sich mit Kaiser Konstantin im Jahr 313 n. Chr. das Blatt. Mit der Anerkennung des Christentums durch den Staat kam es zu einer neuen Verhältnisbestimmung der christlichen Religion zum Römischen Reich. Während Christen in den ersten drei Jahrhunderten sich weigerten, Militärdienst zu leisten, wurde es jetzt zur Christenpflicht, dem Staat zu gehorchen und ihn mit Waffengewalt zu verteidigen. Die Gewalttätigkeit des mittelalterlichen Christentums liegt in der engen Verflechtung von Religion und Staat begründet. Die verheerenden Konfessionskriege zwischen Katholiken und Protestanten erzwangen ein

Umdenken. Es entwickelte sich das Modell des „säkularen Staates“, in dem die bürgerlichen Rechte und Pflichten nicht mehr von der Religionszugehörigkeit abhängig sind. Diese „Trennung von Staat und Kirche“ war auch von der Lehre Jesu und der Praxis der frühen Kirche inspiriert.

Ghasan bezweifelt, dass der Islam zwischen Staat und Religion trennen kann. Dazu bräuchte es nämlich eine tief greifende Aufklärung des Islam. Wenn aber der Koran nicht mehr als das ewig gültige Wort Gottes verstanden wird, so verliert der Islam sein Fundament. Genau davor fürchten sich die Fundamentalisten. Und daher bekämpfen sie so vehement jegliche Relativierung des Koran und jede Kritik am Propheten Mohammed.

Unsere spannende Debatte wird plötzlich unterbrochen. Es klingelt. Erschreckt zuckt Ghasan zusammen. Die Angst vor der Polizei steckt ihm in den Knochen. Es dauert ein paar Sekunden, bevor er aufsteht. Von der geöffneten Wohnungstür her dringen arabische Stimmen zu uns ins Wohnzimmer. Wenig später betreten ein großer schlanker Mann und ein Junge den Raum. Ich begrüße sie mit „Marhaba!“. Der Fremde hat einen Dreitagebart und trägt eine dicke Hornbrille, durch die er mich neugierig anschaut. Der Junge übersetzt den arabischen Gruß seines Vaters. Ich kenne die Kombination schon: Die Kinder dolmetschen für ihre Eltern.

Ghasan stellt mir seine Gäste auf Englisch vor: „Das ist Garo – und sein Sohn Agob. Sie kommen aus Syrien und wohnen um die Ecke.“

Ich erfahre, dass Garo noch einen zweiten Jungen hat. Gerne erkläre ich mich bereit, für die beiden eine Hausaufgabenhilfe zu vermitteln, und schon habe ich einen neuen Termin in meinem Kalender stehen.

13. Garos Weltreise

Wenige Tage später besuche ich Garos Familie. Als ich das Wohnzimmer betrete, lande ich mitten im Krieg: Im Fernsehen läuft ein syrischer Sender und meine Blicke werden angezogen von heulenden Raketenwerfern und dröhnenden Panzern. Garo dreht den Ton weg, doch die Bilder bleiben.

Garos Frau Zuvinar tritt ins Wohnzimmer; die zierliche Frau mit langen, schwarzen Haaren lächelt kurz, dann zeigen sich auch die Sorgenfalten auf ihrer Stirn. Ich setze mich zu den beiden Jungen Agob und Awanis und schnell sind die ersten Termine für die Hausaufgabenhilfe vermittelt.

Agob, vielleicht zwölf Jahre alt, dolmetscht unsere Unterhaltung.

„Ihr stammt aus Syrien“, beginne ich das Gespräch. „Aus welcher Stadt kommt ihr denn?“

Die Familie stammt aus Hassake, einer Stadt im Nordosten von Syrien, und wohnt seit rund sechs Monaten in einem Plattenbau, der noch an DDR-Zeiten erinnert. In der Wohnung, mit Secondhandmöbeln geschmackvoll eingerichtet, grüßen Heiligenbilder an den Wänden. Ein Foto zeigt einen Mann mit einer schwarzen Kopfbedeckung, die einem Turban ähnelt.

„Das ist unser Bischof“, erklärt mir Garo, „ein Bischof der armenischen Kirche.“

„Ihr seid also Armenier?“, frage ich nach.

Garo erzählt, dass sein Großvater 1915 als kleiner Junge deportiert worden war. Dessen ursprüngliche Heimat lag in Anatolien, in Mardin; fast die ganze Familie ist bei Massakern und Todesmärschen ums Leben gekommen. Sein Opa aber wurde vor dem Hungertod gerettet und hat sich in Hassake niedergelassen.

Der gelernte Optiker Garo hatte sich in Hassake ein kleines Geschäft aufgebaut. Vor 15 Jahren haben er und Zuvinar geheiratet und die beiden verlebten mit ihren zwei Kindern ein paar glückliche Jahre.

Doch dann, erzählt Garo, beginnt im sogenannten „Arabischen Frühling“ der rapide Zerfall des Staates Syrien: 28 unterschiedlichste Gruppen kämpfen gegen das Assad-Regime und versuchen, Menschen und Gebiete unter ihre Kontrolle zu bekommen. Auch islamistische Truppen, die sich aus fanatisierten jungen Männern – und auch Frauen – aus aller Welt rekrutieren, mischen kräftig in diesem Krieg mit. Diese radikalen Muslime gewinnen immer mehr Einfluss – und so kann auch bald der sogenannte Islamische Staat in Irak und Syrien (ISIS) ausgerufen werden.

100 Jahre nach der Ermordung und Vertreibung seiner Vorfahren droht Garo und seiner Familie in Hassake dasselbe Schicksal. Voller Angst verfolgen sie die Nachrichten über fundamentalistische Muslime, die christliche Dörfer überfallen, Schutzgelder erpressen, die Männer ermorden, Frauen und Kinder entführen und Kirchen niederbrennen. Besonders die aus Deutschland, Großbritannien oder Frankreich stammenden Dschihadisten gehen mit größter Grausamkeit gegen die einheimischen Christen vor.

Garo und Zuvinar hoffen, dass es in Hassake ruhig bleibt. Dann aber passiert es: Garo fährt mit dem Auto in ein Dorf, um einen Freund zu besuchen. Plötzlich tauchen drei Motorräder hinter ihm auf und zwingen ihn zum Anhalten. Die Gesichter der Motorradfahrer sind unter schwarzen Masken versteckt. Einer von ihnen reißt die Tür auf und zerrt Garo heraus. Der wehrt sich nicht – er weiß, dass er keine Chance hat. Er wird gefesselt und geknebelt und dann mit verbundenen Augen in seinem eigenen Auto weggefahren. Ungefähr eine Stunde dauert die Fahrt. Wieder wird Garo aus dem Wagen gezogen und spürt die Fäuste, die ihn in eine bestimmte Richtung stoßen. Er stolpert voran und hört, wie seine Kidnapper zu ihrer Beute beglückwünscht werden.

Wenig später führt man ihn in einen Raum; die Tür hinter ihm fällt ins Schloss und wird verriegelt. Garo setzt sich auf den Boden, mit dem Rücken an die Wand gelehnt, und wartet. Nach endlosen Minuten wird die Tür wieder aufgeschlossen. Jemand fordert ihn mit einer rauen Stimme auf: „Die Telefonnummer deiner Frau!“

Garo diktiert die Zahlen. Es tutet, dann meldet sich Zuvinar. Garo muss nun folgende Sätze nachsprechen: „Wenn du mich lebend wiedersehen willst, dann musst du fünf Millionen Lira zahlen."

Garo hört, wie Zuvinar aufschreit und zu weinen beginnt. Es zerreißt ihm schier das Herz.

Er muss noch weitere Sätze wiederholen: „Du hast einen Tag Zeit. Morgen rufe ich wieder an und sage dir, wohin du das Geld zu bringen hast."

Garo schwitzt Blut und Wasser. Er verhandelt mit dem Gegenüber und versucht ihm zu erklären, dass Zuvinar diese Summe niemals aufbringen kann. Selbst wenn sie Geld von den Freunden und Nachbarn zusammenleiht, würde das nicht reichen.

Die Nacht verbringt er schlaflos in seiner Zelle. Nur allzu gut weiß er, dass Terroristen der Al-Kaida, des IS und andere islamische „Glaubenskämpfer" seit Jahren Christen entführen, um Lösegeld zu erpressen. Er weiß auch, dass viele der Entführten trotz der Zahlung hoher Summen nicht mehr freikommen, sondern umgebracht werden. Die ganze Nacht über quälen ihn die Gedanken an seine Frau, die Kinder und an seine kranke Mutter: Wenn die davon erfährt, wird sie vielleicht vor Angst und Schrecken sterben.

Doch Zuvinar hat weder die Kinder noch Garos Mutter informiert. Sie teilt den Kindern mit, dass der Papa gut bei seinem Freund angekommen sei und ein paar Tage dortbleiben werde, um ihm bei einer Arbeit zu helfen. Dann läuft sie zu einer Nachbarin, der sie vertraut. Diese hilft ihr, bei Verwandten und Freunden Geld zusammenzuleihen. Auch der Pfarrer der armenischen Gemeinde kann etwas beisteuern. Für die Summe von fünf Millionen Lira reicht es dennoch nicht.

Am nächsten Tag muss Garo wieder ins Telefon sprechen. Zuvinar weint, weil sie nur zwei Millionen Lira zusammenhat. Garo hört, wie der Mann mit der rauen Stimme befiehlt: „Morgen Abend bringst du zweieinhalb Millionen Lira an einen allein stehenden Baum, den man am Stadtrand von einer bestimmten Straße aus sehen kann. Du musst allein kommen."

Zuvinar gelingt es, das noch fehlende Geld aufzutreiben. Sie geht zu Fuß bis zum Stadtrand, in der Hand eine unauffällige Plastiktüte mit dem Geld. Sie findet den beschriebenen Baum und läuft auf ihn zu. Das Herz klopft ihr bis zum Hals. Sie denkt an Garo und die beiden Kinder. Sie legt die Tüte unauffällig auf den Boden. Weit und breit ist niemand zu sehen. Aber sie spürt, dass sie genau beobachtet wird.

Sie kehrt um und je weiter sie sich von dem Baum entfernt, umso schneller läuft sie. Die Angst sitzt ihr im Nacken! Völlig nass geschwitzt kommt sie zu Hause an; sie bereitet das Abendessen vor und versucht, ihre quälenden Sorgen vor den Kindern zu überspielen. Nachts findet sie vor lauter Verzweiflung keinen Schlaf. Immer wieder steht sie auf, öffnet die Wohnungstür und horcht nach draußen. Doch: nichts! Endlich kündet ein Hahnenschrei den nahen Morgen an. Sie bereitet das Frühstück vor, weckt die Kinder und schickt sie in die Schule. Um die Mittagszeit hört sie draußen vertraute Schritte: Garo!

Ihr Mann hat Glück gehabt. Die Entführer haben sich mit einer geringeren als der ursprünglich geforderten Summe zufriedengegeben. Und sie haben ihn nach der Bezahlung des Lösegeldes auch tatsächlich freigelassen. Das letzte Wort, mit dem ihn die vermummten Männer aus seinem eigenen Auto, das jetzt den Terroristen gehört, gestoßen hatten, lautete: „Verschwinde! Du hast hier nichts mehr zu suchen!“

Eine eindeutige Botschaft. Garo verkauft die Wohnung zu einem Spottpreis und versetzt den übrig gebliebenen Familienbesitz. Seit einem Jahr lebt sein Bruder in der Nähe von Köln. Garos Ziel ist klar: Er möchte nach Deutschland fliehen.

Garo schlägt sich mit seiner Familie mitten durch das Kriegsgebiet bis nach Damaskus durch. Er trägt alles Geld bei sich, das er durch den Verkauf von Wohnung und Wertsachen zusammenraffen konnte. Endlich in Damaskus erkundigt er sich bei einer armenischen Familie, wie man nach Europa kommen könnte. Er bekommt einen heißen Tipp und nimmt mit einer Schleuserbande Kontakt auf.

Garo hat ein schlechtes Gewissen – aber noch viel mehr hat er Angst. Als er dem Schleuser sein gesamtes Bargeld übergibt, wird ihm schmerzlich bewusst, dass er dadurch sein Leben und das seiner Familie einer verbrecherischen Bande auf Gedeih und Verderb ausliefert. Wie oft schon wurden Menschen durch Schleuser ausgeplündert – und haben das versprochene Ziel nie erreicht! Doch die Kriminellen, an die er in Damaskus geraten ist, erweisen sich als „seriös"; der von ihnen organisierte Schleichweg wirkt allerdings geradezu absurd.

Agob erzählt, dass er und seine Familie die unglaublichsten Dinge erlebt haben. Ich nehme meinen Schreibblock und bitte ihn um seinen Bericht. Manchmal frage ich Garo und Zuvinar – und Agob übersetzt Frage und Antwort. Auch Awanis steuert Erinnerungen bei.

Von Damaskus aus fahren die vier in Richtung türkische Grenze, auf vielen Umwegen, um aktuelle Gefechtsgebiete und Straßenblockaden zu vermeiden. Nach einer zweitägigen Busfahrt erreichen sie Istanbul. Sie rechnen damit, von dort aus auf einem Schiff nach Griechenland oder Italien übergesetzt zu werden. Sie rufen eine Handynummer an und treffen sich mit einem Verbindungsmann der Schleuserbande. Der nimmt ihnen die syrischen Pässe weg – und bringt sie ihnen wenige Tage später wieder: mit einem Visum für Tansania! Während Garo und Zuvinar mit großer Skepsis das Flugzeug besteigen, freuen sich Agob und Awanis auf die Reise nach Afrika. Von den Schleusern bekommen sie nichts anderes an die Hand als eine Handynummer, die sie in Daressalam anrufen sollen.

Auch dort müssen sie wieder ihre Pässe abgeben – und dann lange warten. Bei jedem Anruf auf dem Handy werden sie vertröstet: Sie sollten sich noch gedulden. Doch wovon in der langen Wartezeit leben? Vor allem die Kinder leiden Hunger. Agob ist gerade zehn und Awanis acht Jahre alt. Die Familie sucht Arbeit auf dem Markt. Die Kinder müssen Zucker aus einem großen Sack abwiegen und in Tüten füllen. Auch Garo und Zuvinar finden eine Arbeit, für die sie – wie die Kinder – mit einer Mahlzeit entlohnt werden. Sie schlafen an einer Bushaltestelle. Angst davor, ausgeraubt zu werden, brauchen sie nicht zu haben: Sie besitzen nicht mehr als das, was sie am Leib tragen. Awanis ergänzt mit strahlendem Gesicht, dass er außer einer einfachen Mahlzeit manchmal noch einen Kaugummi bekam!

In Tansania hat Zuvinar einen Traum: Sie sieht einen wunderschönen Mann vor einer Tür stehen. Sie kann in diesem Mann mit seiner leuchtenden Ausstrahlung sofort Jesus erkennen. Die Tür hinter ihm steht einen Spaltweit offen. Und Jesus spricht sie an: „Hab noch Geduld!"

Fünf Monate lebt Garos Familie in Tansania, dann endlich kommt wieder ein Schlepper und bringt die Pässe und Flugtickets nach Brasilien. Garo versteht die Welt nicht mehr. Endlich klärt der Schlepper ihn auf: Von Brasilien aus könne man relativ leicht nach Portugal einreisen.

Nach einem Monat Zwischenstopp in Rio de Janeiro erhalten sie Flugtickets nach Lissabon und die Handynummer eines Verbindungsmanns in Portugal. Der nimmt ihnen erneut die Pässe weg und verspricht, er würde sich wieder melden. Doch sie hören nie wieder etwas von ihm und auch ihre Pässe sehen sie nicht wieder. Sie rufen x-mal die Handynummer an: vergeblich!

Jetzt sind sie zwar in Europa, aber wie soll es weitergehen? Sie laufen zu Fuß, betteln etwas Geld zusammen und kommen mit einem Bus bis zur Grenze nach Spanien – und können unbehelligt passieren. In Madrid klappern sie die Kirchen ab, um Hilfe zu erbitten. Man versteht nicht, was sie wollen. Ganz in der Nähe einer Kirche finden sie eine Moschee. Dort wird arabisch gesprochen und sie können von ihrer Not erzählen. Sie dürfen in der Moschee schlafen, erhalten Essen und Kleidung und sogar etwas Geld für die Weiterfahrt.

An der Grenze nach Frankreich geschieht das Wunder: Sie stehen – ohne Pässe – in einer Schlange. Als Garo an die Reihe kommt, entsteht an einem anderen Schalter ein Gerangel zwischen Wartenden und einem Grenzbeamten. Der Mann, der Garo gerade kontrollieren will, läuft weg, um seinem Kollegen zu helfen. „Schnell!", stößt Garo aus – und die vier überschreiten die Grenze nach Frankreich ohne Kontrolle. Zuvinar ist sicher: „Gott hat uns geholfen!"

Inzwischen ist es Februar 2015 und bitterkalt. An vielen Orten liegt Schnee. Unterwegs schlafen sie meist an einer Bushaltestelle. Mit den Kleidern, die sie in Spanien geschenkt bekommen haben, decken sich Zuvinar, Agob und Awanis notdürftig zu. Garo sitzt die ganze Nacht auf der Bank und wacht über das zerbrechliche Leben seiner Familie.

Ich frage mich: Was mag ihm in solchen Nächten durch den Kopf gegangen sein?

Auch die letzten beiden Grenzübertritte funktionieren problemlos. Von Frankreich über Belgien nach Deutschland. Zuvinar erinnert sich, wie sie in Köln vor einer Ladenfront stand, völlig erschöpft, durchgefroren, verzweifelt. Sie fühlte sich so hilflos in diesem fremden Land, dessen Sprache sie nicht verstand, dessen Schrift sie nicht entziffern konnte – und das sie mit so großer Kälte empfing. Sie kauerte am Straßenrand und weinte laut, als plötzlich ein Mann stehen blieb und sie ansprach. Als er merkte, dass niemand von ihnen Deutsch oder Englisch verstand, brachte er die Familie an den Hauptbahnhof und verständigte die Bahnhofspolizei. Dann drückte er Zuvinar noch 20 Euro in die Hand. Awanis hatte aufmerksam zugehört und immer wieder ergänzt. Am Ende sagte er: „Ich werde all das nie vergessen. Das bleibt immer in meinem Kopf."

Nach dieser Ankunft in Deutschland begann ein anderer schwieriger Weg: die Behördengänge und der Antrag auf Asyl. Zuerst verfrachtete man Zuvinar und Garo mit ihren Kindern nach Dortmund, dann nach Chemnitz. Dort beantragten sie Asyl und mussten sieben Monate im Asylbewerberheim wohnen. Nur ungern erinnert sich Agob an diese Zeit: „Nach dem Krieg in Syrien kamen wir hier wieder in einen Krieg."

Damals gab es im Asylbewerberheim große Spannungen zwischen Algeriern, Tunesiern und Tschetschenen. Man könnte denken, dass diese Auseinandersetzung zwischen muslimischen Gruppen die Christen nicht betrifft – doch wie im Bürgerkrieg von Syrien gerieten die Christen auch in Chemnitz zwischen die Fronten. Das armenische Paar stand tausend Ängste aus: Wird sich der Hass der Muslime, die sich gegenseitig bekriegten, an uns Christen entladen? Gar an unseren Kindern?

Schon bei ihrer Ankunft bespuckten muslimische Asylbewerber Zuvinar wegen des kleinen Kreuzes, das sie am Hals trug. Garo und die Kinder wurden als „Ungläubige" beschimpft. Sie durften auch die Gemeinschaftsküche nicht nutzen, weil diese sonst „unrein" würde. Als die Gewalt im Heim eskalierte, trauten sich die vier nicht mehr ins Freie und schlossen sich tagelang in ihrem Zimmer ein. Garo bekam große Zweifel: War die Entscheidung zur Flucht falsch gewesen? Haben wir uns für das verkehrte Land entschieden? Jedenfalls waren er und seine Familie jetzt wieder von Gewalt bedroht. Draußen auf dem Flur waren Blutlachen zu sehen; auch die Wände waren blutbeschmiert. Die Schreckensbilder aus Hassake erwachten wieder zum Leben.

Agob und Awanis waren die einzigen christlichen Kinder im Heim. Eines Tages sahen einige muslimische Jungen Agob mit einer Haribo-Tüte in der Hand. Gummibärchen: Das war verräterisch, denn diese enthalten Schweinegelatine und sind daher nicht „halal"; sie entsprechen nicht den muslimischen Speisevorschriften, die zwischen „rein" und „unrein" unterscheiden.

Die muslimischen Kinder beschimpften Agob: „Du isst Schweinefleisch." Dann bespuckten sie ihn: „Du bist unrein!" In Sekundenschnelle stürzte sich die Meute der muslimischen Kinder auf ihn und verprügelte ihn.

Ich höre in Agobs Stimme noch den Schmerz über diese Willkür, als Christ derart ausgeschlossen und verachtet zu werden. Vor allem kann der Junge einfach nicht verstehen, warum das Essen von Gummibärchen ihn zu einem schlechten Menschen machen soll.

Drei Tage später fiel Agob ihnen noch einmal in die Hände. Wieder erhielt er eine Tracht Prügel, verbunden mit der Aufforderung, sich zum Islam zu bekehren. „Du bist ein Ungläubiger!" „Du kommst in die Hölle!" Agob blieb tapfer und ertrug ganz bewusst die Schläge. Seinen christlichen Glauben aufzugeben und Muslim zu werden, das lag dem damals elfjährigen Agob fern: „Lieber wäre ich gestorben!"

Als Agob mir das erzählt, stockt mir der Atem. So viel Treue zu Christus nötigt mir Respekt ab. Immer wieder beeindruckt mich der tiefe Glauben der orientalischen Christen. Aus Treue zu Jesus Christus haben sie vielerlei Schikanen erleiden und schließlich sogar ihre Heimat aufgeben müssen. Freunde und Verwandte haben ihr Bekenntnis zum Christentum mit dem Leben bezahlt – darunter auch Kinder! In Mossul hielten IS-Terroristen einen Buben auf der Straße an, weil er ein kleines Kreuz um den Hals trug. Sie forderten ihn auf, das Kreuz wegzuwerfen. Als sich der Junge standhaft weigerte, begruben sie ihn bei lebendigem Leib. Wenn ich solche Geschichten höre und derart mutigen Christen begegne, kann ich nicht anders, als mich zu fragen: Wie viel ist mir mein Glaube wert? Was würde ich mir meinen Glauben kosten lassen?

Als ich die armenische Familie ein paar Tage später wieder besuche, dröhnt im Wohnzimmer schon wieder Kriegslärm. Garo starrt mit einem Ausdruck der Verzweiflung auf den Bildschirm. Mit Hilfe von Agob verstehe ich, dass er und Zuvinar in Hassake an einem schmerzlichen Scheideweg gestanden hatten: Aram wusste, dass eine Flucht für seine vierundachtzigjährige Mutter zu mühsam gewesen wäre. Zugleich aber war ihm seit seiner Entführung klar, dass er nicht länger in Hassake bleiben konnte. Er musste vor allem an seine Kinder und deren Sicherheit denken. Erst vor kurzem hatten Terroristen in einem christlichen Dorf in der Nähe von Hassake einem guten Freund und dessen Sohn den Kopf abgeschnitten. Zuvinar und Garo waren verzweifelt: Was tun? Die Kinder retten – und die Mutter mit ihrer unverheirateten Tochter, die sich um die Mutter kümmerte, zurücklassen? Oder bei der Mutter bleiben – und das eigene Leben, vor allem aber das der beiden Kinder riskieren?

Zuvinar und Garo hatten sich um der Kinder willen zur Flucht entschlossen. Doch jetzt werden sie ihres Lebens nicht mehr froh: Der Gedanke, die alte Mutter und die Schwester in Hassake zurückgelassen zu haben, zermartert sie. Zuvinar beginnt laut zu weinen.

Garo fleht mich an: „Andreas, hilf uns!“

Ich habe keine Ahnung, was ich machen kann. Ich erkundige mich. Der Nachzug von Verwandten ersten Grades ist möglich, wenn man eine Verpflichtungserklärung abgibt. Ich rechne es durch: Vielleicht könnte ich Freunde bitten, für Garos Mutter und Schwester die Kosten für Lebensunterhalt und Krankenkasse zu übernehmen. Der deutsche Staat erlaubt den Nachzug von Verwandten, wenn dabei der öffentlichen Hand keine Kosten entstehen. Dann muss ich allerdings feststellen, dass diese Regelung nur für Verwandte von Geflüchteten gilt, die vor dem 31.12.2012 eingereist sind. Die Familie von Garo ist später angekommen. Keine Chance… Ich suche verschiedenste Behörden und Beratungsstellen auf. Es gibt keinen legalen Weg, um Garos Mutter und Schwester nach Deutschland zu holen.

Es fällt mir sehr schwer, diese Unglücksbotschaft zu überbringen: „Leider gibt es für deine Mutter keine Möglichkeit, nach Deutschland zu kommen!“ Garos Miene verfinstert sich. Er starrt vor sich hin und ich ahne, was ihn umtreibt: Er fühlt sich schuldig, seine alte und kranke Mutter in Hassake zurückgelassen zu haben. Doch was hätte er tun sollen? Der Krieg stellt Menschen vor grausame Entscheidungen. Wer gezwungen wird, die Mutter im Stich zu lassen, um die Kinder zu retten: Wie sollte der jemals wieder ruhig schlafen können? Mir wird immer deutlicher, wie unmoralisch jeder Krieg ist, der Menschen dazu zwingt, ihre natürlichen Pflichten und ihr Gewissen zu verraten. Auf dem Nachhauseweg denke ich nach: Wie wäre es mir wohl ergangen, wenn ich vor diese unmenschliche Alternative gestellt worden wäre: Die Mutter in der Gefahr zurücklassen, um die Kinder zu retten…

Wenige Wochen später hören Zuvinar und Garo wieder etwas von einer möglichen Aufnahme syrischer Flüchtlinge in Deutschland.

Und erneut rufen sie bei mir an. Sie klammern sich an jeden Strohhalm. Wieder muss ich sie bitter enttäuschen: keine Chance für deine Mutter und deine Schwester! Soll ich ihnen raten, für sie zu beten? Ja, das tue ich! Denn vor Gott können wir klagen. Wenn ich nicht weiß, wohin mit meiner Not: Im Gebet kann ich auch meine Ohnmacht und Hilflosigkeit zum Ausdruck bringen. Das Schwere und bisweilen schier Unerträgliche, von dem ich in den letzten Monaten gehört habe, kann ich Gott hinhalten in der Hoffnung, dass er mir Halt schenkt. Ich bleibe mit dem Belastenden nicht allein, sondern wende mich an den, der meine Lasten mitträgt. Wenn ich Zuvinar und Garo verspreche, dass ich für ihre Verwandten beten werde, dann bedeutet das für mich keine leere Floskel. Ich versuche, mit ihrem Schmerz mitzufühlen. Und ich schaue – wie sie – auf das Kreuz, das hier im Wohnzimmer hängt. Vielleicht ist es ja genau dieser Blick, der den Christen aus dem Orient hilft, in ihrer Verzweiflung nicht bitter zu werden. Ihr Leiden veranlasste sie nicht dazu, anderen Leid zuzufügen und sich zu rächen. Im Beten haben sie sich die Haltung Jesu zu eigen gemacht: alles Schwere in die Hände Gottes zu legen und daran zu glauben, dass Gott selbst das Dunkelste noch verwandeln kann in Licht.

Als ich wenige Tage später in den Nachrichten höre, dass der IS Teile von Hassake erobert hat, besuche ich sofort Zuvinar und Garo. Der Fernseher läuft – ein syrischer Sender. Gebannt starren die Kinder auf den Bildschirm: Soldaten feuern aus allen Rohren, Granaten schlagen ein, Häuser stehen in Flammen. Vor kurzem konnte Garo mit seiner Schwester telefonieren: Sie ist mit der Mutter nach Qamishli geflüchtet. Aber auch dorthin rückt der IS vor. Garo schildert, dass er während des Telefonats im Hintergrund Gewehrsalven gehört hat. Garo und Zuvinar raufen sich vor Verzweiflung die Haare. Ich würde so gerne helfen – doch wie?

Garo fleht mich an: „Ich kann eine Niere verkaufen. Und mit dem Geld kann man meine Mutter herausholen."

Ich schüttle den Kopf: „Es gibt keinen legalen Weg für deine Schwester und deine Mutter, nach Deutschland einzureisen."

Mir wird bewusst, dass man in Syrien mit Hilfe von Geld auch manche Gesetzeshürden überwinden kann. Ich versuche zu erläutern, dass es zwar im konkreten Fall fürchterlich sei, dass man aber mit Bestechung nichts erreichen könne. Dies sei ja gerade der Vorteil eines demokratischen Landes, in das sie ganz bewusst geflüchtet sind.

Auf dem Bildschirm steigt Rauch über einem Stadtviertel auf.

Ich fordere Garo auf: „Schalte den Fernseher aus! Deine Kinder sollten nicht immer nur Bilder vom Krieg sehen. Ihr seid jetzt *hier* daheim!"

Awanis widerspricht: „Ich bin in Syrien daheim. Dort bin ich geboren. Dort habe ich meine Sprache gelernt!"

Ich sage nichts mehr, denn ich merke, dass mein gut gemeinter Rat nicht ankommen kann. Zu sehr ist diese Familien noch an den Krieg in Syrien gebunden: Die Oma und die Tante der beiden Kinder sind ausgerechnet in jene Stadt geflüchtet, aus der jetzt schwarze Rauchwolken aufsteigen.

14. Das Geheimnis der Erlösung heißt Erinnerung

Wieder bei Garo und Zuvinar. Ich helfe ihnen, ein paar Unterlagen für die Schule auszufüllen. Beim Abendessen frage ich die beiden: „Wie habt ihr euch kennengelernt?"

Eine schöne Geschichte: Es war bei einer Wallfahrt. Ich bekomme mit, dass Zuvinar gar nicht aus Hassake stammt, sondern aus Deir ez-Zor. Dort wurde im Jahr 1991 eine Kirche mit einer Gedenkstätte eingeweiht. Bei dieser Feier der armenischen Kirche verliebten sich Garo und Zuvinar ineinander.

Doch die Geschichte ihrer armenischen Familie ist alles andere als schön! Zuvinars Vorfahren haben bis 1915 in Anatolien am Tell-Ermen (Armenierberg) gelebt. Beim Armenierpogrom nagelten die Türken ihren Großvater mit den Ohren an eine Tür und folterten ihn grausam zu Tode. Als Agob mir diese haarsträubende Geschichte übersetzt, wird mir ganz anders zumute. Wieder daheim möchte ich mehr über Deir ez-Zor und die Armenierverfolgung wissen.

Das nun Folgende war nur mit Widerwillen niederzuschreiben und ist fast unerträglich zum Lesen. Ich mute es dennoch zu, denn das Fürchterliche aus dem Jahr 1915 wiederholt sich in vielem 100 Jahre später noch einmal – und das ist heute!

Ähnlich wie die aramäischen Christen lebten auch die Armenier als „Schutzbefohlene" jahrhundertelang unter muslimischer Herrschaft: manchmal anerkannt, manchmal schikaniert und verfolgt. In regelmäßigen Abständen überfielen Türken und Kurden ihre Häuser und Kirchen, plünderten ihr Eigentum und raubten die Mädchen.

Im 19. Jahrhundert fassten nationale Ideen auch unter den Armeniern Fuß und es wurden Wünsche nach mehr Rechten und größerer Unabhängigkeit laut. Damals erhöhten auch europäische Mächte den Reformdruck auf das Osmanische Reich, das im Zuge einer Modernisierung den ethnischen und religiösen Minderheiten mehr Bürgerrechte zugestehen sollte. Die sogenannte „jungtürkische" Bewegung hatte sich diese Reformwünsche zunächst auf ihre Fahnen geschrieben. Später jedoch verfiel sie einem extremen nationalistischen Gedankengut, der alles Nicht-Türkische auszumerzen versuchte. Besonders die Armenier, die größte christliche Minderheit in Kleinasien, waren den türkischen Nationalisten ein Dorn im Auge. Dieses Volk legte großen Wert auf Bildung und daher waren Armenier in akademischen Berufen überdurchschnittlich stark vertreten. Der starke Einfluss von Armeniern auf Wirtschaft und Handel weckte Eifersucht und Begierlichkeit. Der Ausbruch des Ersten Weltkrieges lieferte einen Vorwand, um gegen die Armenier vorzugehen. Denn das Osmanische Reich war mit Deutschland und Österreich-Ungarn verbündet und führte im Kaukasus Krieg gegen den gemeinsamen Feind Russland. So fand man einen „offiziellen Grund", um die christlichen Armenier als mögliche Kollaborateure des „christlichen" Russlands auszuschalten. Vor allem aber schuf der Erste Weltkrieg die ideale Nebelwand, um die Armenierfrage ein für alle Mal zu lösen. Am Endpunkt dieser ethnischen und religiösen Säuberungen war ganz Anatolien, das seit dem 1. Jahrhundert zutiefst christlich geprägt war, in kürzester Zeit vollständig islamisiert. Über 2000 Kirchen und Klöster wurden zerstört und das reiche Erbe an Schrifttum oder Kunst ging unwiederbringlich verloren.

Zahlreiche historische Dokumente zeigen, dass die Türken die „Endlösung" für das armenische Volk systematisch vorbereiteten und durchführten: Am 24. April 1915 wurde in Istanbul, dessen Bevölkerung damals noch fast zur Hälfte aus Christen bestand, die geistige, wirtschaftliche und geistliche Elite der Armenier verhaftet und in der Folgezeit zum größten Teil liquidiert. So beraubte man über Nacht das unbewaffnete Volk der Armenier seiner Führung. Nun war es der gnadenlosen Verfolgung und Vernichtung hilflos ausgeliefert.

Offiziell wurde das ganze Unternehmen als „Umsiedlung" getarnt; die mit dieser Aktion betrauten Truppen wurden vorzugsweise aus Schwerverbrechern zusammengestellt. Der Sadismus der türkischen und kurdischen Milizen kannte keine Grenzen. Priester wurden in den Kirchen an die Kreuze genagelt und Mädchen über die Altäre gezogen und vergewaltigt. Bischöfe wurden auf dem Scheiterhaufen verbrannt. Einem Diakon, den man während des Gottesdienstes verhaftete, steckte man die glühenden Weihrauchkohlen in den Mund. In Diyarbakir – einer Stadt mit einem christlichen Bevölkerungsanteil von etwa 40 Prozent – stürzten sich ganze Horden von Männern auf die christlichen Frauen und vergewaltigten sie. Den Männern nagelte man Hufeisen unter die nackten Füße, dem Bischof sogar glühende. Die Verstümmelung der Leichen gehörte zum Geschäft: Man schnitt die Geschlechtsteile ab und steckte sie den Toten in den Mund. Bei schwangeren Toten wetteten die Soldaten auf das Geschlecht des Ungeborenen und schlitzten dann den Bauch auf, um zu schauen, wer gewonnen hat.

Vor der Deportation oder Ermordung wurden alle aufgefordert, sich zum Islam zu bekehren. Wer dies tat, dem geschah nichts. Doch wer sich weigerte, musste dafür mit dem Leben bezahlen: Priestern, die nicht zum Islam übertreten wollten, wurden zuerst die Hände, dann die Füße und zum Schluss der Kopf abgehackt. Ein muslimischer Geistlicher schnitt einer ganzen Gruppe von jungen Armeniern einem nach dem anderen die Kehle durch – mit Koranversen auf den Lippen. Also ganz nach dem Ritus, mit dem die Hammel zum Opferfest geschächtet werden.

Hunderttausende von Frauen und Kindern wurden zwangsislamisiert. Mädchen ab 13 Jahren wurden mit Muslimen zwangsverheiratet; Knaben bis zum 13. Lebensjahr wurden beschnitten und in muslimische Familien gesteckt; ältere hielt man für nicht mehr assimilierbar und brachte sie um. In Ankara wurde der Geburtstag des Sultans mit der Beschneidung von hundert armenischen Knaben gefeiert.

Bei den Todesmärschen in Richtung mesopotamische Wüste kam bereits ein Großteil der Deportierten durch Hunger und Durst, Erschöpfung und Seuchen oder durch Massenmord ums Leben. Die zerfetzten Leichen verrotteten entlang der Straßen und verpesteten die Luft mit einem bestialischen Gestank. Etwa 870 000, also weniger als die Hälfte der Deportierten, erreichten mit gelben, ausgemergelten Gesichtern Mesopotamien und wurden dort in „Konzentrationslagern" interniert (diesen Begriff hatten die Türken von den Briten übernommen, die im Burenkrieg solche Lager eingerichtet hatten). In diesen Lagern starben bis zum Herbst 1916 etwa 630 000 Deportierte. Todesschwadrone trieben die Überlebenden in die Wüste: Dort mussten sie das eigene Grab ausheben, hineinsteigen und wurden dann reihenweise erschossen. Andere wurden in der Nähe des Dorfes Shaddeh in erdölhaltige Höhlen getrieben und bei lebendigem Leib verbrannt. Bis heute heißt dieses Höhlenlabyrinth Chabs-el-Ermen (Graben der Armenier). Ein jüdischer Offizier der osmanischen Armee berichtete, dass die Todesschreie der Brennenden meilenweit zu hören waren. Wieder andere wurden in Höhlen getrieben, an deren Eingang man ein Feuer entzündete, so dass die Eingeschlossenen erstickten. In Deir ez-Zor errichteten die Milizen einen riesigen Scheiterhaufen, auf den sie 2000 gefesselte armenische Kinder warfen und dann mit Hilfe von Benzin verbrannten. Die Vernichtungsmethoden von Gaskammern und Krematorien des Dritten Reiches waren hier in aller Bestialität schon vorgezeichnet.

In Deir ez-Zor stießen deutsche Soldaten 1917 auf ganze Berge von Knochen und Schädeln und der Sanitätsoffizier Armin Wegner fotografierte viele Stätten des Grauens. Bereits im Juli 1915 hatte der deutsche Vizekonsul von Samsun notiert: „Es handelt sich um die Vernichtung oder gewaltsame Islamisierung eines ganzen Volkes."

Es gibt eine Vielzahl von Dokumenten deutscher Diplomaten oder Offiziere, die von den Gräueltaten der Jahre 1915 und 1916 berichten. Sie waren vor allem von der sadistischen Gewalt schockiert, die in aller Öffentlichkeit und mit deren Mithilfe verübt wurde: Menschen wurden lebendig zersägt, an Fleischerhaken aufgehängt, auf Pfähle gespießt, gekreuzigt, gehäutet oder bei lebendigem Leib begraben; Mädchen wurden die Brüste abgesäbelt und Knaben kastriert, kleine Kinder in Stücke geschnitten und Säuglingen die Finger abgehackt.

An diesem ersten großen systematischen Genozid des 20. Jahrhunderts hatte das Deutsche Reich seinen Anteil: Zum einen wäre ohne die militärische und logistische Hilfeleistung an das Osmanische Reich der Genozid so nicht möglich gewesen. 800 deutsche Offiziere waren zur Unterstützung des türkischen Militärs im Krieg gegen Russland oder Großbritannien entsandt worden.

Zum anderen aber – und das war für mich unfassbar zu lesen – ging die Ausrufung des Dschihad auch auf das Konto Berlins: Mit Unterstützung des Deutschen Reiches wurde der religiöse Hass auf die „Ungläubigen" neu geschürt.

Im Zuge eines säkularen Denkens war der „Heilige Krieg" im 19. Jahrhundert etwas aus der Mode gekommen. Jedenfalls führte das Osmanische Reich sowohl den Russisch-Türkischen Krieg als auch die letzten Balkankriege nicht mehr als „Dschihad". Im Ersten Weltkrieg jedoch drängte das Deutsche Reich auf die Ausrufung eines „Heiligen Krieges". In Berlin hatten Islam-Experten das Konzept einer Mobilmachung im Namen des Islam erarbeitet. Der Diplomat und Geheimdienstler Max von Oppenheim (Spitzname: „Abu Dschihad" = Vater des Heiligen Krieges) schlug dem Deutschen Kaiser folgende Strategie vor: Die Ausrufung eines Glaubenskrieges sollte die muslimische Bevölkerung, die im britischen oder russischen Herrschaftsbereich lebte, zu Aufständen anreizen – und damit militärische Kräfte der deutschen Feinde binden.

Zu diesem Zweck ließ die deutsche Kriegspropaganda in Berlin Flugblätter mit dem Aufruf zum „Heiligen Krieg" drucken und in Istanbul und selbst in Persien verteilen. Das Auswärtige Amt in Berlin gab das wöchentliche Blatt „Al-Dschihad" heraus und deutsche Konsulate errichteten im Osmanischen Reich zahlreiche Lesesäle, um die Idee des Heiligen Krieges zu propagieren.

Auf deutschen Wunsch hin veranlasste die türkische Regierung, dass die Ausrufung des Heiligen Krieges öffentlich in Szene gesetzt wurde. Der Scheich ul-Islam als höchste theologische Autorität unterzeichnete eine Fatwa und der Sultan forderte zur Teilnahme am großen Glaubenskrieg auf: Jetzt durfte in den islamischen Ländern das Blut der Ungläubigen ungestraft vergossen werden! Die Muezzins riefen auf den Minaretten zum Mord an den Christen auf und in den Moscheen trug man den weißen Turban zum Zeichen, dass man in den Heiligen Krieg zog.

Am 19. November 1914 wurde im sunnitischen Medina die grüne Kriegsfahne des Propheten Mohammed entrollt und im schiitischen Kerbela das Schwert Husseins in einer Prozession mitgeführt. Ein weiterer Propagandatrick: Man streute im Osmanischen Reich das Gerücht aus, der deutsche Kaiser habe sich zum Islam bekehrt und trüge nun den Namen „Hadschi Wilhelm Mohammed"!

Der berühmte holländische Islamwissenschaftler Hurgronje warnte Deutschland vor diesem Spiel mit dem Feuer: Denn wenn der religiöse Fanatismus wieder entfesselt würde, wären die im Osmanischen Reich einheimischen Christen die ersten Opfer. Hurgronje sollte nur allzu recht behalten: Denn die muslimische Bevölkerung verstand den Aufruf zum Dschihad als Kampfansage an die „Ungläubigen", die zur Annahme des Islam gezwungen werden müssten. Von der deutschen Propagandamaschinerie unterstützt begann nun ein grässliches Schlachten an der christlichen Urbevölkerung. Neben den Türken folgten auch kurdische Stammesführer und ihre Clans mit größtem Eifer dem Aufruf zum Dschihad durch Plündern und Vergewaltigungen von Frauen und Kindern. Selbst die sonst heiliggehaltene Gastfreundschaft galt im „Heiligen Krieg" nichts mehr: Kurden nahmen Christen während der Verfolgung in ihre Häuser auf unter dem Vorwand, dass sie dort sicher seien – und stachen sie dann kaltblütig ab.

Auch amerikanische Diplomaten berichteten von unsäglichen Grausamkeiten, mit denen die Griechen, Aramäer und Armenier hingemetzelt wurden. Der religiöse Extremismus verband sich mit den niedrigsten sozialen Instinkten. Diese barbarische Vernichtung geschah unter breiter Beteiligung der muslimischen Bevölkerung. Und diejenigen Muslime, die vielleicht den Christen geholfen hätten, wurden von Gesetzen bedroht: Wer einen Armenier beschützte, war hinzurichten. Ja, der religiöse Gehorsam gegenüber Gott sollte dadurch unter Beweis gestellt werden, dass man jene Armenier tötete, mit denen man befreundet war.

Über das deutsche Militär und vor allem durch die zahlreichen Berichte von deutschen Diplomaten war Berlin bestens darüber informiert, was im Osmanischen Reich geschah. Doch die Regierung schloss die Augen vor dem Genozid und der Reichskanzler Bethmann Hollweg betonte am 7. Dezember 1915: „Unser einziges Ziel ist es, die Türkei bis zum Ende des Krieges an unserer Seite zu halten, ob darüber Armenier zugrunde gehen oder nicht." Um Veröffentlichungen über die Christenausrottung im Osmanischen Reich zu verhindern, beauftragte das Auswärtige Amt in Berlin eigens Journalisten mit der Vertuschung solcher Nachrichten. Noch ein Schandfleck: Auch die deutschen Kirchen vergaßen weitgehend ihre Glaubensgeschwister, die einem national-religiösen Wahn zum Opfer fielen.

Nach dem Ersten Weltkrieg wollte man in Deutschland über eine Mitverantwortung am Völkermord in der Türkei lieber nicht reden. Und die Türkei selbst tat alles, um den Genozid zu vertuschen. Im Krieg, so heißt es, ist die Wahrheit das erste Opfer. Beim Völkermord ist die Wahrheit auch das letzte Opfer: Nach der Auslöschung einer ganzen Bevölkerungsgruppe versuchen die Täter, das Verbrechen zu verschleiern, zu verharmlosen oder völlig zu leugnen.

Völlig zu Recht findet man in Deutschland ungezählte Gedenkstätten für jüdische Synagogen und Friedhöfe, Stolpersteine und Mahnmale, die an den Völkermord an den Juden erinnern. Ähnliches sucht man in der Türkei vergeblich. Im Gegenteil: Die Türkei investierte große Geldsummen, um Historiker, die den Völkermord erforschten, zu diskreditieren. Spuren wurden verwischt: Über 10 000 Ortsnamen, aber auch Namen von Flüssen und Gebirgen, die an einen armenischen Ursprung erinnern, wurden getilgt und durch türkische ersetzt. Im Jahr 1934 wurden alle Nicht-Muslime zwangsumbenannt und erhielten türkische Familiennamen. Kirchen wurden zu Moscheen umfunktioniert, zu Viehställen und öffentlichen Toiletten. Kirchenruinen wurden als Ziel für die Schießübungen der türkischen Artillerie genutzt, die verbliebenen Grundmauern als Steinbruch für den Bau türkischer Häuser. Die typisch armenischen Wegkreuze wurden zerschlagen. Selbst bei den „Renovierungen" historischer Gebäude beseitigte man die Hinweise, die den armenischen Ursprung der Gebäude verraten könnten.

Obwohl durch den Roman „Die letzten Tage des Musa Dagh" von Franz Werfel die Vernichtung der Armenier in den westlichen Ländern einer breiteren Öffentlichkeit bekannt geworden war, wurde das Werk aufgrund türkischer Interventionen – bis auf den heutigen Tag! – wenigstens nicht verfilmt. In türkischen Schulbüchern ist immer noch zu lesen, dass der Genozid eine haltlose Behauptung sei. Armenische und aramäische Christen werden als Verräter und Barbaren bezeichnet; Kirchen und Synagogen seien „schädliche Einrichtungen". Im Jahr 2009 behauptete Ministerpräsident Erdogan, dass es kein einziges Dokument gebe, das den Genozid an den Armeniern beweise. Er versprach, gegen die Lügenmaschinerie zu kämpfen, die der Türkei einen Völkermord anhängen wolle. Selbst ein Teil der intellektuellen Elite in der Türkei beharrt immer noch auf der Leugnung des Genozides. Und die Vernichtung der verbliebenen christlichen Kulturgüter wird von vielen geradezu triumphalistisch bejubelt.

Während es in Deutschland unter Strafe steht, den Genozid an den Juden zu leugnen, wird man in der Türkei mit bis zu fünf Jahren Haft bestraft, wenn man auf den Völkermord an den Armeniern hinweist. Als Frankreich den Völkermord offiziell als solchen anerkennen wollte, drohte die Türkei mit Wirtschaftssanktionen. Schnell ließ man das Gesetzesvorhaben wieder in der Schublade verschwinden. In Deutschland knickte im Jahr 2005 die Landesregierung von

Brandenburg ein und strich auf Druck der türkischen Botschaft den Hinweis auf den Genozid an den Armeniern aus dem schulischen Lehrplan. Im Jahr 2015 gedachten verschiedene Regierungen des Genozids an den Armeniern – worauf die Türkei heftig Gift sprühte. Weil Papst Franziskus von „Völkermord" sprach, zog die Türkei ihren Botschafter im Vatikan ab. Erdogan unterstellte dem Papst, er rede Unsinn. Und der türkische Ministerpräsident behauptete, der Papst würde damit den Rassismus in Europa fördern. Es gab sogar eine ganze Reihe von Aufforderungen, den Papst zu ermorden.

Geradezu lächerlich wirkt das Argument deutscher Politiker, dass man die Ausrottung der Armenier nicht als „Genozid" bezeichnen darf, weil die UNO erst 1948 definiert habe, was als solcher gelten kann. Ist diesen Politikern entgangen, dass Anlass und Maßstab für diese Definition der UNO ja gerade die Vernichtung der armenischen und aramäischen Christen war!?! Im Jahr 1921 stieß der jüdisch-polnische Jurist und Historiker Lemkin auf die Massenvernichtung der Armenier und aramäischen Christen und nannte diese Vernichtung „barbarische Verbrechen". Er forderte ein internationales Gesetz gegen Rassen- und Religionsmord und reichte bereits 1933 beim Völkerbund den Entwurf für eine solche Konvention ein. Weitsichtig erkannte Lemkin, dass die massenhafte Ermordung der Armenier und Aramäer auch anderen Regimen zum Vorbild dienen könnte – darum müssten solche Verbrechen international geächtet werden. Und in der Tat: Adolf Hitler stellte 1939 bei der Präsentation seiner Pläne zur Judenvernichtung die Frage: „Wer redet heute noch von der Vernichtung der Armenier?" 1943 prägte Lemkin ein neues Wort für diese furchtbaren Taten: „Genozid". Im Jahr 1948 wurde die von ihm initiierte Konvention von der UNO verabschiedet.

Ungeachtet all dieser Tatsachen warnte im Jahr 2015 das Auswärtige Amt – mit Rücksicht auf den NATO- und Wirtschaftspartner Türkei – davor, die Massenvernichtung der Armenier im Jahr 1915 als Völkermord zu bezeichnen. Einige Politiker ließen sich freilich nicht einschüchtern. Der Präsident des Deutschen Bundestages

Norbert Lammert stellte klar: „Das, was mitten im Ersten Weltkrieg im Osmanischen Reich stattgefunden hat, war ein Völkermord.“ Und der CDU-Politiker Norbert Röttgen fand die mutigen Worte: „Heute beenden wir das Verdrängen und Vertuschen.“ Und schließlich: Am 2. Juni 2016 verabschiedete der Deutsche Bundestag – trotz der Drohungen durch die Türkei – eine Resolution, die die massenhafte Ermordung von Armeniern im Ersten Weltkrieg als „Völkermord“ bezeichnet. Und das, ohne die Mitschuld des Deutschen Reiches zu verschweigen.

Warum hat die Türkei so viel Angst vor ihrer Geschichte? Zum einen, weil man ja eventuell zu Reparationszahlungen verpflichtet wäre – so wie die Deutschen gegenüber den Juden und dem Staat Israel. Zum anderen, weil ein Schuldeingeständnis der Ehre des Türkentums schaden würde. Darüber hinaus spielt wohl noch ein anderer Grund für die hartnäckige Leugnung des Völkermordes durch die Türken eine Rolle: Der Genozid an den christlichen Völkern Kleinasiens war auch *religiös motiviert!* Bei einer Aufarbeitung des Völkermordes müsste man sich daher mit dem Christenhass auseinandersetzen, der im Islam immer wieder aufbricht. Man wäre gezwungen, an die Wurzeln der bestialischen Grausamkeit zu rühren, die sich in der Geschichte des Islam wie ein Muster wiederholt. Die Ursachenforschung dürfte auch vor dem Religionsstifter des Islam, dem Propheten Mohammed, nicht Halt machen. So gälte beispielsweise kritisch in den Blick zu nehmen, dass auch Mohammed einen jüdischen Stamm ausrotten ließ: Er ließ alle wehrfähigen Männer des Stammes Banu Qureiza enthaupten und die Frauen und Kinder versklaven.

Das freilich ist ein Tabu: Der Koran und das Vorbild des Propheten Mohammed gelten als sakrosankt. Jede Kritik wird als Beleidigung des Islam und des Propheten aufgefasst und blutig geahndet. Wenn jedoch das Vorbild nicht in Frage gestellt werden darf, wird es blinde Nachahmer geben: Solange die Wurzeln der Gewalt tabuisiert werden, droht sich diese Gewalt endlos zu reproduzieren! Wer die begangene Gewalt leugnet, bleibt ihr verhaftet.

Die Weigerung, sich mit ihrer nationalistischen Gründungsidee kritisch auseinanderzusetzen, ist einer der Gründe dafür, dass die Türkei bis heute etwa in der Kurdenfrage keinen Frieden findet. Darüber hinaus gilt wohl auch: Die hartnäckige Leugnung des Genozids an den Christen 1915 ist dafür mitverantwortlich, dass sich heute ähnliche Verbrechen wieder ereignen können: Viele Armenier, deren Vorfahren genau vor 100 Jahren nach Syrien geflüchtet waren, werden von Dschihadisten – wieder im Namen des Islam – erneut vertrieben. Ausgerechnet in der durch Franz Werfels Roman berühmt gewordenen Region: Am 21. März 2014 griff eine radikal-islamische Gruppe der „syrischen Opposition" die mehrheitlich von Armeniern bewohnte syrische Kleinstadt Kassab an, die nur wenige Kilometer vom Musa Dagh entfernt liegt. Abermals wurden Christen zwangsislamisiert, als Geiseln genommen, gefoltert, vergewaltigt und ermordet!

Damit die Wunden eines Verbrechens heilen können, braucht es das Eingeständnis der Tat und die Bitte um Vergebung, etwa gegenüber den Nachkommen der Opfer. Und das Bemühen um „Wiedergutmachung", auch wenn diese für die Verstorbenen natürlich zu spät kommt. Was verdrängt und verleugnet wird, verwandelt sich in Schatten und Spuk, die zu zwanghafter Wiederholung des Verbrechens drängen. Ein jüdisches Sprichwort, das für den Umgang der Deutschen mit dem Völkermord an den Juden wegweisend wurde, lautet: „Das Geheimnis der Erlösung heißt Erinnerung." Nur im Gedenken und Nachdenken über das Geschehene können Mechanismen des Bösen offengelegt und bekämpft werden. Auch die christlichen Kirchen haben sich lange schwer damit getan, den christlichen Anteil am Antisemitismus einzugestehen und aufzuarbeiten. Mir scheint: Die Aufgabe, den religiösen Anteil an Diskriminierung und Gewalt schonungslos offenzulegen und zu eliminieren, stellt sich heute dem Islam mit großer Dringlichkeit!

Viele türkische Historiker und Schriftsteller fühlen sich dieser Aufgabe verpflichtet. Oft aber geraten sie und vor allem die Journalisten unter Druck, wenn sie den ideologischen Missbrauch des Islam anprangern oder auf die Gräuel hinweisen, die etwa an den Armeniern begangen wurden. Ich habe in der letzten Zeit erleichtert zur Kenntnis genommen, dass die Einschränkung der Pressefreiheit in der Türkei von den deutschen Medien sehr aufmerksam wahrgenommen wird. Und in der Tat: Die in der Türkei inhaftierten Journalisten verdienen unsere Solidarität!

Zuvinar holt ihr Handy und zeigt mir Bilder von Deir ez-Zor: eine völlig zerbombte Straßenflucht und mittendrin, mit einem roten Kringel gekennzeichnet, das Haus, in dem sie aufgewachsen ist. Heute eine Ruine. Und dann ein Bild von der Gedächtniskirche, die an den Völkermord erinnern sollte. Beim Einweihungsfest dieser Kirche hatten sich Garo und Zuvinar kennengelernt.

In Deir ez-Zor, wo sich das größte KZ für die Armenier befunden hatte, sollten eine Kirche, ein Mahnmal und ein Archiv an die Gräuel von 1915/16 erinnern. Menschliche Skelette, die aus den Höhlen geborgen worden waren, wurden sichtbar unter Plexiglas beigesetzt. Doch der IS eroberte Deir ez-Zor und jagte Kirche und Gedenkstätte am 21. September 2014 in die Luft – also ganz bewusst am armenischen Unabhängigkeitstag. Ich vermute, dass auch diese Aktion dem IS bei der türkischen Regierung Pluspunkte eingebracht hat.

Man stelle sich vor, die Gedenkstätte von Auschwitz oder Yad Vashem wäre gesprengt und dem Erdboden gleichgemacht worden: Welch Aufschrei wäre zu Recht durch die ganze Welt gegangen! Wie verletzend muss es für die Christen aus dem Orient sein – und vor allem für die Hinterbliebenen der Opfer des Genozides von 1915, dass die Weltöffentlichkeit die Vernichtung ihrer Gedächtnisstätte mit Stillschweigen übergangen hat.

Der zwölfjährige Agob erzählt mir, dass er bei seinem Besuch in Deir ez-Zor auch Orte besucht hat, wo Tausende seiner Vorfahren hingeschlachtet worden sind. Und wenn man das Gras, das dort wächst, zwischen den Finger zerreibt, würde es nach Blut riechen.

Ich lasse diesen Satz des Jungen kommentarlos stehen und denke bei mir: Ich weiß nicht, ob das Gras wirklich nach Blut riecht. Aber ich bin sicher, dass über die Gräuel der Armeniervernichtung kein Gras wachsen darf!

15. Eine Sprache verstummt

„Eloi, Eloi, lema chabachtuni!" Wenn ein Geflüchteter aus Karakosch mit diesen Worten seufzt, dann ist dies kein fremdsprachiges Zitat aus der Bibel, sondern ein Stoßseufzer in seiner aramäischen Muttersprache: „Mein Gott, mein Gott, warum hast du mich verlassen?" Und wenn ein Vater seine kleine Tochter auffordert, sich endlich aus dem Bett zu erheben und zur Schule zu gehen, dann ruft er: „Talita kumi! Mädchen, steh auf!" Mit genau denselben Worten weckte Jesus ein totgeglaubtes Mädchen wieder auf, weil er an das Leben dieses Kindes glaubte: „Talita kumi!" Wie eine kostbare Sprachreliquie überliefern die Autoren des Neuen Testamentes diesen Ausdruck als O-Ton Jesu. Die aramäische Muttersprache Jesu wurde für Jahrhunderte auch zur Muttersprache vieler Christen im Nahen Osten.

Noch ist Aramäisch keine tote Sprache, sondern hat sich in christlichen Restgebieten gehalten. Die größte aramäisch sprechende Bevölkerungsgruppe lebte bis 1915 in einem ziemlich homogenen Siedlungsgebiet in Obermesopotamien mit Ausläufern bis in die Mossul- und Urmia-Ebene. Diese Gegend liegt heute im Dreiländereck von Türkei, Iran und Irak. Die „Suryani" bewohnten damals etwa 500 Dörfer und einige kleinere Städte. Dazu kam noch ein beträchtlicher Bevölkerungsanteil an aramäischen Christen in der Großstadt Mossul. Während des Ersten Weltkrieges wurde ein Großteil dieser etwa 500 000 Christen ermordet oder vertrieben. Die Überlebenden siedelten vor allem in Dörfern, die sich nach der Auflösung des Osmanischen Reiches auf drei Länder verteilten: Türkei, Iran und Irak.

Neben diesen Sprachinseln finden sich noch in Syrien zwei winzige Landstriche, in denen ein aramäischer Dialekt gesprochen wird: ein paar wenige Dörfer in einem Gebirgszug nordöstlich von Damaskus und die „Kampi" am Chabur-Fluss.

Bis vor kurzem existierten also noch fünf Gebiete, in denen ein aramäischer Dialekt gesprochen wurde – doch auch diese Sprachschätze werden wie fünf Lichter nach und nach gewaltsam ausgelöscht. Und mit der Sprache geht eine uralte christliche Kultur verloren. Auch hier ein Countdown der Vernichtung – und mit dieser Zerstörung von Vielfalt wächst die Nacht der Barbarei.

Fünf: Der *Tur Abdin*, im Südosten der heutigen Türkei gelegen: eine karge Landschaft, eher hügelig als ein Gebirge, von fruchtbaren Tälern durchzogen. Nach Süden hin fällt das Hochplateau steil ab und man schaut in die weiten Ebenen von Mesopotamien. Der Name „Tur Abdin" bedeutet „Berg der Knechte (Gottes)" und weist darauf hin, dass in diesem uralten christlichen Siedlungsgebiet einst viele Eremiten ein karges und ausgesetztes Leben führten. In etwa 80 Klöstern und zahlreichen Eremitagen lebten im Tur Abdin in Spitzenzeiten Zehntausende von Mönchen mit einer berühmten theologischen Schule. Während des Genozides 1915/16 wurden im Tur Abdin etwa 30 000 aramäische Christen niedergemacht, unter diesen auch sämtliche Mönche des berühmten und ältesten Klosters Mor Gabriel.

Die überlebende Bevölkerung zählte um 1960 rund 200 000 Christen, wobei das Gebiet von Dörfern durchsetzt und umgeben war, die – noch aramäischsprachig – zwangsislamisiert worden waren oder nach der Vertreibung der Christen vor allem von Kurden bewohnt werden. Diese drangsalierten die Christen über Jahrhunderte durch Razzien und Raubüberfälle. In jüngerer Zeit gerieten die aramäischen Christen zwischen die Mühlsteine des Krieges, den türkische Regierungstruppen gegen aufständische Kurden führten. Das Leben der traditionell unbewaffneten Christen wurde durch Gewalt und fortgesetzte Diskriminierung immer unerträglicher. Nicht einmal die Entführung von Mädchen und deren Zwangsislamisierung oder die Morde an Christen wurden durch die türkischen Gerichte strafverfolgt. Der allergrößte Teil der Urbevölkerung wanderte aus, nach Europa, Amerika, Australien … und zerstreute sich. Die Sprache, Kultur und das syrisch geprägte Christentum gingen fast gänzlich verloren.

Und die wenigen Verbliebenen? Noch bestehen sechs Klöster, darunter das bedeutende Mor Gabriel. Knapp 2000 Christen dürften in der Gegend von Tur Abdin noch leben. Tendenz: weiter sinkend. Denn die Schikanen reißen nicht ab. Es gab zwar ein kleines Hoffnungszeichen, als 2001 der türkische Premierminister Ecevit die aramäischen Christen zur Rückkehr in ihre Heimat einlud. Konkret erwies sich dies als sehr schwierig, denn Kurden hielten die Häuser der Christen besetzt und terrorisierten ihre letzten christlichen Nachbarn. Zudem hat sich der politische Wind etwa im Wahlkampf 2015 wieder mehr in Richtung Islamisierung und Vertreibung der Christen gedreht.

„Assimilation ist ein Verbrechen gegen die Menschlichkeit", betonte der damalige türkische Ministerpräsidenten Erdogan im Jahr 2010 in seiner „Kölner Rede". Zu Recht forderte Erdogan Minderheitenschutz für die muslimischen Türken in Deutschland. Zugleich diskriminiert die türkische Regierung die christliche Minderheit in der Türkei, die vor allem durch den Genozid 1915 von einem Bevölkerungsanteil von über 20 Prozent auf einen Bruchteil von einem Prozent zurückgegangen ist. Den wenigen Verbliebenen setzt man bis heute zu – durch zahlreiche Schikanen wie etwa dem Verbot von Priesterausbildung oder Kirchenbau bzw. –renovierung. So durfte seit 1923 in der Türkei keine einzige Kirche mehr gebaut werden. Schlimmer noch: Auch im Jahr 2016 wurden wieder einige der wenigen verbliebenen Kirchen verstaatlicht!

Vor ein paar Jahren musste sich das Kloster Mor Gabriel vor Gericht gegen die Beschlagnahmung des Grundbesitzes wehren. In erpresserischer Weise erhöhten die Behörden den Druck auf das Kloster, als aramäische Christen auch international versuchten, auf den Genozid von 1915/16 aufmerksam zu machen: Die Erinnerung an das vergangene Unrecht sollte mit neuem Unrecht erstickt werden.

Seit Neuestem muss sich das Kloster gegen massive Gerüchte zur Wehr setzen, die in der Bevölkerung ausgestreut wurden: Die Kirche des Klosters sei auf den Fundamenten einer Moschee erbaut. Und daher müsse die Kirche abgerissen und die Moschee wiedererrichtet werden. Dass die Kirche nachweislich aus dem Jahr 397 stammt und der Islam erst Jahrhunderte später entstanden ist: Solche Argumente lassen sich in einer aufgeheizten Situation kaum vermitteln. Die lokalen türkischen Behörden schüren bis heute die Auseinandersetzungen, um auch noch die restlichen aramäischen Christen aus ihrer angestammten Heimat zu vertreiben.

Vier: Im Iran leben – oder besser: sterben – *in der Ebene von Urmia*, nahe der türkisch-irakischen Grenze, die letzten aramäischen Gemeinden. Im Jahr 1960 zählte man in Persien etwa noch 60 000 Aramäer. Eine franziskanische Ordensgemeinschaft gründete dort im Jahr 1968 eine kleine Niederlassung. Luca, einer der Ordensbrüder, hat über die Jahre hinweg ein „Tagebuch“ geschrieben, das er mir anvertraut. So erfahre ich aus erster Hand über die Christen im Iran.

> *Shirabad, 20. Oktober 1968*
> *Das Dorf Shirabad, wo wir seit ein paar Wochen leben, liegt in einer märchenhaft schönen Landschaft: Im Osten schauen wir auf die stillen Wasser des riesigen Urmia-Sees und nach Westen hin auf die hohen und stolzen Berge Kurdistans, die uns von der Türkei trennen. Ich fühle mich wie in eine andere, biblische Zeit versetzt: Die Häuser sind aus Lehm und die Frauen holen mit ihren Krügen das Wasser vom Brunnen. Seit unserer Ankunft bemühen wir uns, die Sprache der Dorfbewohner zu erlernen, jene Sprache, die auch Jesus durch Nachplappern auf dem Schoß Marias erlernt hat. Unsere beste Sprachschule ist die gemeinsame Arbeit: Wir lassen uns als Tagelöhner beschäftigen und helfen mit beim Häuserbau, in den Obstplantagen, Weinbergen und bei der Getreideernte. So versuchen wir, das Leben der Menschen zu teilen und mit ihnen Freundschaft zu schließen.*

In dieser Gegend gibt es noch etwa 30 kleine Dörfer, in denen aramäische Christen leben. Sie heißen hier auch „Chaldäer" und es finden sich vielleicht noch insgesamt 6000 christliche Bewohner, deren Zahl jedoch ständig sinkt. Ihr werdet fragen: Warum? – Sie fühlen sich wie Fremde, obwohl sie hier seit vielen Jahrhunderten daheim sind. Und je mehr weggehen, umso schwieriger wird es für die Bleibenden.
Politisch herrscht eine relativ große religiöse Toleranz. Aber im Alltag lässt man die Christen spüren: „Ihr gehört nicht zu uns. Ihr habt hier nichts zu suchen!" Insgesamt schätzt man, dass in ganz Persien nur noch 40 000 Chaldäer leben; viele davon in den großen Städten wie etwa Teheran, wo sie Arbeit finden – und ihre Sprache und Kultur verlieren. Auch in Shirabad verdunstet die christliche Kultur, denn für die wenigen Christen gibt es kaum Gottesdienste oder Vermittlung von Glaubenswissen. Die Großeltern kennen noch die ganze Bibel – es ist ihre Welt –, aber die nächste Generation hat diese Wurzeln verloren. Wir wollen versuchen, sie mit ihrem Glauben durch Bibelgespräche und Religionsunterricht wieder mehr vertraut zu machen.

Shirabad, 18. Dezember 1974
Seit der iranischen Revolution vor fünf Jahren werden wir von der muslimischen Propaganda überflutet, die eine fanatische Sichtweise des Islam durchsetzen will. Die christlichen Kinder müssen in den Schulen einen islamischen Katechismus lernen. Im Fernsehen wird verkündet, dass Schweine und Nichtmuslime unrein sind. Selbst die einfachen Dorfbewohner spüren eine höhere Aggressivität, wenn sie etwa zum Einkauf nach Urmia kommen. Alte Erinnerungen holen die Christen wieder ein: In Urmia wurden im Jahr 1918 auf dem Kirchplatz 5000 Gläubige ermordet, unter ihnen zwei Bischöfe und 15 Priester. Darüber hinaus sind 30 000 aramäische Christen, die vor den Massakern nach Urmia geflüchtet waren, dort an Hunger und Seuchen gestorben. Ja, es gibt Freundschaften zwischen

Muslimen und Christen. Aber jetzt fragen sich die Christen besorgt, ob in dem Freund nicht auch ein möglicher Verfolger schläft, der wieder erwachen könnte … Bei der Arbeitssuche hat man als Christ kaum noch eine Chance. In der Schule wird in vielen Fächern, von Geschichte bis zur Literatur, das Christentum in einem schlechten Licht dargestellt. Die christlichen Kinder dürfen nicht aus demselben Wasserhahn trinken wie ihre muslimischen Mitschüler. Und bei einem Wolkenbruch darf sich ein Christ nicht an einem muslimischen Haus unterstellen – weil dieses sonst unrein wird. Ein Christ ist einfach weniger wert – etwa bei einem Autounfall zahlt die Versicherung beim Tod eines Christen nur zehn Prozent dessen, was sie beim Tod eines Schiiten zahlt. Wir haben kein Recht mehr, eigene Zeitschriften zu drucken, und selbst die Fotokopien von Liedblättern für den Gottesdienst müssen durch die Zensur. Neulich wurde ein Blatt abgelehnt, weil sich darauf die Formulierung fand: „Sohn Gottes". Die einheimischen Christen bekommen überall zu spüren, dass sie nicht mehr dazugehören; sie kommen sich vor wie Fische, die man an Land geworfen hat.

Shirabad, 15. Oktober 1988
Ein junger Christ, noch keine dreißig Jahre alt, wurde angeklagt, er habe mit einer Muslima Sex gehabt. Darauf steht die Todesstrafe. Fast zwei Jahre lang saß er im Gefängnis und wurde gefoltert. Das Angebot, das ihm gemäß dem Gesetz gemacht wurde, war sehr verlockend: Du musst nur Muslim werden, dann bist du frei. Der Mann wollte sich auf diesen ungerechten Deal nicht einlassen. Ich konnte ihn in den Tagen vor seiner Hinrichtung durch den Strang besuchen und war tief beeindruckt von seinem spirituellen Weg. Er wollte seinem Glauben treu bleiben und auch für die beten, die ihn ungerechtfertigt verurteilten.
Der Gottesdienst zu seinem Gedenken war sehr bewegend: Die Christen hier feierten ihn als einen Märtyrer aus ihren Reihen. Die Geschichte ihrer Kirche, ihre Liturgie und auch das Lebensgefühl

und die Spiritualität der Gläubigen sind vom Martyrium tief geprägt.
Das Außergewöhnliche dieses Tages war: In einer Umgebung, in der ständig von Rache die Rede ist – etwa die Rache für die Toten im Krieg gegen den Irak, für die Opfer der Attentate und selbst für die kleinsten Dinge, in einer Welt, in der die politische Propaganda ständig Hass sät und von Rache auch im Namen des Gesetzes gesprochen wird: Dort geht die kleine christliche Gemeinde den Schritt der Vergebung. Die Gläubigen tun dies nicht aus Ohnmacht heraus, weil sie sich nicht rächen können, sondern ganz bewusst, als spezifisch christliche Haltung, als Zeugen der Vergebung Christi. Der Gottesdienst und die gesamte Atmosphäre dieser Tage haben mich erschüttert. Ich habe den Eindruck, auf einem Atoll des Friedens zu leben – inmitten eines unpazifischen Ozeans.

Beim Lesen des Tagebuchs denke ich: Eine Sprache verstummt. Aber diese Botschaft von Vergebung und Versöhnung darf nicht verstummen! Über Skype erzählt Luca, dass im Jahr 2016 in Shirabad nur noch eine einzige christliche Familie lebt – unter 220 muslimischen Familien (vor 50 Jahren lebten in Shirabad 65 chaldäische Familien und eine muslimische). Auch alle anderen aramäischen Dörfer werden inzwischen ausschließlich von Kurden bewohnt; die Kirchen zerfallen und stattdessen werden Moscheen gebaut. Nur in den großen Städten gibt es noch chaldäische Christen, deren Zahl auf weniger als 10 000 gesunken ist. Nach fast zweitausendjähriger Präsenz werden die Chaldäer bald ganz verschwunden sein. In Urmia lebt noch ein chaldäischer Bischof. Er wird wohl der letzte sein. Sein wichtigster Dienst: den zurückgebliebenen alten Aramäern das letzte Geleit zu geben.

Dies muss in aramäischer Sprache geschehen – denn den christlichen Priestern im Iran ist es strengstens verboten, in der Landessprache Persisch zu predigen, obwohl diese längst auch die Umgangssprache der städtischen Christen geworden ist. Doch das

Evangelium darf nicht auf Persisch verkündet werden – allzu groß ist wohl die Angst der Mullahs, dass ihre Gläubigen von der Botschaft des Christentums fasziniert sein könnten. So werden die letzten aramäischen Christen vom Staat dazu gezwungen, in ihrer sterbenden Sprache zu sterben.

Drei: Vom Schicksal der irakischen Stadt *Karakosch* habe ich bereits berichtet. Dort und in den umliegenden Dörfern wurde bis zur Besetzung durch den IS im August 2014 aramäisch gesprochen. Für diese immer noch große Bevölkerungsgruppe der Ninive-Ebene war sogar eine eigene Universität geplant. Doch diese Hoffnung wurde durch den IS zunichtegemacht.

Zwei: Seit 1934 siedeln viele aus dem Hakkari-Gebirge vertriebene Bergassyrer in *34 Dörfern am Chabur-Fluss in Syrien.* Der Staat Syrien bot seit Jahrzehnten für viele Christen aus der Türkei, dem Iran oder dem Irak den letzten Zufluchtsort. Doch der Strudel der politischen Ereignisse riss auch Syrien in einen mörderischen Bürgerkrieg, von dem vor allem radikal-islamische Gruppen profitierten: So konnte beispielsweise der Islamische Staat große Gebiete erobern und seinem erbarmungslosen Diktat unterwerfen.

Auch aus einem Dorf am Chabur-Fluss sind Christen nach Leipzig geflüchtet. Ich verdanke es der Aufmerksamkeit Yousifs, dass ich eine Flüchtlingsfamilie von dort kennenlernen kann. Gleich bei meinem ersten Besuch werde ich mit der Not dieser Menschen konfrontiert.

Isaak wirkt verstört. Er versteckt sich hinter dem Tisch und wirft mir manchmal einen verstohlenen Blick zu. Ich versuche, ihn mit einem Lächeln zu locken, doch es gelingt mir nicht. Der vierjährige Junge muss Schlimmes erlebt haben. Auch seinem Vater Nabil merke ich große seelische Belastungen an; er redet schrecklich laut und vielleicht kommt es mir noch lauter vor, weil ich kein Wort verstehe. Yousif übersetzt, was mir der neu angekommene Flüchtling aus Syrien darlegen will. Auch mit Nabil finde ich kaum Blickkontakt; er wirkt sehr angespannt und nervös. Nabil spricht ursprünglich aramäisch, beherrscht aber auch das Arabische. Eigentlich wollte ich heute mit Hilfe von Yousif die Anmeldung von Isaak für einen Kindergarten vorbereiten. Doch vor wenigen Stunden hat Nabil erfahren, dass sein Bruder, seine Schwägerin und deren drei Kinder vor der türkischen Küste ertrunken sind. Nabils Frau Lilian sitzt auf dem Sofa in sich versunken und beginnt wieder zu weinen. Eine fürchterliche Situation und ich fühle mich so hilflos. Auch Yousif sitzt stumm da und starrt auf das Smartphone, das ein Bild des kleinen Bootes zeigt. Dieses Foto hatte Nabils Bruder noch kurz vor der Überfahrt geschickt: eine winzige Nussschale, in der 18 syrische Flüchtlinge auf eine griechische Insel übergesetzt werden sollten. In ihrer Heimat sind sie mit knapper Not dem Tod entkommen. Und nun der Tod durch Ertrinken …

Nabil und seine Familie stammen aus Tel Tamer, wo sich sein Großvater 1934 niedergelassen hat, um sich eine neue Zukunft aufzubauen. In dieser halbwüstenartigen Gegend am Chabur-Fluss in Syrien gründeten die Geflüchteten blühende Dörfer, errichteten Schulen und Kirchen und schufen sich eine neue Heimstätte. Doch wieder nur vorübergehend: Am 23. Februar 2015 begann der Sturm des IS auf diese Dörfer. Nabil konnte mit Lilian und dem kleinen Isaak gerade noch entkommen. Auf abenteuerlichen Wegen durch die Türkei und Griechenland gelangten sie bis nach Deutschland und haben nach dem Aufenthalt im Asylbewerberheim jetzt in Leipzig-Grünau eine kleine Wohnung bezogen. Der Rest der Familie ist noch in Flüchtlingslagern. Oder auf dem Weg nach Europa. Oder ertrunken.

Als die Terroristen des IS die christlichen Dörfer überfielen, ermordeten sie zuerst einen Lehrer und einen Arzt und nahmen dann fast 300 Christen als Geiseln. Zunächst wurden sie bedroht: Sie müssten den Islam annehmen, wenn sie wieder freikommen wollten. Um ihrer Aufforderung Nachdruck zu verleihen, wurden 15 junge

Männer hingerichtet; dann wurden die schönsten Frauen an die Bandenführer der Terroristen verteilt. Für die anderen Geiseln wurden die Summen festgelegt, die zur Auslösung zu zahlen waren. In einem Brief an den Bischof von Hassake, Aprem Athnil, forderte der IS 50 000 Dollar pro Geisel. Das brachte den Bischof in schreckliche Gewissensnöte: Denn mit dem Geld würde man ja den Terrorismus gegen die Christen weiter finanzieren. Bischof Aprem geriet aber auch in Geldnöte und konnte nur wenige der Christen freikaufen. Bis heute ist das Schicksal von mehr als 200 Geiseln, die sich nach wie vor in der Gewalt des IS befinden, in einer tödlichen Schwebe.

Inzwischen hat der IS manche der Dörfer, die den verfolgten Christen seit 80 Jahren Heimat geboten hatten, verwüstet, die Kirchen zerstört, die Gräber geschändet: Selbst die Toten auf dem Friedhof finden keinen Frieden mehr. Nach dem Zurückdrängen des IS und der Rückeroberung wurden die Häuser der Christen teilweise durch die – von der Bundeswehr ausgebildeten und mit deutschen Waffen unterstützten – kurdischen Truppen geplündert oder besetzt gehalten. So wird auch dieses christliche Gebiet gewaltsam zerstört und seine aramäisch sprechenden Bewohner sind seit dem 23. Februar 2014 in alle Welt zerstreut.

Eins: Vor vielen Jahren hatte ich Gelegenheit, eine andere aramäische Sprachinsel zu besuchen: *Maalula*. Die Reise dorthin und die Begegnung mit diesem urchristlichen Ort haben sich mir tief eingeprägt.

Es ist August und die Hitze unerträglich. Wie kann man auch nur so verrückt sein, bei 45 Grad *im Schatten* mit dem Fahrrad durch die syrische Wüste zu strampeln, wo es gar keinen Schatten gibt? Wenigstens der Fahrtwind kühlt ein wenig und die Menschen am Straßenrand winken uns aufmunternd zu.

Im Sommer 1995 fuhr ich gemeinsam mit vier Freunden von Istanbul nach Jerusalem. Von Homs kommend radelten wir in der glühenden Hitze nach Süden durch eine kahle, verbrannte Wüstenlandschaft.

Unvergesslich, wie wir erschöpft an irgendeinem Haus an der Landstraße anhielten und mit Händen und Füßen fragten, ob wir auf dem Feld nebenan unsere Zelte aufschlagen dürften. Mit einem wunderbaren Lächeln und einer herzlichen Geste lud man uns dazu ein. Kaum standen unsere beiden Moskitozelte, da winkte uns der muslimische Hausherr, ihm zu folgen: Er zeigte uns fünf vorbereitete Betten und gab uns mit seinen wenigen englischen Worten zu verstehen, dass wir nun wählen könnten: im Zelt auf dem harten Boden schlafen – oder in den vorbereiteten Betten. Die Entscheidung lag auf der Hand und wir genossen nicht nur die Betten, sondern auch ein üppiges und wohlschmeckendes Abendessen.

Am nächsten Morgen brachen wir auf, beeindruckt von dieser großartigen Gastfreundschaft. Derart gestärkt und menschlich erfrischt konnten wir auch die Berglandschaft des Kalamun nordöstlich von Damaskus bezwingen. Am späten Vormittag näherten wir uns Maalula. Ein Dorf, hineingeschmiegt in eine enge Schlucht, die zwischen zwei Berggipfeln aufklafft. Der Legende nach war der Vater der heiligen Thekla darüber erzürnt, dass seine Tochter das Christentum angenommen hatte, und ließ sie verfolgen. Thekla flüchtete ins Gebirge, wo sich ein Berg spaltete und Thekla dadurch einen Fluchtweg eröffnete. „Maalula" ist aramäisch und heißt „Eingang".

Wir schoben die Fahrräder durch die malerischen Gassen, immer höher hinauf, bis zum Kloster der heiligen Thekla, das sich an eine hohe Felswand kauert, als wollte es sich schützen. Dann zogen wir uns lange Hosen und ein ordentliches Hemd über die Fahrradkluft und betraten das uralte Heiligtum, das uns mit einer erfrischenden Kühle empfing.

Drinnen tauchten wir in ein mystisches Dämmerlicht, das aus den Kuppeln in den Innenraum fiel. Ein paar Weihrauchschwaden schwebten in der Luft; sie machten das Licht sichtbar und erfüllten den Raum mit einem schweren, fremdartigen Duft. Ich stellte mich unter einen Kristallleuchter und schaute nach oben, ins Licht, das durch die Kuppelfenster drang.

Ich setzte mich in eine Bank und stellte meine Füße ganz bewusst auf jenen uralten Boden, auf dem das Christentum seit fast 2000 Jahren gedeiht. Die Ikonen, von Kerzenglanz erleuchtet, zogen mich in Bann und die Heiligen vor goldenem Hintergrund erwiderten mit großen Augen meinen Blick. Vor meinem geistigen Auge flogen die Jahrhunderte vorüber und ich reiste zurück in die Zeit des Urchristentums. Auch wenn es ins Reich der Legenden gehört, dass die heilige Thekla eine Schülerin des Apostels Paulus war, so ist eine Legende (lat. legere = lesen) – wie bei einer Landkarte – immer auch eine Lesehilfe: Am Beginn des Christentums standen Frauen, die als Zeuginnen der Auferstehung, als Begleiterinnen der Apostel und als Märtyrerinnen eine wichtige Rolle spielten!

Eine Frau betrat die Kirche, schritt nach vorn, küsste die beiden Ikonen vor dem Altarraum und blieb stehen. Sie murmelte halblaut vor sich hin und sprach ihre Gebete. Ich verstand kein Wort und war dennoch davon angerührt, dass sie auf Aramäisch betete, in der Sprache Jesu. Ja, ich fühlte wie bei einer Zeitreise die Verbindung zum Anfang des Christentums, zu Jesus selbst.

Auch dieser dünne ununterbrochene Faden, der bis zum Ursprung des Christentums führt, wurde von den Dschihadisten gekappt. Am 3.12.2013 entführten Kämpfer der Al-Nusra-Front zwölf Ordensfrauen aus dem Thekla-Kloster; wenig später nahmen sie Maalula und andere kleine christliche Städte ein, schändeten die Kirchen und verbrannten die Ikonen. Eine eindeutige Drohbotschaft: Christen haben in unserem Herrschaftsgebiet nichts mehr verloren!

Kein Berg spaltete sich, um den Bedrohten und Bedrängten Zuflucht zu gewähren. Männer, die einen christlichen Namen trugen und nicht bereit waren, zum Islam zu konvertieren, wurden hingerichtet. Das ganze Dorf Kanaye wurde unter Androhung eines Blutbades zwangskonvertiert. In dem urchristlichen Städtchen Sadat wurden 45 Männer, Frauen und Kinder gefoltert, getötet und in einem Massengrab verscharrt. Die „Glaubenskrieger" hatten auch in Maalula junge Männer gefangen genommen und wollten sie zwingen, den Islam anzunehmen. Einer, der sich weigerte, wurde vor den Augen seiner Freunde erschossen. Was mag in den Köpfen der anderen, die sich angesichts dieser Gewalttat zum Islam „bekehrten", vorgegangen sein – wie viel Angst, Zweifel, Scham mag sie gequält haben… Auch die Eroberung und Zerstörung von Maalula, einem so traditionsreichen christlichen Ort, hat in der westlichen Presse nur ein schwaches Echo gefunden.

Inzwischen wurden die entführten Ordensfrauen wieder freigelassen und die syrische Armee hat Maalula zurückerobert. Von sechs entführten jungen Männern fehlt allerdings bislang jede Spur. Viele Häuser liegen in Trümmern und die Portale der uralten Kirchen sind verkohlt. Das Inventar der Kirchen wurde kurz und klein geschlagen, der Geruch von Weihrauch mischt sich jetzt mit Brandgeruch und die Ikonen wurden gestohlen oder zerkratzt.

Ob Mossul oder Tur Abdin, ob Damaskus oder Maalula: Wo sich einst die *ersten* Christen versammelt und in aramäischer Sprache gebetet haben, dort gehen jetzt die *letzten* Christen. Ein aramäischer Gebetsruf kommt mir in den Sinn: „Maranatha!" Es ist der Hilferuf der bedrängten Urchristen: „Unser Herr: Komm!"

16. Sind so kleine Hände …

September 2015: Nach meinem Sommerurlaub besuche ich die Familie von Yousif. Amanuel und Shaba wurden zum Beginn des Schuljahres in eine christliche Schule von Leipzig aufgenommen und ich will mich erkundigen, ob der Einstieg gelungen ist. Nach dem lockeren Plaudern über die Ferien fragt Amanuel, ob ich etwas von den toten Flüchtlingen gehört habe, die in einem Lastwagen in Österreich gefunden worden seien. Da ich im Urlaub kaum Nachrichten gehört hatte, wusste ich nur durch Zeitungsüberschriften am Kiosk von den grauenerregenden Ereignissen: „71 Leichen im Todes-Lkw“. Amanuel will mir Näheres berichten und lädt auf seinem Smartphone ein Bild hoch: Es zeigt das Innere eines Lastwagens, in dem ein Leichenberg aufgetürmt ist. Ich fühle mich sofort an die entsetzlichen Bilder aus den KZs der Nazis erinnert: übereinanderliegende Körper; Arme, Hände, Beine kreuz und quer – nur mit dem Unterschied, dass die Leichen im Lastwagen nicht nackt, sondern bekleidet sind.

Shaba rückt näher und schaut auf das Smartphone. Ich wende mich entsetzt ab und sage auch zu Shaba: „Du solltest nicht so schlimme Bilder anschauen!“

Shaba erwidert langsam und ruhig: „Ach, Andreas! Ich habe schon viel Schlimmeres gesehen. Und nicht auf Bildern, sondern mit echten Menschen.“

Ich muss schlucken. Wie viel Schreckliches diese Kinder schon durchgemacht haben! Ich erinnere mich, wie mir Yousif kurz nach unserem Kennenlernen im Dezember 2014 mit Hilfe von Shaba unbedingt mitteilen wollte, was in einem christlichen Dorf seiner Heimat passiert ist. Die zehnjährige Shaba übersetzte: „Und dann haben die Leute des Islamischen Staats dem Kind den Kopf abgeschnitten.“ Einen solchen Satz aus dem Mund eines kleinen Mädchens zu hören, war für mich kaum auszuhalten.

Mir fällt ein Lied von Bettina Wegner ein: „Sind so kleine Hände …“ Dieses alte Lied ist von erschreckender Aktualität: „Sind so kleine Seelen, offen und ganz frei. Darf man niemals quälen – gehen kaputt dabei."

Im Herbst nahm Amanuel an einer Projektfahrt seiner Schule teil und saß mit den Klassenkameraden nachts am Lagerfeuer. Die Faszination eines nächtlichen Feuers, das für die deutschen Schülerinnen und Schüler nach Abenteuer und Romantik roch, ließ bei Amanuel ganz andere Erinnerungen aufflackern: Er begann auszumalen, wie er im Irak Häuser und ganze Straßenzüge lichterloh brennen sah. Menschen rannten um ihr Leben und schrien um Hilfe. Die ganze Klasse saß gebannt am Feuer und hörte, was Amanuel loswerden musste.

„Ich weiß, was Krieg ist. Seid froh, dass ihr das nicht wisst!"

Dann fuhr er fort: „Ich habe Leichen auf der Straße liegen gesehen, abgerissene Hände und Füße und Köpfe. Alles war voller Blut. Krieg ist grässlich."

Als die Mitschülerinnen und -schüler das hörten, waren sie ganz still und einige weinten.

„Ich habe zu viel gesehen", sagt er jetzt zu mir. „Die Bilder von brennenden Häusern, die ich auf dem Handy hatte, ich habe sie alle gelöscht. Aber in meinem Kopf kann ich sie nicht löschen."

Nicht nur mir, sondern auch der Klassenlehrerin war aufgefallen, dass Amanuel an nervösen Zuckungen im Gesicht litt. Wir organisierten einen Termin bei einem Neurologen. Ursache der inneren Anspannung waren die grauenvollen Bilder, die sich Amanuel wie ein Brandmal eingeprägt hatten: Als kleiner Junge, nicht einmal acht Jahre alt, geriet er auf dem Heimweg von der Schule in eine Menschengruppe und stand plötzlich direkt dabei, als ein gefesselter junger Mann in die Knie gezwungen wurde. Während ihn zwei schwarz Maskierte festhielten, begann ein dritter mit einem langen Messer, den Kopf des Gefesselten abzuschneiden. Amanuel war wie versteinert und starrte auf das, was direkt vor seinen Augen geschah.

„Hast du so etwas schon einmal gesehen?", fragte er mich und hielt auch schon sein Handy bereit. Ich schüttelte heftig mit dem Kopf und wehrte mit beiden Händen ab. Erst unlängst hatte ich in einem Buch über den IS gelesen, dass beim Köpfen eines Menschen etwa 30 Sekunden lang herumgesäbelt wird, wobei das Blut nur so spritzt. Das auch noch auf einem Propagandavideo des Islamischen Staates zu sehen, auf dem dieser barbarische Akt als religiöser Ritus zelebriert wird: Das wollte ich mir wirklich nicht antun!

Aber Amanuel hatte das ungewollt *live* mit ansehen müssen. Erst als der Henker den von hellrotem Blut triefenden Kopf mit „Allahu akbar!" in die Höhe hielt, riss sich Amanuel aus der Schockstarre und rannte los, die nackte Angst im Nacken. Schreiend und weinend vor Panik kam er zu Hause an. Lange konnte er nicht darüber reden, was er gesehen hatte. Einige Tage lang war er völlig verstört und konnte nachts nicht einschlafen. Selbst heute noch holen ihn manchmal im Traum die Bilder wieder ein, die sich in Gedächtnis und Seele eingebrannt haben und ihn vielleicht nie wieder loslassen.

Mir fällt auch Isaak ein, der seit ein paar Monaten in den Kindergarten geht. Die Leiterin bat mich und seinen Vater Nabil zu einem Gespräch. „Manchmal", so beschrieb sie, „senkt Isaak einfach den Kopf und ist nicht mehr ansprechbar; oder er verkriecht sich unter den Tisch; oder unter eine Decke." Die Kindergartenleiterin war sehr sensibel und wollte wissen, ob der Junge das daheim auch tut und wie die Eltern darauf reagieren. „Soll ich ihn dann einfach in Ruhe lassen? Oder ihn lieber ansprechen?"

Nabil erklärte, dass das Kind daheim ganz ähnlich reagiert und dass er und Lilian einfach warten, bis Isaak wieder „auftaucht" – und dann mit ihm reden.

„Woher kommt das?", wollte die Leiterin wissen.

Nabil berichtete aus Tel Tamer: „Als Lilian mit Isaak schwanger war und die Wehen einsetzten, nahm ich meine Frau, um mit ihr schnell in das kleine Krankenhaus in der nächsten Stadt zu fahren.

In dem Moment, als wir das Haus verließen, explodierte unweit eine Autobombe und riss uns zu Boden. Alle Scheiben unseres Hauses waren zersplittert. Wir hatten solche Angst, dass eine weitere Bombe explodieren könnte. Ich stützte meine Frau, die am ganzen Körper zitterte, und wir rannten, so schnell wir konnten, zu einem Freund, der uns dann zum Krankenhaus fuhr."

Die Leiterin und ich, wir waren sehr erschüttert und schwiegen erst einmal. Und als Nabil dann von dem wachsenden Terror erzählte, von der Flucht über Land und Meer, von der Zerrissenheit seiner Familie, von den Freunden, die sich immer noch in der Geiselhaft des IS befinden, da war uns beiden klar, welche abgrundtiefen Ängste den kleinen Isaak schon vor seiner Geburt und dann als Kleinkind überschwemmt hatten. Was für eine Hypothek für ein so junges und unschuldiges Leben!

Dazu kam die Zeit im Asylbewerberheim: Wie schon bei anderen Familien musste ich auch jetzt wieder erfahren, dass die Christen von ihren muslimischen Schicksalsgenossen oft keine Solidarität erfahren. Schockiert war ich von der Nachricht, dass muslimische Flüchtlinge auf dem Meer Christen über Bord werfen. Man sollte meinen, dass sie als Vertriebene im gleichen Boot sitzen. Doch die Menschenverachtung gegenüber Christen ist so tief, dass manchmal die urmenschliche Solidarität nicht mehr funktioniert. Das gilt sogar für muslimische Kinder, die nach Deutschland gekommen sind: Sie wenden auch hier an, was sie daheim gelernt haben. Und so treibt der Hass gegen die Christen, der Muslimen seit vielen Generationen eingepflanzt wird, bis heute seine giftigen Blüten. Der kleine Isaak wurde von den anderen Kindern im Heim regelmäßig gehänselt und verspottet, manchmal sogar geschlagen: „Du isst Schwein – du bist unrein!"

Ähnliches hatte ich schon von Amanuel und Shaba gehört. Beim Deutschkurs an der Schule mussten die beiden vieles ertragen. Denn Amanuel trägt ein kleines silbernes Kreuz um den Hals und ist stolz auf seinen Glauben. Das wurde ihm jetzt – in Deutschland! – zum

Verhängnis. Ein älterer muslimischer Jugendlicher beschimpfte ihn mit üblen Ausdrücken. Dann ahmte er Form und Geräusch eines Maschinengewehrs nach, das auf Amanuel zielt: ratatatata – Christen muss man abknallen. Die Beschwerden bei der Schulleitung halfen nichts. Glücklicherweise sind die beiden Kinder seit Herbst 2015 in einer kirchlichen Schule, in der sie Respekt und Achtung erfahren, und Amanuel ist sogar zum Klassensprecher gewählt worden!

Behörden und Politiker wollen oft nicht wahrhaben, dass die Christen in den Asylbewerberheimen von ihren muslimischen Mitbewohnern gegängelt werden. Und aufgrund von Einschüchterung und Bedrohung ist mit einer hohen Dunkelziffer zu rechnen. Die deutsche Polizeigewerkschaft hat auf diesen Missstand hingewiesen und eine Trennung der Christen von den Muslimen vorgeschlagen. Die Politik reagierte mit dem Hinweis, dass die Muslime die Toleranz erst noch lernen müssten. Eine so tief sitzende antichristliche Einstellung, die seit Jahrhunderten gepredigt wird, legt man freilich nicht mit einem Grenzübertritt oder Integrationskurs ab. Auch der Hinweis von Politikern, dass die Asylbewerber ja eine Hausordnung unterschrieben hätten, in der sie sich zu respektvollem Verhalten verpflichten würden, mutet merkwürdig naiv an.

Reagieren die westlichen Politiker angesichts der vielen in muslimischen Ländern diskriminierten, entführten und ermordeten Christen nicht ähnlich? Man ignoriert das unendliche Leiden vieler Menschen und beruhigt sich selbst mit dem Hinweis, die muslimischen Regierungen hätten doch die Allgemeine Erklärung der Menschenrechte unterschrieben …

Was ist mit den Seelen von Amanuel und Shaba? Können diese Kinder je wieder ruhig schlafen? Und was ist, wenn ihnen auch in Deutschland neue Gewalt begegnet? Wenn auch hier die Häuser brennen, in denen die Geflüchteten aufgenommen werden? Und wenn auch in Deutschland schwarz vermummte Gestalten mit Hassparolen durch die Straßen ziehen?

Nicht nur diese Ängste belasten die geflüchteten Kinder. Sie müssen auch noch ganz andere Herausforderungen bewältigen: Da die Kinder sehr schnell Deutsch lernen, müssen sie ihren Eltern helfen, wenn diese etwa Post von Behörden bekommen oder eine Fahrkarte kaufen wollen. Damit kommen die Kinder gegenüber ihren Eltern in verkehrte Rollen: Sie müssen Verantwortung für die Eltern übernehmen, ihnen vieles erklären, sie zu Behörden begleiten, Vorstellungsgespräche ihrer Eltern übersetzen … Ihnen wurde schon durch den Terror in Syrien oder im Irak und die Vertreibung aus der Heimat ihre Kindheit gestohlen. Doch auch hier in Deutschland können sie nach ihrer Ankunft noch immer nicht unbeschwert Kind sein, sondern müssen für ihre Eltern sorgen!

Ich erinnere mich, dass ich einmal bei Yousif und Tara zu Besuch war und die beiden vor lauter Kummer um die zurückgebliebenen Eltern von Tara zu weinen begannen. Da musste die kleine Shaba ihre Eltern trösten. Welche Last auf den zerbrechlichen Schultern eines kleinen Mädchens!

Wenige Tage nach meiner Rückkehr aus Kurdistan hatte ich eine Nachricht auf dem Anrufbeantworter gefunden: Amanuel will dringend mit mir sprechen und bittet um Rückruf. Als ich ihn an der Strippe habe, sagt er als Erstes, dass er traurig sei. Ich stutze etwas und frage nach, was passiert sei. Ja, in der Sportgruppe hätten sie ihn als Dschihadisten verdächtigt. Ich spüre, wie sehr Amanuel betroffen ist, und hole mein Fahrrad aus dem Keller. Es ist zwar schon nach 20 Uhr und ich bin müde – aber ich habe das Gefühl, dass Amanuel mich jetzt dringend braucht.

Yousif und Tara sind nicht daheim. Shaba setzt sich zu uns aufs Sofa und ich bitte Amanuel zu erzählen. Er berichtet, dass sie heute in der Sportgruppe an die Opfer des Terroranschlags von Paris denken wollten und eine Schweigeminute gehalten hätten. Zwei Mädchen fingen an, von ihren Ängsten zu reden. Die Bilder in den Nachrichten haben ihre Spuren hinterlassen: Die Kinder fürchten, dass radikale Muslime auch in Deutschland ein Attentat verüben könnten. Ein Junge berichtete von einer Zeitungsüberschrift: „Dschihadist kam als Flüchtling nach Frankreich." Dann schauten einige auf Amanuel. Dem wurde heiß und kalt. Und er brachte hervor:

„Ihr denkt doch wohl nicht, dass ich ein Dschihadist bin!"

Ein Mädchen druckste rum: „Nein, das glauben wir nicht."

Aber Amanuel spürte eine Atmosphäre der Verdächtigung und des Misstrauens. Er fühlte sich in die Ecke gedrängt und wollte sich verteidigen: „Ihr könnt Bruder Andreas fragen. Der kennt mich! Ich bin kein Dschihadist!"

Amanuel war völlig durcheinander und ich versuchte, ihn zu beruhigen. Es tat mir so leid, dass dieser Junge, dessen Familie durch die Dschihadisten ihre Heimat verloren und der so viel Ängste vor den „Glaubenskriegern" durchlitten hat, jetzt sogar noch selbst als potentieller Dschihadist verdächtigt wird!

Auch der sechsjährige Abdel Massih hat den Krieg erlebt: Er kommt aus Aleppo und hat dort seinen Vater Jad verloren. Es dauerte eine Zeit, bis mir aufging, dass Abdel Massih „Diener Christi" bedeutet. Aleppo galt neben Mossul als die zweite noch von vielen Christen bewohnte Großstadt im Nahen Osten. Jad war Goldschmied und hatte neben seiner eigenen Boutique sogar noch zwei Filialen eröffnen können. Der Familie ging es wirtschaftlich gut und sie engagierte sich in der griechisch-orthodoxen Gemeinde ihrer Heimatstadt. Dann fiel der schwarze Schatten des syrischen Bürgerkrieges auch auf Aleppo. Der Westteil der Stadt wurde von den Kämpfern des IS eingenommen, den Ostteil hielten die Truppen von Präsident Assad – und dazwischen in der Altstadt das Christenviertel. Aufgrund seiner verwandtschaftlichen Beziehungen nach Deutschland hätte Jad schon zu Beginn des Bürgerkrieges Syrien verlassen können. Doch er wollte nicht: „Das ist meine Heimat. Und jeder Krieg geht einmal zu Ende." Wenig später sollte er diese Entscheidung mit dem Leben bezahlen.

Die Islamisten beschossen bevorzugt das Christenviertel, das als Pufferzone zwischen ihnen und ihren Gegnern lag. Am Karfreitag findet in diesem Viertel traditionell eine Prozession durch die Straßen statt. Genau diesen Zeitpunkt passten die Terroristen des IS ab, um Granaten abzuschießen und damit ein verheerendes Blutbad anzurichten. Wenige Wochen später wurde bei einem erneuten Beschuss ein Jugendlicher schwer verletzt. Er lag schreiend in seinem Blut auf der Straße. Jad und sein Bruder stürmten aus dem Goldschmiedegeschäft, um dem Jugendlichen zu helfen. In diesem Moment schlug die nächste Granate ein und riss Jad und weitere zehn Personen in den Tod. Jads Bruder war schwer verletzt und starb wenige Stunden später im Krankenhaus.

Für Myriam war klar, dass sie als alleinstehende Frau nicht länger in Aleppo bleiben konnte. Über die deutsche Botschaft in Beirut erhielten sie und ihre vier Kinder im Herbst 2014 einen Platz im Aufnahmeprogramm der Bundesrepublik.

Im Februar 2015 konnte ich sie in Berlin abholen; Rahima, eine Nichte von Myriam, die schon lange in Deutschland lebt, begleitete mich. Seit vier Jahren hatten sich die beiden Frauen nicht mehr gesehen. Als sie sich im Ankunftsbereich des Flughafens trafen, lagen sie sich lange laut weinend in den Armen. Ein Zollbeamter, der das Ganze beobachtete, brachte eine Packung Tempotaschentücher. Auch ich konnte die Tränen kaum unterdrücken: Welch ein Wiedersehen! Das letzte Mal hatten sie sich noch im Frieden in Aleppo getroffen: Jads Geschäfte gingen gut, sie konnten sich eine schöne Wohnung leisten, ein Auto, die vier Kinder in der Schule… Und nun war das alles zerbrochen.

Während der Fahrt von Berlin nach Leipzig erfuhr ich, dass weder Myriam noch ihre drei Töchter und Abdel Massih je zuvor geflogen waren und dass sie außer der Fahrt nach Beirut jetzt zum ersten Mal in ein anderes Land reisten. Es regnete und alle schauten nach draußen, wo das Grau des Himmels die großen Kieferwälder farblos und traurig erscheinen ließ.

Für die ersten Monate wurden die fünf von einer evangelischen Ordensgemeinschaft aufgenommen. Die Schwestern empfingen uns in ihrer feierlichen Sonntagskleidung, sangen zum Willkommensgruß ein Lied und überreichten einen frisch gebackenen Kuchen. Alle weinten bei diesem Empfang von Menschen, die noch wenige Tage zuvor dem ständigen Einschlag von Granaten und der Explosion von Fassbomben ausgeliefert waren. Abdel Massih berichtete von den Granaten des Krieges und seine Tante übersetzte.

„Es knallt immer zweimal: Wenn die Granate abgeschossen wird und wenn sie einschlägt."

Mir war unangenehm zumute, als der Kleine von Granaten zu erzählen begann, wo doch sein Vater durch eine solche ums Leben gekommen ist. Vielleicht war das eine Weise, das Schlimme zu verarbeiten.

Beim nächsten Satz fühlte ich mich noch unwohler: „Bumm – Bumm, das ist die Musik von Aleppo."

Wir schauten uns etwas betreten an und glücklicherweise fragte jetzt eine der Schwestern danach, wie die zwei Zimmer aufgeteilt werden sollten.

Gemeinsam mit den Schwestern überlegte ich, was wir vor allem für die Kinder tun können. Wir nahmen Kontakt mit der nächsten Pfarrei auf. Dort fanden die Kinder in den verschiedenen Gruppen schnell ihren Platz. Auch die Kinder von Tara und Yousif wurden von christlichen Jugendgruppen gut aufgenommen und sind inzwischen sogar bei den Ministranten und Ministrantinnen aktiv. Es ist mir ein großes Anliegen, dass die christlichen Kinder aus dem Irak und aus Syrien die Chance erhalten, mit Gleichaltrigen eine Gemeinschaft zu erleben, mit der sie ihren Glauben teilen können. Denn es stellt eine Herausforderung dar, das kostbare Erbe des Glaubens, das diese Kinder mitgebracht haben, in einem säkularen Umfeld zu leben.

Eine Aufgabe sehe ich auch für die kirchlichen Schulen: Denn diese bieten die Möglichkeit, dass diese Flüchtlingskinder in einer christlich geprägten Atmosphäre aufwachsen. Und wenn – wie in Leipzig – Kinder aus mehreren syrischen und irakischen Familien in einer kirchlichen Schule aufgenommen werden, so können diese Kinder auch untereinander Kontakt finden und ihr Erbe besser bewahren. Es könnte eine besondere Aufgabe von kirchlichen Schulen sein, christliche Kinder aus dem Nahen Osten anzusprechen und aufzunehmen!

Ein paar Wochen später besuche ich wieder das Kloster. Eine Schwester vertraut mir an: „Ich war mit Abdel Massih in unserem großen Garten, als ein Rettungshubschrauber zu hören war. Unwillkürlich zuckte der Junge zusammen, zog Kopf und Genick ein und ging in die Hocke. Im ersten Moment wusste ich gar nicht, was los war. Dann dämmerte es mir: Viele Monate lang war das Herannahen eines Flugzeugs oder Helikopters für dieses Kind das Signal gewesen, dass Bomben abgeworfen werden. Ich richtete den Kleinen auf, nahm ihn in die Arme und streichelte ihm über den Kopf. Dabei flüsterte ich: Hab keine Angst, Abdel Massih! Dieser Hubschrauber wirft keine Bomben ab. Er kommt, um jemandem zu helfen."

Über Jahre hatte sich das Knattern eines Helikopters als Ankündigung von Tod und Zerstörung in die Seele des kleinen Jungen eingegraben. Aber jetzt kann sich seine Seele wieder beruhigen. Auf dem großen Gelände des Klosters können die Kinder frei und furchtlos spielen. Die Schwestern halten in ihrem Garten auch einige Schafe, die gerade Junge warfen. Es hat mich zutiefst berührt zu sehen, wie die Kinder die kleinen Lämmchen streichelten. Kinder, die viele Monate lang das Haus kaum verlassen konnten, die nicht auf der Straße spielen durften, die durch Bomben aus dem Schlaf gerissen wurden; Kinder, die den Vater durch einen Granateneinschlag verloren haben: Sie können jetzt mit den Lämmern spielen. Ein Bild des Friedens. Ein Bild der Hoffnung.

Foto: Allen Kakony

Flüchtlingslager in Ankawa

Flüchtlinge in der Heilig-Geist-Kirche von Telkef (Ninive-Ebene)

Foto: Allen Kakony

Foto: Kleine Schwestern Jesu

nnachten in der Mall Ankawa

Flüchtlingslager auf dem Gelände der Kirche Mor Elya

Foto: Allen Kakony

eilung von Trinkwasser in der Sommerhitze nach der Flucht aus Karakosch

Foto: Allen Kakony

Zerstörte Kuppel der Kirche St. Sergius und Bacchus (Maalula)

Foto: Andreas Knapp

reitagsliturgie in einem Flüchtlingslager (Ankawa)

17. „Selig, die keine Gewalt anwenden!" (Mt 5,5)

Inzwischen ist noch ein Onkel von Abdel Massih in Deutschland eingetroffen. Und wieder eine Geschichte, in die Blut und Tränen eingeflossen ist: Fadi wollte Aleppo und vor allem seinen herzkranken Vater nicht verlassen; aber das Leben seiner Frau und seiner Tochter standen auf dem Spiel. Der Vater selbst drängte ihn zur Flucht. Mit Hilfe von Schleppern gelangten die drei durch die Türkei und schaukelten dann auf einem Schlauchboot zu einer griechischen Insel. Als die Insel schon zum Greifen nahe war, fiel der Motor aus; die Männer mussten ins eiskalte Wasser steigen und das Boot schwimmend und watend bis ans Ufer ziehen. Dann die nächste Hürde: Die Schlepperbande hatte Flugtickets nach Frankfurt und falsche Pässe organisiert. Bei den spanischen Pässen flog der Schwindel auf, denn bei der Kontrolle wurde ein spanisch sprechender Beamter herbeigeholt – und als Fadi dessen Fragen nicht verstand, nahm man ihnen die Pässe weg. Die Schleuserfirma war seriös: Jetzt gab es französische Pässe – und damit klappte es. Fadi weiß von einem Bekannten, der erst mit dem 11. Pass durchkam …

Ich hole die drei wieder mit dem VW-Bus der Pfarrei in Berlin ab und bringe sie zu den evangelischen Ordensschwestern, wo Myriam unendlich froh darüber ist, ihren Bruder und dessen Familie wiederzusehen. Fadi hatte als Maschinenbauingenieur einen guten Posten in Aleppo. Trotz seines schütteren Haars wirkt er noch jugendlich.

Fadi hat die Hoffnung noch nicht aufgegeben: Er zeigt mir die Schlüssel zu seiner Wohnung in Aleppo; sie liegt nur 200 Meter von dem Stadtteil entfernt, in dem der IS herrscht. Bislang ist sein Wohnblock von Bomben und Granaten noch verschont geblieben.

„Wenn der Krieg bald zu Ende geht, will ich wieder in meine Heimat zurück", lässt Fadi mich wissen. „Aber wenn der Terror noch zehn Jahre dauert, gibt es wohl keine Chance mehr."

Dann gebraucht Fadi ein religiöses Bild: „Nach der Fastenzeit kommt Ostern: Jesus steht auf vom Tod. Es wird einen Tag geben, da ist der Krieg zu Ende und wir feiern die Auferstehung Syriens! Das ist meine Hoffnung."

Ein paar Tage später fahre ich wieder ins Kloster der evangelischen Gemeinschaft. Myriam und ihre Schwägerin haben ein orientalisches Abendessen vorbereitet – als kleines Dankeschön für die Schwestern und mich. Bevor das Essen auf den Tisch kommt, hat Fadi eine Art „Kennlernspiel" vorbereitet, das uns einander näher bringen soll. Es gibt zwei verschiedene Hüte – alle Deutschen greifen einen Zettel aus dem roten Hut, alle Syrer einen aus dem schwarzen. Auf jedem Zettel steht ein halber Bibelvers – jeweils auf Deutsch und Arabisch, wie etwa: „Selig, die keine Gewalt anwenden …", oder: „Vergeltet Böses nicht mit Bösem …" – und nun gilt es, die syrische Person zu finden, die den zweiten Teil des Verses gezogen hat. Dann soll man im deutsch-syrischen Duo über das Bibelwort reden – und am Ende in der großen Runde etwas dazu sagen. Und all das immer in zwei Sprachen!

Eine wunderbare Idee, um uns – trotz magerer Sprachkenntnisse – zum Reden zu bringen. Wir unterhalten uns mit Händen und Füßen. Die Mädchen hatten in Aleppo schon etwas Englischunterricht und so klappt es halbwegs mit unserer Verständigung.

Nach dem Gemurmel setzen wir uns wieder in die große Runde. Ich lese den vollständigen Vers auf Deutsch: „Selig, die keine Gewalt anwenden, denn sie werden das Land erben." Myriam liest den Vers auf Arabisch. Wir erläutern beide in ein paar Sätzen, was uns an diesem Vers anspricht und hören auf die Bibelworte und Kommentare der anderen.

Als mir aufgeht, welche Bibelverse Fadi ausgewählt hat, werde ich sehr nachdenklich: Alle Verse reden von Vergebung, Feindesliebe und Gewaltlosigkeit! Wie geht das zusammen? Diese Menschen haben doch erst vor kurzem den Ehemann, Vater oder Onkel durch den Terror des IS verloren! Sind von den Dschihadisten um Besitz und Heimat gebracht worden! Und jetzt kein Wort von Rache oder

Vergeltung, sondern Zitate aus der wohl berühmtesten Rede Jesu: der Bergpredigt… Dass Menschen angesichts einer so schlimmen erlittenen Gewalt noch für die Feinde beten und von Vergebung reden – ich kann nur staunen und mich wundern!

Ein paar Monate später kommt Fadi mit seiner Familie zum Gottesdienst, den wir in der Wohnung meiner Gemeinschaft feiern. Die Lesung aus der Bibel erzählt die Geschichte vom Dornbusch, vor dem Mose seine Schuhe auszieht und dann den Namen Gottes erfährt: „Ich bin der Ich-bin-da." (vgl. Ex 3,14)

Mein Mitbruder Gianluca hat ein Blatt vorbereitet, auf dem verschiedene Gottesnamen stehen: Schöpfer, Hirte, König, Freund, Vater, Mutter, Fels, Zuflucht, Rächer… Jede und jeder soll den Namen vorlesen, der am besten gefällt.

Fadi sucht auf seinem Smartphone nach Übersetzungen für Worte, die er noch nicht kennt. Auf einmal meldet er sich und erhebt Einspruch: „Rächer", das sei kein Name für Gott. Gianluca weist darauf hin, dass dieser Name im Alten Testament bezeugt ist. Fadi bleibt dabei: Seit Jesus von Nazaret können wir Gott nicht mehr „Rächer" nennen!

Wieder staune ich über diese spirituelle Haltung von Menschen, die so viel Schweres erlebt haben! Und die seit Jahrhunderten in einem kulturellen Umfeld leben, in dem Rache und Vergeltung eine zentrale Rolle spielen. Ich frage mich: Wie haben es die Christen geschafft, sich nicht vom Gedanken an einen „Heiligen Krieg" infizieren und von religiös motivierter Gewalt anstecken zu lassen?

Bei einem anderen Besuch frage ich nach: Als ihr in Aleppo Gewalt erlebt habt, wie habt ihr reagiert? Fadi müht sich sehr, die deutsche Sprache zu erlernen, doch es hapert noch. Rahima übersetzt meine Frage: Als die Terroristen euch bedroht haben oder als dein Schwager ums Leben kam, wie hast du reagiert?

Für einen kurzen Moment blitzt es in Fadis Augen auf: „Man müsste sich wehren." Und er deutet mit einer Geste eine Pistole an.

Dann schüttelt er den Kopf. „Wir dürfen das nicht!“ Bei diesen Worten deutet er mit einem Finger zum Himmel und sagt: „Jesus!“

Ich habe verstanden: Mit Blick auf Jesus können sie nicht Rache üben oder Gewalt anwenden. Doch ich will es genauer wissen und tue so, als ob ich nicht kapiert hätte, was Fadi mir mitteilen wollte. Der sucht auf seinem Smartphone nach der Übersetzung eines arabischen Wortes. Dann liest er mir vor: „Wir sind Pa-zi-fisten.“ Dieses Wort hat er sicher noch nie auf Deutsch ausgesprochen. Als ich ihn immer noch fragend anschaue, liest er mir weitere Übersetzungsvorschläge für seinen arabischen Begriff vor: „friedliebend; friedfertig.“

Ich werde immer neugieriger und frage nach: „Nehmen die Christen in Syrien keine Waffen in die Hand?“

Rahima übersetzt: „Doch! Einige von uns waren beim Militärdienst. Oder arbeiteten bei der Polizei. Das tun wir als Bürger. Im Norden von Syrien gibt es christliche Dörfer an der türkischen Grenze. Die Leute dort haben Waffen, weil es oft zu Diebstählen und Raubüberfällen kommt. Sie müssen ihren Besitz verteidigen.“

Ich nicke. Fadi fährt fort: „Aber sie gebrauchen diese Waffen als Bürger. Nicht im Namen der Religion!“

Weil mich die Frage nach der Gewaltlosigkeit sehr beschäftigt, frage ich auch Yousif:

„Wie verhalten sich die Christen im Irak zu Waffen und Gewalt?“

„Wir nehmen keine Waffen in die Hand. Als mein Onkel zum Militärdienst eingezogen wurde, hat er schrecklich darunter gelitten. Im Krieg gegen den Iran musste er direkt an die Front. Er zielte immer ins Leere und betete dabei: Heilige Jungfrau Maria, lenke diese Kugel daneben!“

Dann fährt Yousif fort: „Selbst in der gegenwärtigen Situation, wo wir Christen nach 1800 oder 1900 Jahren aus unseren Dörfern und Städten vertrieben werden, stellt der bewaffnete Widerstand für uns keine Alternative dar. Nie haben wir Christen hier Krieg geführt.“

Ab Oktober 2015 fliegt die russische Luftwaffe zahlreiche Einsätze gegen den IS in Syrien. Ein Vertreter der Russisch-Orthodoxen Kirche begrüßt diesen Einsatz als „Heiligen Krieg". Jacques Behnan, der syrische Bischof von Hassake und Nisibis, kritisiert diese Äußerung in aller Schärfe: „Wir dürfen als Christen nicht vom Heiligen Krieg reden. Welchen Unterschied gäbe es dann noch zwischen den radikalen Muslimen und Christen? Wir müssen stattdessen betonen, dass Krieg stets eine Sünde ist."

Ein anderer Bischof, Aprem Athnil, der für die Dörfer am Chabur zuständig ist, schreibt sogar einen Brief an die Führer des IS: „Wir lehnen eine Kultur der Waffen kategorisch ab!" Der Bischof will dem IS gegenüber klarstellen, dass die christliche Kirche nicht mit der PKK verbündet sei. Es habe sich zwar eine Miliz von Christen gebildet, die zur Verteidigung oder Rückeroberung der Dörfer aufseiten der PKK kämpft. Die internationale Presse bezeichnet diese „Sotoro-Milizen" als „christlich". Bischof Aprem verwahrt sich dagegen: Diese Milizen wurden weder von der Kirche beauftragt noch von ihr gebilligt: Es gibt keine Waffengewalt im Namen des Christentums!

Hier werden in der Presse bestimmte Schubladen bedient, die Aufmerksamkeit auf sich ziehen: „Muslimische Milizen gegen christliche Milizen". Mit solchen Vereinfachungen kann man die Welt wunderbar erklären – und im konkreten Fall total danebenliegen. Das Interesse ist klar: Ein Bericht über „christliche Milizen" reizt auf. Über die große und bis heute durchgehaltene Tradition der Gewaltlosigkeit im östlichen Christentum zu berichten, das ist nicht interessant genug. Hat jemand bemerkt, dass trotz der vielen bestialischen Morde an christlichen Priestern im Irak oder in Syrien noch nie ein Imam im Namen des Christentums erschossen, geköpft oder gekreuzigt wurde? Oder hat jemals ein Christ oder eine Christin sich selbst in einer Moschee in die Luft gesprengt, um die zahlreichen Attentate auf christliche Kirchen zu rächen? Wenn das auch nur ein einziges Mal vorgekommen wäre, als Rache für die Tausenden von Attentaten auf Christen – das wären die Top-News gewesen! Bislang sind solche

Racheaktionen, die höchst medienwirksam wären, nicht vorgekommen. „If it bleeds it leads“ – wenn Blut fließt, dann stürzen sich die Menschen auf die Nachrichten –, aber Gewaltlosigkeit ist kein Thema für die Titelseiten. Wer nicht zurückschlägt, ist keiner Schlagzeile wert. Der IS bombt sich in die Medien, doch das viel eindrucksvollere Zeugnis der Gewaltfreiheit fällt unter den Redaktionstisch. Eine Ausnahme fand ich: Ein deutscher Journalist, der mit Religion „nicht viel am Hut hat“, reiste nach Karakosch – nach dem großen Attentat auf die Schulbusse. Mit ungläubigem Staunen schreibt er: „Wie wenig Energie diese Menschen in Hass und Rachelust leiten …“

Immer noch sitze ich bei Yousif und will mehr über diese Grundhaltung wissen: „Ihr habt so viel Gewalt erlitten. Warum erwidert ihr Gewalt nicht mit Gewalt?“

Ohne langes Nachdenken stellt Yousif klar: „Als Christen dürfen wir keine Waffen tragen! Es gab auch in Mossul Christen, die sich Waffen besorgt hatten; oder die an den Checkpoints der christlichen Dörfer Autos kontrollierten. Aber das tun sie nicht im Namen des Christentums. Die Kirche hat immer betont: Der Krieg stammt vom Teufel!“

Ich will provozieren: „Gibt es keinen christlichen Dschihad?“

Yousif wehrt heftig ab: „Den Dschihad gibt es bei den Muslimen. Unser Kampf, das ist Beten und Fasten. Das Christentum kann man nicht mit dem Schwert ausbreiten!“

Nach einer Pause ergänzt Yousif: „Für die Terroristen ist es eine Ehre, Menschen zu töten. Sollte es für uns Christen nicht eine Ehre sein, für unsere Verfolger zu beten und sie zu lieben?“

Im Buch eines Historikers entdecke ich, dass diese Einstellung Yousifs die gesamte Geschichte der östlichen Kirchen geprägt hat: Das Christentum unterscheidet sich gerade darin vom Islam, dass der Glaube niemals mit Gewalt verbreitet werden darf! Interessanterweise wurde bei christlich-muslimischen Dialogen genau auf diesen Unterschied verwiesen: Eine religiöse Botschaft soll sich kraft ihrer Wahrheit und durch das Wort durchsetzen, nicht mit dem Schwert.

Kalif Abd al-Malik fragte 691 den Patriarchen der „Kirche des Ostens“, Henanisho I., was er über den Islam denke. Der Patriarch antwortete, dass der Islam durch das Schwert zur Herrschaft gelangt sei. Eine Religion freilich, welche die von Gott befohlene Gewaltlosigkeit ignoriere, könne nicht wahr sein. Diese Antwort erregte den Zorn des Kalifen derart, dass er die Zunge des mutigen Patriarchen abschneiden lassen wollte.

Auch bei anderen Dialogen betonten die christlichen Gesprächspartner, dass der Glaube nicht mit Gewalt verbreitet werden dürfe. Dies war auch die Kritik des byzantinischen Kaisers Manuel II. am Propheten Mohammed. Wird am Ende aber doch die Gewalt siegen? Geradezu verräterisch argumentierte der muslimische Theologe Ali at-Tabari (ein ehemaliger Christ) im 9. Jahrhundert in seiner „Widerlegung des Christentums“: Eine Religion ohne das Konzept eines „Heiligen Krieges“ kann auf Dauer nicht überleben! Und was die „Kirche des Ostens“ und selbst das mächtige Byzanz (Konstantinopel) anbelangt, scheint ihm die Geschichte recht zu geben: Der Islam hat gesiegt. Ist das der Ausverkauf der Idee einer gewaltfreien Religion?

Die Frage nach dem Verhältnis von Religion und Gewalt lässt mich nicht mehr los. Ich diskutiere über diese komplexe Frage auch mit einer Freundin. Dabei wird uns deutlich, dass die menschliche Gewalt sehr viele Ursachen hat. Angst oder Mangelerfahrungen beeinflussen das menschliche Aggressionspotential in erheblichem Maß. Eine wesentliche Rolle spielt auch die Konkurrenz zwischen Menschen: Eifersucht und Neid lösen oft Gewalttaten aus.

Als besonders fataler Mechanismus erweist sich die Ansteckungskraft menschlicher Gewalt. Wer Rache übt, wiederholt ja genau das, was ihm angetan wurde – oder verschlimmert es noch: Man will es doppelt und dreifach zurückzahlen! Es beginnt eine endlose Spirale von Gewalt und Gegengewalt: ein Teufelskreis!

Weiterhin können sich soziale und politische Systeme verstärkend auf die Gewaltbereitschaft des Menschen auswirken. Und schließlich können auch ideologische und religiöse Anschauungen die menschliche Neigung zur Gewalt beeinflussen.

Heute hört man vielerorts den Vorwurf, dass die Religionen sogar die eigentlichen Brandstifter der Menschheitsgeschichte seien. Religiöse Menschen fallen unter den Generalverdacht, besonders gewalttätig zu sein. Dies wird durch die zahlreichen Hinweise auf Religionskriege und neuerdings durch den Terror im Namen des Islam untermauert.

Ein genauer Blick in die Geschichte zeigt allerdings, dass die Religion von ihrem Ursprung her eine Kultur von Frieden und Versöhnung anstrebt. Auch am Beginn des Islam stand der Versuch, die zerstrittenen Stämme Arabiens durch den Glauben an den einen Gott zusammenzuführen. Gerade die Betonung der Barmherzigkeit Gottes im Koran will eine Kultur der Versöhnung und des Friedens fördern.

Insbesondere aber geht es der Bibel um eine Überwindung der fatalen Gewaltmechanismen des Menschen. So finden wir im Alten Testament eine bemerkenswerte Entwicklung des Gottesbildes: Gott wird immer mehr als jene Macht verstanden, die sich um Gerechtigkeit sorgt und die zugleich durch Barmherzigkeit den Menschen Versöhnung und Frieden schenkt. Dies ist auch der Kern der Botschaft Jesu: Die Liebe Gottes kann das Herz des Menschen derart erfüllen, dass er sich nicht mehr gewaltsam gegenüber seinen Mitmenschen behaupten muss. Wer Gottes Großzügigkeit erfährt, entkommt der Falle, sich mit anderen zu messen und ihnen zum Rivalen oder zur Rivalin zu werden. Von diesem Glauben beseelt lehnt Jesus alle Gewaltanwendung und Rachegedanken entschieden ab. Er predigt eine radikale Gewaltlosigkeit, welche die alten Mechanismen von „Auge um Auge und Zahn um Zahn“ überwindet. Das Böse soll durch Liebe überwunden werden, die in letzter Konsequenz sogar bereit ist, Unrecht zu ertragen und Gewalt zu erleiden. Nur so kann der Teufelskreis von Gewalt und Gegengewalt überwunden werden.

Jesus selbst wurde unschuldig zum Tod am Kreuz verurteilt und damit ein Opfer menschlicher Gewalt. Gott aber bestätigt die Gültigkeit von Jesu Botschaft, indem er ihn von den Toten auferweckt: Nicht Hass und Gewalt behalten das letzte Wort, sondern Versöhnung und Liebe.

In den ersten Jahrhunderten des Christentums wurde der Aspekt der Gewaltfreiheit sehr betont. Als die Kirche des Westens allerdings dann Staatskirche wurde, rechtfertigten manche Theologen die Anwendung von Gewalt – etwa zur Verteidigung im Kriegsfall. Das ursprünglich strenge Tötungsverbot wurde aufgeweicht und Häretiker, die vom offiziell definierten Glauben des Christentums abwichen, wurden oft brutal verfolgt.

Es kam sogar zu Kriegszügen im Namen des Christentums. Diese „Kreuzzüge" sind ein komplexes Phänomen und können nicht bloß als „Aggression der Christen" gegen die Muslime verstanden werden. Unter anderem waren die Kreuzzüge auch eine Reaktion auf vorausgegangene Angriffe von muslimischen Heeren auf das christliche Byzanz, das in seiner Not das Abendland um Militärhilfe bat. Das Abendland schickte jedoch keine Berufssoldaten (Söldner), sondern es kam zu religiös motivierten Kriegszügen.

Als die ersten Kreuzritter in Byzanz ankamen, waren die Christen des Ostens darüber entsetzt, dass diese im Namen des Kreuzes in den Krieg ziehen wollten. Die Byzantiner akzeptierten keinen „Heiligen Krieg", weder einen Kreuzzug noch einen Dschihad. Die Botschaft des Evangeliums war eindeutig eine gewaltfreie – und daher konnte auch in Byzanz ein Soldat, der in einer Schlacht gefallen war, nicht als Märtyrer verehrt werden.

Ein byzantinischer Kaiser, der durch den muslimischen Eroberungskrieg in Bedrängnis kam, bemühte sich um eine ideologische Aufrüstung, um den fanatisierten Dschihadisten ähnlich todesmutige Christen entgegenzustellen. Doch der Patriarch Joannes I. widersprach heftig: Kriege können politisch notwendig sein, aber sie dürfen nicht im Namen Gottes geführt werden! Was die Gewaltlosigkeit anbelangt, blieben die Kirchen des Ostens dem Evangelium treuer als die des Westens.

Im Umfeld der Kreuzzüge, die mit Brutalität geführt wurden, kam es im Westen zu Judenverfolgungen sowie zu regelrechten Kriegszügen gegen Häretiker. Dem Kampf gegen abweichende theologische Strömungen diente dann auch die Inquisition, welche Folter und Tötung als legitime Mittel ansah, um den kirchlichen Glauben zu schützen. Bis heute gehören die Gewalt der Kreuzzüge und der Inquisition zu den schlimmsten Abirrungen von der ursprünglichen Lehre und Praxis Jesu!

Doch auch wenn im Lauf der Kirchengeschichte die Botschaft Jesu von der Gewaltlosigkeit vergessen oder verraten wurde, so blieb die ursprüngliche Lehre Jesu immer ein Widerlager gegen die Gewalt im Namen der Religion. Als die frühe Kirche begann, sich mit der staatlichen Macht zu verbünden, erstarkte zugleich eine Gegenbewegung: das Eremitentum, der Auszug von gläubigen Frauen und Männern in die Wüste und damit der radikale Verzicht auf Geld und Macht. Im Hochmittelalter trat gerade zur Zeit der Kreuzzüge ein Mann wie Franz von Assisi auf, der Frieden stiften wollte und gewaltlos ins Lager des muslimischen Sultans schritt.

Es bleibt bis heute eine große Herausforderung für die Kirche, das Evangelium von der Überwindung des Bösen durch Gewaltfreiheit und Versöhnung zu predigen und zu leben. Mit umso größerem Respekt begegne ich den Christen aus dem Nahen Osten, die dieser Botschaft trotz größter Bedrängnis treu geblieben sind. Ihr Zeugnis (= Martyrium) ist ein großer Schatz!

Am zweiten Weihnachtstag 2015 feiere ich den Gottesdienst in unserer Pfarrgemeinde. Der 26. Dezember ist traditionell der Gedenktag des heiligen Stephanus, des ersten Märtyrers der christlichen Kirche. Stephanus gehörte zum Anhängerkreis Jesu und wurde deshalb um das Jahr 36 oder 40 n. Chr. von jüdischen Fanatikern gesteinigt (vgl.

Apg 6–7). In diesem Jahr ist mir beim Wort „Märtyrer“ unwohl. Denn das Wort hat inzwischen einen zwiespältigen Klang. Ursprünglich bedeutet das Wort einfach „Zeuge“ und wurde erstmalig Polykarp von Smyrna (2. Jhd.) als Ehrentitel verliehen: Wer mit seinem eigenen Leben Christus bekennt und um seinetwillen einen gewaltsamen Tod erleidet, ist ein „Blutzeuge“. Der Ehrentitel des Märtyrers war an klare Bedingungen gebunden: Man darf sich das Martyrium nicht selbst suchen. Und: Christliche Märtyrer *erleiden* Gewalt und tun ihren Widersachern niemals Gewalt an. Sie beten für ihre Verfolger, d. h. sie geben sie vor Gott nicht auf, sondern hoffen auch für sie auf Gottes Vergebung und Gnade.

Das eigentliche Vorbild für das christliche Martyrium ist Jesus selbst. Aus Treue zu seiner Botschaft war er bereit, für seine Überzeugung zu sterben – und dabei noch für seine Henker zu beten: „Vater, vergib ihnen, denn sie wissen nicht, was sie tun.“ (Lk 23,34) Und Stephanus ahmte in seinem Sterben Jesus nach, indem auch er für seine Mörder betete: „Herr, rechne ihnen diese Sünde nicht an.“ (Apg 7,60) Diese Grundlinien galten in der christlichen Kirche für lange Zeit: Als Märtyrer gilt nur jemand, der ohne Waffe in der Hand gewaltlos einen gewaltsamen Tod erleidet – und darin dem Vorbild Jesu folgt. Das sind die wahren Helden: die nicht dem blinden Mechanismus der Rache verfallen und auf andere dreinschlagen, sondern sich selbst und ihre Rachegelüste besiegen.

Im Laufe der Geschichte wurde der Begriff „Märtyrer“ im Christentum inflationär angewendet und aufgeweicht. Allerdings wurde den Kreuzfahrern, die mit päpstlichem Segen in den Krieg zogen, ein Privileg vorenthalten, das allen muslimischen Glaubenskriegern winkte: Sie durften, wenn sie im Kampf gefallen waren, nicht als Märtyrer verehrt werden. Jemand, der andere getötet hat und an dessen Schwert Blut klebt, kann im Christentum nicht als „Märtyrer“ bezeichnet werden!

Im Islam wird der Märtyrer völlig anders definiert: Er trägt eine Waffe in der Hand und stirbt als „Glaubenskrieger“. Wenn jedoch die Kämpfer, die Blut vergossen haben, „Märtyrer“ genannt werden, wird der Gewalt eine sakrale Aura verliehen! Die Spirale der Gewalt wird nicht unterbrochen, sondern religiös verstärkt. Geradezu pervers mutet es an, wenn islamische Autoritäten die Selbstmordanschläge als „Märtyrer-Aktionen“ deklarieren, bei der sich die Attentäter direkt ins Paradies und ihre Opfer in die Hölle sprengen. Diese ideologische Umdeutung widerspricht auch der islamischen Rechtstradition, die eine Selbsttötung verbietet!

Ein Blick in unsere Zeitungen zeigt diese Begriffsverwirrung: Oft wird das Wort „Märtyrer“ für Selbstmordattentäter oder Terroristen verwendet, die mit dem Ruf „Allahu akbar!“ Blut vergießen. Das Wort „Märtyrer“, das einmal so kostbar war, weil es auf eine gewaltfreie Haltung hinwies, ist ins Gegenteil pervertiert. Es wird zum Ehrentitel für irregeleitete Fanatiker, die mit Waffengewalt oder einem Sprengstoffgürtel möglichst viele – und oft völlig unschuldige – Menschen mit sich in den Tod reißen.

In der Predigt am Stephanustag versuche ich zu erläutern, dass wir Christen mit „Märtyrer“ genau das Gegenteil dessen meinen, was heute viele mit diesem Wort assoziieren. Das christliche Martyrium meint die Bereitschaft, gewaltfrei für seine Überzeugung einzustehen und im Extremfall für sie zu sterben – und dabei sogar noch für die Verfolger zu beten!

18. An Karfreitag wird Ostern

Karfreitag 2016. Im Zentrum der Liturgie stehen die Lesung der Passionsgeschichte Jesu und die Kreuzverehrung. Ein eigentümlicher Ritus: die Verehrung eines Folterinstrumentes! Der Zusammenhang von Religion und Gewalt steht mir wieder vor Augen: Das Kreuz erinnert daran, dass Jesus von den Frommen seiner Zeit angeklagt wurde. „Um Gottes willen" forderte man sein Todesurteil.

Vielleicht haben viele, die ihre Wohnung mit einem Kruzifix dekorieren oder sich ein Kreuz um den Hals hängen, die Brutalität einer Kreuzigung – noch dazu im Namen der Religion – gar nicht im Blick. Jedes Kreuz aber ist eine schmerzliche Erinnerung daran, was Menschen einander antun können, und das noch mit Berufung auf Gott! Trifft also doch der Vorwurf zu, dass die Religion eine wesentliche Ursache der menschlichen Gewaltbereitschaft darstellt? Und wird mit dem Bild eines Kreuzes die Gewalt nicht sogar noch verherrlicht? In meiner Predigt taste ich nach möglichen Antworten:

Das Kreuz zeigt auf erschreckende Weise, wozu Menschen fähig sind. Es zeigt aber auch, wozu Jesus fähig war: Denn er hat die Gewalt, die ihm angetan wurde, nicht erwidert, sondern ausgehalten. Er nahm seine eigene Predigt beim Wort: „Selig, die keine Gewalt anwenden!" „Wenn dich einer auf die rechte Backe schlägt, dann halte ihm auch die linke hin!" Die Aggression oder Beleidigung soll jedoch nicht stillschweigend hingenommen werden. Dem gewalttätigen Gegenüber die andere Backe hinzuhalten ist vielmehr eine gewaltlose Provokation, die ihm die eigene Aggressivität bewusst machen will. Damit appelliert Jesus an das Gute im Menschen, an das er unerschütterlich glaubt. Die Gewalt als solche wird ausgehalten in der Hoffnung, dass sie sich totläuft. Auf diese Weise können die alten Mechanismen überwunden werden. Das ist Erlösung: dass die Welt aus den Zwängen der Gewaltgeschichte befreit wird.

Es braucht freilich eine große innere Stärke, um die Faust nicht zu ballen. Es braucht Mut, dem anderen die Hand zur Versöhnung zu reichen, nicht wissend, wie die andere Person reagieren wird. Doch nur so wird der tödliche Kreislauf der Rache unterbrochen.

Jesus streicht die Gottesbilder durch, die Gott als Rächer auftreten lassen. Denn der Gott Jesu ist kein Gott, der den Tod seines Sohnes wollte. Vielmehr ist Gott ein Freund des Lebens. Wir Menschen aber sind dieser Freundschaft oft nicht willens und nicht fähig.

Doch Gott hält das aus: Jesus bleibt in der Liebe, selbst in dem Augenblick, als der Hass ihn mit aller Härte trifft. Er verzichtet auf das Schwert, das einer seiner Jünger in die Hand nehmen will, um seinen Meister mit Gewalt zu verteidigen. Jesus sinnt nicht auf Vergeltung, sondern betet für seine Peiniger. Er lässt sich nicht in die Spirale des Hasses hineinziehen, sondern bleibt Gott, seinen Mitmenschen und sich selbst treu bis zuletzt. So wird unter das endlose Auflisten der Rache ein Schlussstrich gezogen. Die Verehrung des Kreuzes ist daher keine Verherrlichung der Gewalt. Nicht die Gewalt wird verherrlicht, sondern Jesus! Denn er wird der Gewalt Herr und überwindet sie durch Erbarmen und Liebe.

In unserer Welt wird die Gewalt glorifiziert. Und die Geschichte wird von den Siegern geschrieben. Die Kulturen in aller Welt haben triumphale Siegesdenkmäler errichtet. Das Kreuz aber entlarvt die Gewalt und die Lügen der Sieger. Das Kreuz ist das erste Denkmal in der Geschichte der Menschheit, das an ein Opfer erinnert. Erst mit dem Christentum kam es dazu, dass man die Opfer nicht mehr vergisst; dass man so etwas wie ein Denkmal für die gefallenen Soldaten oder für den Holocaust errichtet. Das Kreuz ist das erste Denkmal, das die Menschheit daran erinnert: Gott vergisst die Opfer nicht. Gott ist kein Komplize der Sieger, sondern erbarmt sich ihrer Opfer. Und er lässt ihr Sterben nicht vergeblich sein. Nach aller Gewalt, die wir Menschen einander antun, und selbst nach dem Tod hat Gott noch das letzte Wort. Und dieses Wort ist ein Wort des Lebens.

Schauen wir also auf den Gekreuzigten, der das Böse überwunden hat durch Erbarmen und Großzügigkeit, durch Gewaltfreiheit und Vergebung, durch Freundschaft und Liebe. Und diesen Gekreuzigten dürfen wir nachahmen und verehren.

Ich knie vor dem Kreuz: Die vielen Erfahrungen erlittener Gewalt, von denen ich in den letzten Monaten hören musste, stehen mir vor Augen. Und zugleich zahlreiche Frauen und Männer, die trotzdem nicht auf Rache sinnen. Als ich das Kreuz küsse, läuft mir ein Schauer über den Rücken.

Im Anschluss an den Karfreitagsgottesdienst fahre ich nach Grünau-Nord, wo vor ein paar Wochen eine weitere Familie aus Mossul eingezogen ist. Ich will sie besuchen, um über die Anmeldung ihres kleinen Mädchens Suhayla im Kindergarten zu sprechen. Neben ihrer Tochter haben Shadla und ihr Mann Nasir auch drei Söhne, zwei davon schon erwachsen und Boulos gerade 13 Jahre alt. Mein Freund Yousif hat mich unlängst auch auf diese Familie aufmerksam gemacht.

Ich radle in die Uranusstraße und klingele. Ein Mann, etwa 50 Jahre alt, öffnet mir und bittet mich ins Wohnzimmer. Mit seiner glänzenden Glatze und einem rundlichen Bauch erweckt Nasir den Eindruck eines gemütlichen Menschen. Vor mir ein niedriger Glastisch, auf dem die ebenfalls rundliche Shadla in Windeseile einen heißen Tee und Kekse serviert. Da Karfreitag für Katholiken ein Fasttag ist, habe ich noch nichts gegessen und ertappe mich dabei, wie ich einen Keks nach dem anderen verschlinge. Nebenbei krame ich ein Formular aus der Tasche und beginne, ein paar Daten einzutragen. Boulos hat neben mir Platz genommen und dolmetscht. Seine krausen, schwarzen Haare sind kurz geschoren und seine warmen, dunklen Augen schauen mich aufmerksam an.

Nachdem ich meine Daten zusammenhabe, lehne ich mich zurück. Eine Bitte kommt mir spontan über die Lippen: „Ich kenne euch noch gar nicht. Erzählt mir von eurer Geschichte!“

Nasir beginnt und Boulos übersetzt. Bald erzählt Boulos auch ohne die Vorgaben seines Vaters. Die beiden jungen Männer haben sich dazugesetzt und ergänzen die Ausführungen ihres Bruders.

Die Familie lebte seit Urzeiten in Mossul und gehört der syrisch-orthodoxen Kirche an. Ebenso traditionell wie das Christentum ist auch Nasirs Beruf, den er von Vater, Großvater und weiteren Ahnen ererbt hat: Er ist Zimmermann und hatte in Mossul einen kleinen, florierenden Familienbetrieb. Im Jahr 2003 nahmen die US-Amerikaner die Millionenstadt fast kampflos ein. Doch im Untergrund organisierte sich der Widerstand fanatischer muslimischer Bewegungen, deren bevorzugte Opfer die einheimischen Christen waren.

Eines unschönen Morgens klebte auch an Nasirs Haustür ein Drohbrief mit einer unverblümten Zahlungsaufforderung. Die Summe war derart hoch, dass Nasir sie nicht sofort aufbringen konnte. Wenige Tage später wurde sein Bruder auf der Straße angehalten. Mit vorgehaltener Waffe verlangten die Dschihadisten seinen Pass. „Du bist Christ?“ Ohne weiteren Kommentar eröffneten sie das Feuer und töteten ihn mit fünf Schüssen in den Kopf; sein sechsjähriger Junge stand daneben.

Nasir wusste, dass er sich und seine Familie möglichst bald in Sicherheit bringen musste. Doch er war nicht schnell genug. Denn schon am nächsten Tag drangen maskierte Männer in seine Werkstatt ein und schossen wild um sich. Nasir hatte einen kleinen Jungen, Nimrod, der an diesem Tag seinen siebten Geburtstag feierte und nebenan im Holzlager spielte. Als der erste Schuss fiel, warf sich Nasir instinktiv hinter der Ladentheke zu Boden. Die Terroristen verließen den Laden durch das Holzlager. Von dort hörte man lautes Gepolter und einen hellen Kinderschrei. Einen Todesschrei. Nasir rannte auf und stürmte in die Lagerhalle nebenan. Die Terroristen hatten einen Holzstapel umgestürzt und die schweren Bretter hatten den Kleinen unter sich begraben.

Nasir holt ein Smartphone hervor und sucht nach einem Foto. Dann zeigt er mir das Bild eines kleinen Jungen, der mich lächelnd anstrahlt. Ich verziehe das Gesicht.

„Das ist Nimrod", sagt Boulos. Und ich sehe, wie Nasir die Tränen in die Augen treten. Hätte ich lieber nicht nach ihrer Geschichte gefragt, denke ich beklommen. Im Raum herrscht eine bedrückende Stille. Ich spüre die Trauer dieser Menschen. Ja, es ist heute Karfreitag!

Eine ganze Zeitlang sitzen wir schweigend da und ich schaue immer noch auf das Bild des fröhlichen Jungen. Dann reiche ich Nasir das Smartphone zurück und Boulos fährt fort.

Noch am gleichen Tag wurde der zerquetschte Körper des kleinen Nimrod auf einem der christlichen Friedhöfe von Mossul beerdigt. Dann packten die hochschwangere Shadla und Nasir das Nötigste zusammen, verstauten es in ihrem Kleintransporter und verließen in der Nacht mit ihren drei verbliebenen Kindern die Heimatstadt Mossul.

Es gelang ihnen, nach Syrien einzureisen und sich in Qamishli niederzulassen. In Syrien waren Nasir und seine Familie einigermaßen sicher. Ein Nachbar aus Mossul schickte ihm per Smartphone Bilder: Die Dschihadisten hatten das Haus ausgeraubt. Die Rollläden waren aus der Verankerung gerissen und die Glasscheiben zersplittert. Vor dem Haus lag ein Berg aus zertrümmerten Möbeln, zerfetzten Kleidern, zerschlagenem Geschirr, durchsetzt mit Holzabfällen und Glasscherben. Ein Foto traf sie wie ein Schlag in die Magengrube: angekohlte Ölbilder und Zeichnungen von Rami. Shadlas ältester Sohn Rami ist ein talentierter Maler und hatte seine Werke zurücklassen müssen. Religiöse Bilder oder gar Portraits von Menschen zu malen – das zählt für islamische Fundamentalisten als Verbrechen. Auf einem anderen Foto sah man die Werkstatt, in der vorher Maschinen zur Holzverarbeitung gestanden hatten: völlig leer geräumt.

Vier Jahre lebte die Familie im Exil in Qamishli: fünf und dann bald sechs Personen in einem Zimmer; man schlief jeweils zu zweit in einem Bett. Der Vater arbeitete als Tagelöhner auf Baustellen, die Kinder gingen zur Schule – jede Klasse umfasste etwa 50 Kinder. Die beiden ältesten Jungen mussten nach der Schule in einer Bar bzw. in einem Restaurant als Kellner arbeiten, um den kargen Lohn ihres Vaters zu ergänzen.

Vor fünf Jahren erfasste der Krieg auch Syrien; radikal-islamische Kämpfer bedrohten die letzten für Christen sicheren Orte wie Damaskus, Aleppo, Hassake und Homs. Auch in Qamishli tauchten fanatische „Glaubenskämpfer" auf.

Die Eltern wussten, dass sie mit ihren Kindern nicht länger in Syrien bleiben konnten. Nasir fuhr noch einmal kurz nach Mossul zurück. Boulos begleitete seinen Vater in ihr Haus, das der Vater noch einmal sehen wollte. Im Lagerraum fanden sie den schwarzen, verkrusteten Fleck auf dem Boden. An seinen Bruder kann sich Boulos nicht mehr erinnern. Doch jetzt hat er eine Erinnerung an ihn: eine vertrocknete Blutlache. Mit diesem Bild verabschiedeten sie sich für immer aus Mossul.

Der Familie gelang es, über die Grenze nach Jordanien zu fliehen. Dort ließ Nasir seine Frau und Kinder in einem Flüchtlingslager zurück und versuchte, sich mit Hilfe von Schleusern nach Europa durchzuschlagen. Durch den Verkauf seines Kleintransporters und aller noch verbliebenen Wertsachen konnte er die Summe von 9000 Dollar aufbringen. Mit einem Lastwagen wurde er über Syrien in die Türkei geschmuggelt und dann mit sechs weiteren Personen im Motorraum eines Schiffes versteckt, das ihn nach Griechenland übersetzte. Von Piräus aus begann ein langer Weg: oft zu Fuß, tagelang. Manchmal nahm ihn ein Auto ein Stück weit mit; an den Grenzen fand er glücklicherweise immer jemanden, der ihm Schleichwege zeigte.

In Deutschland angekommen beantrage Nasir Asyl. Monatelanges Warten. In einem fremden Land mit einer so zungenbrecherischen

Sprache. Dann die komplizierten Papiere, die auszufüllen waren. Und immer Warten, ohnmächtiges Warten. Nach sechs Monaten endlich die erlösende Nachricht: Nasir wird als Asylant anerkannt und darf seine Familie nachholen.

Ein Jahr lang lebten sie in Grünau-Süd zu sechst in einer Ein-Raum-Wohnung. Wie oft haben sie an ihr großes Haus aus Stein gedacht, das sie wohl für immer verloren haben ... Vor kurzem konnten sie endlich diese Wohnung mit fünf Zimmern beziehen. An den hellhörigen Plattenbau müssen sie sich erst noch gewöhnen und anpassen. Der Nachbar oben hat sich zu einem bedrohlichen Über-Ich entwickelt: Als es neulich etwas laut war, klingelte er und drohte, er werde dafür sorgen, dass die Familie Deutschland wieder verlassen müsse. Ich versuche, diese Ängste zu zerstreuen. Eine Frage interessiert mich noch und ich wende mich an Rami, Nasirs ältesten Sohn: „Was denkst du vom IS?"

Ohne langes Nachdenken antwortet er: „Sie sind blind. Sie meinen, sie würden Gott dadurch dienen, dass sie andere töten. – Ich liebe alle Menschen. Ich bin traurig über sie."

Nasir will auch mir noch eine Frage stellen: „Ein paar syrisch-orthodoxe Familien haben in Leipzig eine Gemeinde gegründet. Wir suchen eine Kirche und ein Gemeindezentrum, um uns dort regelmäßig zu treffen und Gottesdienst zu feiern. Kannst du uns helfen?"

Ich nicke und habe auch schon eine Idee.

Nasir bekräftigt seinen Wunsch: „Wir wurden vertrieben. Aber wir wollen uns wieder sammeln."

Dieser Wunsch geht mir unter die Haut. Denn das ist österlich: Der auferstandene Jesus Christus holte die Jüngerinnen und Jünger wieder zusammen, die sich am Karfreitag zerstreut hatten. Diese Sammlung der ersten Kirche, das war Ostern. Und die Nachfahren der ersten Christen, die in alle Himmelsrichtungen vertrieben wurden, sie sammeln sich wieder, hier in Leipzig. Vor einer Stunde noch schaute ich auf das Foto des kleinen Nimrod: Karfreitag pur! Und jetzt: Ostern!

Shadla kommt aus der Küche und bittet uns zu Tisch. Dort dampft und duftet ein üppiges Abendessen aus den Schüsseln. Eigentlich wollte ich heute fasten. Doch nun feiern wir Auferstehung – und ich lasse es mir schmecken. Beim Verabschieden lerne ich den Ostergruß auf Arabisch: „Al massih kam! – Christus ist auferstanden!" Und die Antwort auf diesen Gruß: „Hakan kam! – Er ist wahrhaft auferstanden!"

Ein mächtiges Gebäude in der Form eines Kubus. Aus dem Inneren dringen fremdartige Melodien. Zufällige Passanten werden neugierig. Ein älteres Ehepaar betritt den Raum. Als typische Leipziger haben sie zu Religion keinen Bezug. Was spielt sich hier ab? Vorn ein paar bärtige Männer, in festlichen Gewändern. Die Frauen haben sich ein Spitzentuch über den Kopf gelegt. Und aus vielen Kehlen tönt ein lautstarker, orientalischer Gesang.

Ich stehe in der Nähe des Eingangs und das Ehepaar fragt mich: „Ist das eine Moschee?"

Ich deute auf das überdimensionale Kreuz, das die sonst kahle Wand an der Stirnseite des Raumes schmückt. Bunt gemustert, mit gelben und roten Ornamenten.

„Ein Kreuz würden Sie in einer Moschee sicher nicht finden. Das ist eine christliche Kirche!" Ungläubiges Staunen auf den Gesichtern der beiden zufälligen Besucher: „Und hier feiern Muslime ihren Gottesdienst?"

„Nein – das sind keine Muslime. Hier singt ja im Wechsel ein Chor von Männern und Frauen. Das sind Christen aus dem Irak und aus Syrien!"

„Sind die vom Islam zum Christentum übergetreten?"

Wieder einmal geht mir durch den Kopf, wie wenig wir hier in Europa von der Geschichte der Christen im Nahen Osten wissen.

„Das Christentum kommt aus dem Orient und ist dort schon viel länger daheim als der Islam. Und trotz vieler Diskriminierungen und Probleme gibt es bis heute im Irak und in Syrien christliche

Gemeinden. Doch jetzt mussten viele flüchten, weil sie vom Terror des sogenannten Islamischen Staates bedroht werden."

Die beiden älteren Herrschaften bedanken sich und setzen sich in eine Bank. Sichtlich fasziniert verfolgen sie die syrische Liturgie. Auf dem Altar liegt ein grellrotes Tuch mit goldenen Stickereien, die einen Kelch und Tauben zeigen. Auch auf dem roten Gewand des bärtigen Priesters ist eine silberne Taube eingestickt: ein Bild für den Heiligen Geist, der in dieser Feier die Gegenwart Christi in Brot und Wein bewirken und die Menschen untereinander verbinden soll. An der Chorwand lehnen zwei Stangen, an deren oberem Ende eine silberne Scheibe glänzt. Zwei junge Männer in weißen Gewändern nehmen die Stangen zur Hand und lassen sie vibrieren, so dass die kleinen Glöckchen, die an der Scheibe hängen, den Raum mit hellem Klingeln und Klirren durchdringen. Weihrauchschwaden steigen dem von oben einfallenden Licht entgegen und erfüllen die Kirche mit einem fremdländischen, betörenden Geruch: Weihrauch aus dem Orient. Duftspuren einer fernen Heimat. Ich tauche ein in das Schauspiel aus wallenden Gewändern und wogenden Gesängen. Und immer wieder der aramäische Friedensgruß: Shlomo! Ich schaue zu meinen Freunden aus Aleppo, zu den Familien aus Hassake, zu den Frauen aus Mossul. Ihre Geschichten von Bedrohung, Angst und Vertreibung stehen mir vor Augen. Ich denke auch an die Kirchen des Orients: Wie viel Leiden und Verfolgung mussten sie ertragen! In ihrer Liturgie hat die sehnliche Bitte nach Frieden einen ganz besonderen Ort und Klang.

Unter den Besuchern dieses syrisch-orthodoxen Gottesdienstes entdecke ich auch Mitglieder der koptischen Kirche (Ägypten), griechisch-orthodoxe und armenische Christen, Schwestern einer evangelischen Gemeinschaft und Katholiken, die sich in der neu erbauten katholischen Propstei-Kirche von Leipzig eingefunden haben. Hier wird die Ökumene endlich zur Wirklichkeit: dass sich Christinnen und Christen von Norden und Süden, von Osten und Westen um den einen Altar versammeln und um den Frieden Christi bitten.

Als Yousif vor ein paar Monaten das Anmeldeformular von Amanuel für die Schule ausfüllte, schrieb er bei der Angabe der Konfession ohne Zögern: „Christ". Im Sekretariat wollte man dann wissen, ob der Junge evangelisch oder katholisch sei. Yousif war schlagfertig: „War Jesus katholisch oder evangelisch?" Ich erklärte, dass Amanuel ein Christ aus dem Irak sei und am Religionsunterricht seiner Klasse teilnehmen möchte, egal ob evangelisch oder katholisch.

Ich erinnere mich an den vierzehnjährigen Yyad und an Nasirs Bruder, die beide in Mossul den Dschihadisten ihren Pass vorzeigen mussten. Dort war „Christ" verzeichnet – worauf beide sofort umgebracht wurden. Sie und viele andere haben den Glauben mit ihrem Blut bezeugt. Angesichts dessen wird offensichtlich: Das Entscheidende ist das *Christsein*. Alle Unterscheidungen nach Konfession, Sprache oder Kultur verblassen angesichts des Todes, den Menschen für Jesus Christus erleiden. Keiner der Terroristen wollte wissen, ob man einer orthodoxen oder westlichen Kirche angehört.

Christin oder Christ wird man durch die Taufe, die mit Jesus Christus verbindet, indem sie den Menschen geradezu in dessen Leben, Sterben und Auferstehen eintaucht. Auch wenn es verschiedene Kirchen wie die katholische, evangelische oder syrisch-orthodoxe gibt, so wird die *eine* Taufe von allen als das entscheidende Zeichen anerkannt, das einen Menschen in die *eine Kirche Jesu Christi* eingliedert.

Mit Schmerz und Scham denke ich an ein trauriges Kapitel der Kirchengeschichte, nämlich an die Versuche der römisch-katholischen Kirche, die syrischen Kirchen zu „missionieren" – sprich: sie einer abendländischen Theologie und Kirchenstruktur zu unterwerfen. Der Patriarch der Bergassyrer klagte im 19. Jahrhundert, dass seine Kirche unter zwei „Mohammeds" zu leiden habe: unter dem „Mohammed des Ostens" (der Prophet des Islam) und unter dem „Mohammed des Westens", mit dem er den Papst aus Rom meinte. Denn dessen Missionare hatten seine kleine Kirche durch Spaltungen geschwächt und ihren Niedergang beschleunigt. Ja, Bibliotheken, die all die Plünderungen durch Araber, Türken und Kurden überstanden hatten, wurden von katholischen Missionaren aus dem Westen vernichtet – theologische Besser-Wessis, die auf die Schätze der östlichen Theologie geringschätzig herabschauten. Leider gilt Ähnliches auch von den protestantischen Kirchen – und gegenwärtig sind es vor allem evangelikale Sekten, die die Christen des Ostens „bekehren" wollen und damit zu weiteren Abspaltungen beitragen.

Diese Aufsplitterungen haben den Kirchen des Nahen Ostens geschadet und ihr Zeugnis verdunkelt. Wenn heute zum Beispiel Muslime Christen werden wollen, dann muss man ihnen erst einmal die komplizierten konfessionellen Differenzen darlegen …

Angesichts des Märtyrertodes vieler orientalischer Christen und der Ausrottung ganzer Kirchen ist es ein Gebot der Stunde, auf dem Weg der Ökumene mutig voranzugehen. Die Unterschiede zwischen den Kirchen sind ein Reichtum, den es zu schätzen und zu bewahren gilt. Und wenn die Gläubigen der verschiedensten Konfessionen ihr Christsein mit dem eigenen *Blut* besiegeln: Muss man dann nicht auch die in Christus geschenkte Einheit seines *„Leibes"* (= die Kirche) beim gemeinsamen Abendmahl im *Teilen von Christi Leib und Blut* feiern?

Navid Kermani hat in seiner viel beachteten Rede anlässlich der Verleihung des Friedenspreises des Deutschen Buchhandels im Jahr 2015 auf die Christen des Ostens aufmerksam gemacht, die von ihren westlichen Glaubensgeschwistern vergessen wurden. Er zitiert den Priester Jacques Mourad: „Wir bedeuten ihnen nichts." Diese Ermahnung eines Muslims, dass wir Christen uns endlich unseren bedrohten und bedrängten Glaubensgeschwistern zuwenden sollten, muss aufrütteln. Vielleicht hat die Gleichgültigkeit, mit welcher der Westen dem Schicksal der orientalischen Christen seit langer Zeit gegenübersteht, die Skrupellosigkeit der islamistischen Kräfte verstärkt: Der Westen hat sich weder für die Armenier noch die Aramäer eingesetzt – dann können jetzt auch noch die letzten Christen im Nahen Osten abgeschlachtet oder vertrieben werden …

Es ist allerhöchste Zeit, dass uns der Appell von Navid Kermani wachrüttelt. Die orientalischen Christen haben unsere ganze Solidarität verdient. Sie wurden weit verstreut und so könnten wir es uns zur Aufgabe machen, sie zu suchen, sie anzusprechen und einzuladen.

- Wir können nach Christen aus dem Nahen Osten fragen: in den Aufnahmelagern, bei den Beratungsstellen und Hilfsorganisationen (z. B. auch: Caritas, Diakonie), um ihnen unsere konkrete Hilfe anzubieten (Wohnungs- und Arbeitssuche etc.).
- Wenn es sich um einzelne Personen oder eine Familie handelt, so wäre ein wichtiges Zeichen der Verbundenheit, sie in unsere Pfarrgemeinden einzuladen. Die Christen aus dem Orient bringen kostbare Schätze mit: Sie können von ihrem Glauben, ihrer Kirche und ihrer Geschichte erzählen. Eine andere Möglichkeit: Wir laden sie – besonders an den großen Festen im Kirchenjahr – dazu ein, unsere Gottesdienste mitzugestalten (z. B. das Vaterunser auf Aramäisch beten).
- Wenn sich z. B. in einer Stadt eine größere Gruppe von orientalischen Christen sammeln lässt, so können wir sie bei der Gründung von Gemeinden unterstützen, indem wir ihnen unsere Kirche und Gemeinderäume zur Verfügung stellen. Damit unterstützen wir die Bemühungen der Christen aus dem Orient, den Glauben, aufgrund dessen sie vertrieben wurden, hier zu leben und ihre Traditionen zu bewahren. Diesem Anliegen kann auch die gezielte Aufnahme der christlichen Kinder aus dem Nahen Osten in kirchliche Schulen dienen.

Die in direkter Linie von der Urkirche abstammenden Kirchen aus dem Orient werden in alle Welt zerstreut. Vielleicht sind manche von ihnen zum „Sterben“ verurteilt. Hier kann sich das Wort Jesu bewahrheiten: „Wenn das Weizenkorn in die Erde fällt und stirbt, bringt es reiche Frucht." (Joh 12,24)

In ihrem leidvollen Zerrissen-Werden können die orientalischen Kirchen eine Fruchtbarkeit entfalten: Sie bringen ein kostbares Vermächtnis – und wenn die westlichen Kirchen dies wertschätzen und aufnehmen, dann leben die Traditionen des Ostens fort! Gerade die römisch-katholische Kirche, die sich gerne auf „Traditionen" beruft, könnte wahrhaft traditionell werden, wenn sie das Erbe des Ostens übernimmt und integriert. Um ein paar Beispiele zu nennen:

- Die Kirchen des Orients waren *missionarisch und dialogisch* zugleich. Sie haben die Kulturen Asiens wertgeschätzt und standen in lebendigem geistigem Austausch mit Buddhismus oder Hinduismus. Sie haben auch den Islam mitgeprägt, indem sie dem muslimischen Kulturkreis wichtige philosophische und naturwissenschaftliche Kenntnisse vermittelten. Glücklicherweise spielen seit dem II. Vatikanischen Konzil die Inkulturation und der Dialog mit anderen Religionen und Weltanschauungen eine zentrale Rolle. Doch es gibt auch traditionalistische Strömungen, die wieder zurückrudern wollen. Der Blick auf die Kirchen des Nahen Ostens kann darüber aufklären, dass die wahre Tradition der Kirche den Dialog mit anderen Religionen hoch schätzt.
- Die Kirchen des Orients haben inmitten einer patriarchalen Gesellschaft seit ältester Zeit den *Frauen* in Liturgie und Amt einen Platz eingeräumt. So stand den Frauen das Amt der Diakonin offen, die bei der Erwachsenentaufe und auch in der Lehre tätig ist. Äbtissinnen teilten stellvertretend für den Bischof die Kommunion aus. Diese uralte Tradition wird in der Kirche des Ostens bis auf den heutigen Tag bewahrt und bildet ein solides Fundament, um die Entwicklung zu einer gleichberechtigten Rolle der Frau in der Kirche voranzutreiben.
- Weiterhin kennen die syrischen Kirchen seit frühester Zeit eine *Hochschätzung der ehelosen Lebensform im Mönchtum und eine*

Hochschätzung der Ehe – auch bei ihren verheirateten Priestern. In gleicher Weise gehört das angemessene und sensible Eingehen auf verschiedene seelsorgliche Problemfelder – wie etwa eine kirchliche Anerkennung und Segnung einer Zweitehe – zur christlichen Tradition, die auch im 21. Jahrhundert wegweisend sein könnte. Es wäre ein Segen, wenn diese bewährten Impulse aus dem Osten in der römisch-katholischen Kirche aufgenommen und fortgeschrieben werden könnten.

- Die orientalischen Christen sind in einem mehrheitlich muslimischen Umfeld über viele Jahrhunderte ihrem Glauben treu geblieben und haben ihn in großer Lebendigkeit weitergetragen. Das Christentum kommt auch in den westlichen Ländern immer mehr in *die Situation einer Minderheit*. Wir können von unseren Glaubensgeschwistern aus dem Orient lernen, den Glauben als Minderheit zuversichtlich und treu zu leben.
- Mit dem Schrumpfen oder vielleicht sogar Verschwinden der syrischen Kirchen darf deren Zeugnis für die urchristliche Haltung der *Gewaltlosigkeit* nicht vergessen werden! Über viele Jahrhunderte haben die Christen im Orient sich in dieser Frage an Jesus und dem Evangelium orientiert und mit ihrem Blut bezeugt – während man sich in Byzanz und Rom von der Verlockung staatlicher Macht einwickeln ließ. Das Erbe der Gewaltlosigkeit ist die kostbarste aller Reliquien; es ist das zentrale Vermächtnis Jesu an seine Kirche. Bis heute erinnern die Kirchen aus dem Nahen Osten an dieses Erbe, das auch in den Kirchen des Westens noch klarer bezeugt und fruchtbar gemacht werden kann. Das ist die Kirche ihrem Herrn und der Welt von heute schuldig: Angesichts der Gewalt, die angeblich im Namen Gottes verübt wird, ist es unendlich wichtig, das Evangelium und seine friedensstiftende Kraft mit *einer* Stimme zu verkünden. Und wenn die Gewaltfreiheit in Lehre und Praxis der westlichen Kirchen zum Leuchten kommt, dann sind die Kirchen des Ostens in ihnen auferstanden!

19. Unser Bestes geben

Viele Menschen aus Syrien und dem Irak mussten alles aufgeben und sind unter Lebensgefahr nach Deutschland geflüchtet. Mauern gegen Geflüchtete zu errichten ist ein Zynismus. Wenn Menschen vor unseren Grenzzäunen verhungern oder erfrieren müssten, so würden wir die Werte, auf denen unsere Gesellschaft sich gründet, im Fundament zerstören.

Zugleich ist eines sicher: Unsere Gesellschaft wird sich durch den Zuzug der Geflüchteten radikal ändern. Wir stehen vor einem Scheideweg: Entweder wir schaffen es, die Flüchtlinge positiv in unsere Gesellschaft und Wertegemeinschaft zu integrieren. Dann werden alle gewinnen. Oder wir verweigern uns den Herausforderungen und ziehen uns auf nationale Ideologien zurück – dann werden alle verlieren.

Ungezählte Menschen, Christen und Muslime, fliehen nach Europa, um dem Terror des Islamismus zu entkommen. Die chaotischen Zustände in ihren Heimatländern haben Menschen der verschiedensten Religionen in schreckliches Leid gestürzt. Nun sind sie auf der Suche nach einer neuen Heimat, aber auch nach anderen politischen Systemen und gesellschaftlichen Werten: Menschenrechte und Demokratie, Frauenbild und Gleichberechtigung der Geschlechter, Religionsfreiheit und Toleranz. Es stellt die große Herausforderung für unsere westliche Gesellschaft dar, die Geflüchteten von innen her für diese Werte zu gewinnen. Wenn wir die Vertriebenen offen und entgegenkommend aufnehmen, können sie unsere Werte kennen- und schätzen lernen.

1. Säkularisierung

Von seinem Ursprung her stellt das Christentum jede Gewalt im Namen Gottes in Frage: Der Glaube an Gott ist ein inneres Geschehen und setzt Freiheit voraus. Der nordafrikanische Theologe Tertullian (ca. 160–220) schrieb: „Es liegt nicht im Wesen der Religion, die

Religion zu erzwingen; nicht durch Gewalt, sondern freiwillig muss sie angenommen werden.“

Nachdem Kaiser Konstantin das Christentum staatlich anerkannt hatte, ging die ursprüngliche Distanz des Christentums zur staatlichen Macht verloren. Die Folge war, dass etwa Waffengewalt oder die Verfolgung von Andersgläubigen religiös begründet wurden. Es war ein Verdienst der Aufklärung, eine Trennung von Staat und Religion anzustreben – auch vor dem Hintergrund der schrecklichen Erfahrungen von Gewalt, die „im Namen Gottes“ verübt worden war. So konnte sich der säkulare Staat entwickeln, der nicht mehr an eine bestimmte Konfession oder Religion gebunden ist – und somit für alle Bürgerinnen und Bürger gleiche Rechte und Religionsfreiheit gewährleisten kann.

Erst nach einem langen Prozess der Selbstreinigung hat etwa die römisch-katholische Kirche die Trennung von Religion und Staat, die ja im Evangelium und in der Praxis der frühen Kirche angelegt war, wieder anerkannt. Im interreligiösen Dialog mit dem Islam könnten die Kirchen diese – teils bittere – Lernerfahrung einbringen.

Denn auch viele Muslime sehen deutlich, dass der Islam in seiner bisherigen Verfassung Religion und Staat zu eng verbindet. Diese unglückselige Verflechtung ist eine der Ursachen für eine lange Geschichte exzessiver Gewalt, die bis in die Gegenwart hineinragt. Der Islamische Staat ist nur eines von vielen Beispielen dafür, in welch unmenschliche Barbarei Menschen abdriften können, wenn sie eine bestimmte Religion zur absoluten Richtschnur für alle politischen und gesellschaftlichen Fragen erheben.

Leider haben die westlichen Staaten in der arabischen Welt viel zu oft ihre Glaubwürdigkeit verspielt. So war beispielsweise allzu leicht zu durchschauen, dass es bei der „Befreiung“ des Irak durch die USA nicht nur um die Einführung demokratischer Werte und Menschenrechte ging – sondern vor allem um wirtschaftliche Interessen. Bei meinem Besuch in Ankawa wurde ich mehrfach auf folgende Beobachtungen hingewiesen:

Es gibt so viele Diktaturen auf der Welt. Warum musste die USA ausgerechnet Saddam Hussein beseitigen? – Weil er über ein Land mit riesigen Erdölvorkommen herrschte! Die Verlogenheit der westlichen Politik wird besonders darin sichtbar, dass man sich mit den rückwärtsgewandten islamischen Regimen verbündet hat. Staaten wie Saudi-Arabien oder Katar, die eine versteinerte Deutung des Islam vertreten, werden mit Waffen beliefert, mit deren Hilfe sie ihre Regime festigen und ausbreiten können. Die Ideologien von „Al-Kaida“, „IS“ oder „Boko Haram“ wurden mit Hilfe immenser Geldsummen aus den Öltöpfen der Golfstaaten gut geschmiert. Vor allem Saudi-Arabien hat jahrzehntelang Öl ins Feuer des islamischen Fundamentalismus gegossen. Tausende von Moscheen und Zehntausende von Predigern wurden in alle Welt exportiert, um die islamische Staatssekte der „Wahhabiten“ auszubreiten – und muslimische Reformbewegungen zu unterdrücken! Wenn es darum geht, Geflüchtete aus Syrien aufzunehmen oder wenigstens die Flüchtlingshilfe finanziell zu unterstützen, halten sich die Saudis merkwürdig zurück. Für den Bau von Moscheen in Deutschland aber würden sie gerne Geld investieren, um ihre intolerante Islamversion noch weiter auszubreiten … Trotz alledem wird Saudi-Arabien nach wie vor als großer Verbündeter der USA oder auch Deutschlands gehandelt. Aus wirtschaftlichen Interessen werden anscheinend westliche Werte und demokratische Prinzipien auch schon mal unter den Ölteppich gekehrt. Eine derart zwiespältige Politik jedoch lässt das Bekenntnis zu Demokratie und Menschenrechten im Mund westlicher Politiker unglaubwürdig erscheinen!

Zahlreiche Opfer der Kriege, die der islamische Fundamentalismus angezettelt hat, kommen jetzt zu uns. Der Großteil der Geflüchteten sind Muslime. Viele von ihnen wurden auch durch die jahrzehntelange Propaganda ideologisch vergiftet: dass Christen „unrein“ sind, dass der Westen moralisch verkommen ist und dass eigentlich nur Muslime in vollem Sinne Bürger sein können.

Nun eröffnet sich die Chance, dass muslimische Geflüchtete die Errungenschaften westlicher Staaten entdecken können: Sie werden als Muslime vor dem staatlichen Gesetz als gleichberechtigt anerkannt. Diese Erfahrung kann sie für ein Umdenken und ein anderes Modell von Staat und Religion gewinnen: dass nämlich Religion und Staat prinzipiell zu trennen sind. Ein solcher Lernprozess geht nicht von heute auf morgen. Zudem ist die Einheit von Religion und Staat im Erbgut des Islam (Koran und das Vorbild des Propheten Mohammed) tief verwurzelt. Aber es gibt muslimische Denker, die – in einer Art Gentherapie – eine Trennung von Staat und Religion mit der religiösen Tradition des Islam zu versöhnen suchen. Diese Interpretationen brauchen unsere ganze Sympathie und Unterstützung. Vielleicht liegt darin sogar eine Gunst der Stunde, dass viele Muslime an der explosiven Mischung von Religion und Politik zu leiden haben und vor dem Terror fundamentalistischer Muslime geflüchtet sind: dass sie anderen Fundamenten, auf denen eine Gesellschaft gebaut werden kann, mit einer gewissen Offenheit begegnen und sich für Theorie und Praxis eines säkularen Staatsmodells gewinnen lassen.

2. Lob des Pluralismus

Am Beginn jeder sozialen, religiösen und politischen Bewegung steht eine starke Erfahrung von Gemeinschaft und Einheit. Jesus hat aus dem Kreis seiner Jüngerinnen und Jünger eine Gruppe von zwölf Aposteln ausgewählt. Diese sollten – in Anlehnung an die zwölf Stämme Israels – die Einheit der neuen Gemeinschaft symbolisieren.

Doch immer, wenn Menschen sich in Gruppen, Religionen oder Staaten sammeln, stellt sich die Frage nach dem Verhältnis von Einheit und Verschiedenheit. Eine erste Zerreißprobe erlebte das junge Christentum durch die Spannung zwischen Christen, die aus dem Judentum stammten, und solchen, die vorher einer „heidnischen" Religion angehört hatten. Nach schweren Konflikten einigte man sich beim sogenannten Apostelkonzil auf eine „Einheit in Verschiedenheit": Die „Judenchristen" erkannten Jesus als Messias an, blieben aber zugleich der jüdischen Tradition (z. B. Beschneidung, Speisevorschriften) treu; die „Heidenchristen" glaubten ebenfalls an Jesus Christus, doch sie wurden nicht dazu verpflichtet, das jüdische Gesetz zu halten. In späteren Jahrhunderten konnte man sich bei innerkirchlichen Streitpunkten oft nicht mehr friedlich einigen – denn das Bekenntnis zum christlichen Glauben war im römisch-byzantinischen Reich zu einem Politikum geworden. Debatten zwischen Theologen konnten Ursache von Bürgerkriegen werden. Daher versuchten die römischen Kaiser, eine bestimmte Interpretation des christlichen Glaubens nötigenfalls auch mit Gewalt durchzusetzen. Das Auseinanderbrechen des Christentums in Konfessionen hatte daher nicht nur theologische, sondern oft auch politische Gründe.

Die „ökumenische Bewegung" der letzten Jahrzehnte ließ den Reichtum der Vielfalt neu entdecken, den die verschiedenen Konfessionen bewahren. Für die Anerkennung einer legitimen Vielfalt war auch die Rückbesinnung auf die Urkirche von Bedeutung. Denn schon die Gründungsurkunde des Christentums ist plural: Es gibt vier Evangelien, in denen sich bereits vier verschiedene Traditionen und Deutungen dessen niederschlagen, wie Menschen Jesus Christus erfahren haben – und ihr Leben an ihm orientierten. Hieraus folgt ein legitimer Pluralismus von verschiedenen Konfessionen, die durch Kultur und Geschichte gewachsen sind und sich gegenseitig bereichern können.

Die Stärke des ursprünglichen Islam lag in der großen Einheit, die der neue Glaube zwischen den zerstrittenen Beduinenstämmen Arabiens stiften konnte. Zugleich stand bereits am Totenbett von Mohammed eine Streitfrage, die den Islam gespalten hat: Wer ist der legitime Nachfolger des Propheten? Der Konflikt zwischen Sunniten und Schiiten wird bis auf den heutigen Tag mit oft brutaler Gewalt ausgetragen.

Der Islamische Staat will die ursprüngliche Einheit wiederherstellen, die der Prophet Mohammed zwischen den arabischen Stämmen etablieren konnte. Die Faszination des IS liegt unter anderem in dieser Vision, die den idealen islamischen Staat aus der Gründungszeit unter Mohammed in die Gegenwart projiziert: So wie damals sollen die Muslime auch heute unter der Leitung eines geistlich-politischen Herrschers (Kalif) in einem Glauben geeint werden.

Doch die Vision eines streng einheitlichen islamischen Staates ist eine Fata Morgana. Denn der Islam war von Gründungszeiten an kein einheitliches Gebilde. Je mehr sich diese arabische Stammesreligion in neue Kulturkreise hinein ausbreitete, umso pluraler wurden ihre Ausdrucksformen. Die Begegnung mit dem syrischen Christentum und durch dieses mit der antiken griechischen Philosophie oder die Vermischung mit persischer und indischer Religiosität ließ einen breiten Fächer von Islam-Variationen entstehen. Verschiedenste Traditionen flossen in den Islam ein und schufen ein breites Spektrum von „Konfessionen": von den Alawiten bis zu der von Sufis geprägten Volksfrömmigkeit. Die verschiedenen Richtungen aber bekämpfen sich oft bis aufs Messer. Eine Ursache der ausufernden Gewalt, von der Syrien derzeit heimgesucht wird, liegt in diesen innerislamischen Differenzen.

Wenn nun viele muslimische Geflüchtete in unserer westlichen Gesellschaft Aufnahme finden, so eröffnet sich die Chance, dass sie den Pluralismus wertschätzen lernen: dass sich nämlich bei uns unterschiedliche muslimische Konfessionen und Traditionen nebeneinander und miteinander verwirklichen können. Ähnlich wie die Ökumene der christlichen Kirchen könnte die innermuslimische Vielfalt als Reichtum gewürdigt werden – und dies als Lernstufe, um auch den Pluralismus der Religionen (einschließlich des Atheismus) anzuerkennen. Konkrete Einübung einer solchen Haltung geschieht im *interreligiösen Dialog*, bei dem sich die Beteiligten gleichberechtigt auf einer Ebene begegnen können. In einem solchen Dialog können sich die uralten Muster auflösen, die Andersgläubige als „Ungläubige" oder „minderwertig" abstempeln. Das interreligiöse Gespräch, das einen falschen Absolutheitsanspruch überwinden hilft, ist den

Fundamentalisten ein Dorn im Auge: Nicht von ungefähr hat der IS das 1700 Jahre alte Kloster Mor Elian in Syrien, in dem der interreligiöse Dialog gepflegt wurde, zerstört. Dieses Verbrechen muss dazu anspornen, den Dialog zwischen Christen und Muslimen noch intensiver zu pflegen.

3. Religionsfreiheit und Toleranz

Das Christentum hat als Gruppe, die von Anfang an verfolgt wurde, für Religionsfreiheit gekämpft. Doch einmal an der Macht drehte sich der Spieß um. Im Abendland mussten vor allem die Juden an einer jahrhundertelangen Diskriminierung leiden. Ein religiös motivierter Antisemitismus konnte in manchen Schriften des Neuen Testamentes einen Anhaltspunkt finden, da sich in diesen ja die Unterdrückung der ersten Christen durch jüdische Autoritäten niederschlug. Erst nach langem Zögern haben die Kirchen des Westens die antisemitischen Strömungen ihrer Geschichte kritisch in den Blick genommen. Theologie und kirchliche Praxis haben inzwischen zu einem neuen Verhältnis zu den Juden als den „älteren Geschwistern" gefunden. Parallel dazu wurde auch die Religionsfreiheit wieder neu anerkannt.

Zu Beginn seiner Mission war Mohammed den Juden und Christen wohlgesonnen. Einerseits verdankte Mohammed – bewusst oder unbewusst – den beiden älteren Religionen vieles von dem, was in den Koran einfloss. Andererseits wollte Mohammed Juden und Christen für seine neue Religion gewinnen. Aus dieser Frühzeit des Islam, in der Mohammed in Mekka gewirkt hat, stammen die freundlichen Worte des Koran über Juden und Christen.

Doch als viele Juden und Christen Mohammed nicht als den endgültigen Propheten Gottes anerkennen wollten, schlug er einen aggressiven Ton an. Und da die späteren „Offenbarungen" (von Medina) nach gängiger Interpretation die früheren außer Kraft setzen, haben die Suren, die einen „Anti-Christianismus" grundlegen, bleibende Gültigkeit.

Somit findet sich bereits in den Koran-Schriften eine Ambivalenz: Es gibt zwar einen gewissen Respekt gegenüber Juden und Christen als „Besitzern einer heiligen Schrift“; zugleich aber werden sie auch des Irrtums bezichtigt. In der gesellschaftlichen Praxis führte dies dazu, dass bisher in allen politischen Systemen, die vom Islam geprägt sind, Juden und Christen prinzipiell als minderwertig gelten. Diese über viele Jahrhunderte eingefleischten Diskriminierungen sitzen tief und erhalten in den islamischen Ländern durch Predigten und gesellschaftliche Praxis ständig neue Nahrung. Schon von klein auf werden die Kinder durch Schulbücher und Lieder zur Verachtung der „unreinen Christen“ indoktriniert. Ein Beispiel aus jüngster Zeit: Imame haben im Dezember 2015 in Bagdad ihren Gläubigen verboten, ihren (letzten) christlichen Nachbarn zum Weihnachtsfest zu gratulieren!

Für das Christentum war unter anderem auch der Genozid an den Juden im Dritten Reich Anlass, die antisemitischen Anteile in der christlichen Tradition selbstkritisch in Blick zu nehmen. Leider hatten die der Judenvernichtung vorausgehenden und ihr sogar zum Vorbild dienenden Genozide von Muslimen an christlichen Völkern nicht diesen Effekt: Bis heute leugnet die Türkei den Genozid an den Armeniern, den Griechen oder den Aramäern. Wer den Sumpf aber nicht austrocknet, fördert das unterirdische Weiterfließen der Gewalt im Namen der Religion. Damit wurde unter anderem auch die Türkei zur Wegbereiterin dafür, dass sich ähnliche Verbrechen im Namen des Islam im 21. Jahrhundert – wiederum mit bestialischer Gewalt – wiederholen können.

Das Muster ist über die Jahrhunderte bis auf den heutigen Tag gleich geblieben: Es wird zum Heiligen Krieg gegen die „Ungläubigen“ aufgerufen und die als solche Gebrandmarkten werden vertrieben oder als todeswürdig erklärt. Gewaltsame Übergriffe gegen Christen mit dem Ziel, sie zum Islam zu „bekehren“ oder sie zu verjagen, sind auch heute in allen islamischen Ländern die Regel. Auffällig ist, in welchem Maß religiöse Führer ihre Gläubigen durch das

Trommelfeuer von Hasspredigten zu Plünderungen und Gewalttaten anstiften. Um ein krasses Beispiel – auch wieder aus jüngster Zeit – zu zitieren: Der salafistische Scheich Yasir al-Ajlawni (Damaskus) sprach am 5. April 2013 eine Fatwa aus: Die Vergewaltigung christlicher Frauen widerspreche nicht den Geboten des Islam.

Es ist geradezu ein Stereotyp, dass in manchen Ländern ein muslimischer Mob nach dem Freitagsgebet zu christlichen Häusern zieht, um dort zu plündern und Feuer zu legen. Dass Hassprediger von Staaten ausgebildet und finanziert werden, die mit dem Westen beste wirtschaftliche Verbindungen pflegen, gehört zu den politischen Perversionen der letzten Jahrzehnte.

Auch hier zeigt sich ein Silberstreif am Horizont. Denn viele muslimische Staaten haben sich auf dem Papier zu Menschenrechten und Religionsfreiheit bekannt. Zumindest vom Prinzip her können daher diskriminierte Christen in manchen islamischen Staaten vor Gericht ihr Recht einfordern. Das wird im konkreten Fall nicht immer fruchten, aber ein beharrliches Pochen auf verbriefte Rechte kann eine Veränderung im Rechtsbewusstsein der muslimischen Bevölkerung fördern. Dazu braucht es einen langen Atem und vor allem auch die Unterstützung durch westliche Medien und soziale Netzwerke, die sich für die Gewährung der Menschenrechte starkmachen.

Ein weiteres Hoffnungszeichen war die „Erklärung von Marrakesch“ vom Januar 2016: 250 Imame und Rechtsgelehrte aus schiitischen und sunnitischen Ländern haben sich gegen jede Diskriminierung von Nicht-Muslimen in islamischen Ländern ausgesprochen. Sie forderten das Konzept einer „Staatsbürgerschaft“, das auch anderen Religionen und Kulturen einen gleichberechtigten Raum gewährt. Und schließlich wurde die Forderung erhoben, dass die schulischen Lehrpläne von diskriminierenden Äußerungen gegen Nicht-Muslime gereinigt werden sollten.

Auch wenn diese islamischen Gelehrten vielleicht nur eine kleine Minderheit innerhalb der muslimischen Welt darstellen, so muss man gerade ihr Bekenntnis beim Wort nehmen und sie unterstützen. Dabei kommt Muslimen, die schon länger in Europa leben, eine Schlüsselrolle zu: Denn sie können ihre positiven Erfahrungen mit einer demokratischen und toleranten Gesellschaft an muslimische Geflüchtete vermitteln und diesen dadurch helfen, den tief sitzenden „Anti-Christianismus“ zu überwinden. Europäische Islamverbände können demokratische Bewegungen in islamischen Ländern unterstützen und Muslime in Europa sich dafür einsetzen, dass die Freiheiten, die sie hier genießen (z. B. beim Bau von Moscheen), etwa auch den Christen in der Türkei zugestanden werden. Ganz auf dieser Linie hat der Bundesvorsitzende der GRÜNEN Cem Özdemir im Frühjahr 2016 kritisiert, dass in der Türkei christliche Kirchen verstaatlicht werden.

Europa muss das Beste geben, was seine Geschichte hervorgebracht hat: Menschenrechte, Demokratie, Gleichberechtigung der Geschlechter, Rechtsstaat, Religionsfreiheit. Nur wenn Muslime in Europa erfahren, dass sie fair und gleichberechtigt behandelt werden, kann ein Umdenkprozess einsetzen. Fatal sind Angriffe auf Muslime, auch wenn sie „nur“ verbal erfolgen – denn sie vertiefen die alten Vorurteile und Gräben. Umgekehrt darf eine Willkommenskultur nicht dazu führen, die eigene Kultur unter den Gebetsteppich zu kehren. Warum soll das Essen in Schulen für alle nur noch „halal“ angeboten werden? Es ist ein falsches Signal, wenn muslimische Speisevorschriften plötzlich auch für Nichtmuslime gelten: Denn damit wird ja die religiöse Überlegenheit bestätigt, von der Muslime überzeugt sind – und die Abwertung der anderen zementiert. Auch wenn es einen finanziellen und organisatorischen Mehraufwand bedeutet: Der Pluralismus und die Gleichberechtigung werden dadurch praktisch erfahrbar, dass man die Wahlmöglichkeit hat: Schwein – oder Nicht-Schwein? Das muss eine Frage bleiben!

Manche Christen aus dem Irak und aus Syrien brauchen noch Zeit, um sich mit Muslimen wieder anzufreunden, nachdem sie erst vor kurzem von ihren muslimischen Nachbarn so schändlich verraten worden sind. Die Verletzungen, die sie und ihre Vorfahren seit Jahrhunderten erlitten haben, sitzen tief. Sie predigen keinen Hass, sondern beten um Frieden und Versöhnung. Und wenn beispielsweise die „Erklärung von Marrakesch" kein Lippenbekenntnis bleibt, können respektvolle und freundschaftliche Beziehungen zwischen orientalischen Christen und Muslimen – auf einer neuen und tragfähigen Basis – wieder wachsen. Ich denke mit Bewunderung an Rami aus Mossul, dessen jüngerer Bruder von den Dschihadisten ermordet und dessen christliche Familie aus der Heimat vertrieben wurde: Als ehrenamtlicher Dolmetscher begleitet er mit großem Einsatz eine muslimische Familie bei Behördengängen.

Der Verzicht auf die Rede- und Denkweise von „Ungläubigen" stellt den Islam vor große theologische Herausforderungen. Denn es braucht Koraninterpretationen, die nicht die „jüngeren Suren" zur Richtschnur machen. Der Koran muss vielmehr von den Offenbarungen aus der Frühzeit her verstanden werden. Eine solche Leseweise widerspricht zwar vielen klassischen Strömungen im Islam, wird aber von manchen muslimischen Theologen mit guten Gründen vertreten. So zeigt das mutige Buch von Mouhanad Khorchide, „Gott glaubt an den Menschen", auf, dass die islamische Theologie seit der Medina-Zeit Mohammeds den gewalttätigen Kampf gegen Andersdenkende vielfach rechtfertigt. Diese selbstkritische Analyse kann dazu beitragen, dass sich der Islam von den Gewaltmustern zu lösen vermag, die einer bestimmten politischen Situation (nämlich den kriegerischen Auseinandersetzungen in Medina) geschuldet sind.

Auch andere zeitgenössische muslimische Denker suchen nach Begründungen eines pluralen Rechtsstaates im Koran; sie weisen beispielsweise darauf hin, dass der Aufruf zum Glauben ein Appell an die Entscheidung des Einzelnen darstellt und daher Freiheit voraussetzt. Daraus könnte vielleicht der Gedanke einer Religionsfreiheit abgeleitet werden. Ob allerdings solche Lesarten des Koran, die an westlichen Universitäten möglich sind, auch in den islamischen Ländern und vor allem in den breiten muslimischen Bevölkerungsschichten rezipiert werden, steht auf einem anderen Blatt.

4. Dem gemeinsamen Zeugnis für Gott verpflichtet

Im interreligiösen Gespräch geht es vor allem um den Austausch über die spirituellen Dimensionen der jeweiligen Religion. Ausgangspunkt und Herzstück jeder Religion ist es, dass der Mensch vor dem Geheimnis Gottes staunt: Gott ist immer größer als alle menschlichen Begriffe und Bilder. Diese Erfahrung kann eine tiefe Anerkennung von Pluralität wachsen lassen: Verschiedene Wege führen zu Gott. Ja: „Es gibt so viele Wege zu Gott, wie es Menschen gibt." (Papst Benedikt XVI.) Eine solche Anerkennung muss in eine gewaltfreie Praxis münden, denn nur diese gewährleistet, dass sich Menschen frei für ihren Weg zu Gott entscheiden können.

Hier liegt wohl die größte Herausforderung an die islamische Theologie und Praxis: Denn diese hat Muslimen zu keiner Zeit erlaubt, den Islam wieder zu verlassen. Der „Abfall" vom Islam wurde und wird mit dem Tod bestraft – und dieses Gewaltmuster ist derart tief in die islamischen Gesellschaften eingesickert, dass es oft sogar die eigene Familie ist, die den Konvertiten ermordet. Eine mit Gewalt erzwungene Religiosität kann nur äußerliche Gefolgschaft erzwingen. Religion aber, der es um Gott geht, muss Freiheit schenken. Denn was für Gott zählt, ist die freie Zustimmung des Herzens.

Die Praxis Jesu und das Erbe gerade der östlichen Kirchen inspirieren zur Gewaltfreiheit. Auch wenn die grundlegenden Quellen des Islam kaum gewaltkritische Ressourcen bereithalten, haben sich vereinzelt auch muslimische Denker für Gewaltfreiheit eingesetzt. Das Gebot der Stunde ist ein Bündnis zwischen solchen Strömungen, denn nur diese können den Bund Gottes mit den Menschen glaubhaft verkünden.

Das Zeugnis für Gott ist die große Herausforderung der Gegenwart, vor die der Islam wie das Christentum gleichermaßen gestellt sind. Da der Mensch auf Freiheit hin angelegt ist, wird die Glaubwürdigkeit der Religion daran gemessen, ob sie die Freiheit des Menschen fordert und fördert. Alle Gewalt, die im Namen einer Religion ausgeübt wird, zerstört ihre Glaubwürdigkeit in der Wurzel.

Christentum und Islam müssen den Dialog pflegen und im Schulterschluss für die freie Religionsausübung kämpfen, wenn sie das ihnen gemeinsam aufgetragene Gotteszeugnis nicht verdunkeln wollen. Die Rolle, die in der letzten Zeit vor allem der Islam in der Rechtfertigung von Gewalt gespielt hat, ließ bei vielen Menschen einen Generalverdacht gegen alle Religionen aufkeimen: Religion ist die Ursache von Gewalt und Krieg. Dieser Verdacht macht den Glauben an Gott für viele prinzipiell problematisch. Nur wenn es Christentum und Islam gemeinsam gelingt, die friedensstiftende Kraft der Religion in der Praxis zu erweisen, erfüllen sie ihren ursprünglichen Auftrag: ein glaubwürdiges Zeugnis für jenen Gott abzulegen, der Liebe (Christentum) oder Barmherzigkeit (Islam) ist.

Epilog: Fremde schenken Heimat

Schon seit fast einem Jahr kommt Peter zu Amanuel und Shaba, um ihnen bei den Hausaufgaben zu helfen. Der sechzehnjährige Gymnasiast wurde über den Leipziger Flüchtlingsrat vermittelt. Yousif erzählt mir, dass Peter viel öfter kommt, als ursprünglich ausgemacht. Er fühlt sich in dieser Familie anscheinend sehr wohl, klopft auch mal zum Abendessen an und bleibt dann länger sitzen. In Yousifs Familie erfährt Peter etwas gänzlich Neues: Seine Eltern hatten sich früh getrennt und er fühlte sich oft hin- und hergeschoben und nirgends ganz daheim. Bei Yousif und Tara erlebt er die Herzlichkeit einer orientalischen Familie, in die er immer kommen kann und wo man für ihn ganz selbstverständlich ein Gedeck mehr auf den Tisch stellt. Hier spürt Peter, dass er dazugehört und immer willkommen ist.

Noch eine andere Entdeckung macht Peter: Wie die meisten Leipziger ist er ohne religiöse Erziehung aufgewachsen. Von Anfang an mit Atheismus getauft glaubt er nicht an Gott. Durch Tara und Yousif begegnet er einer tiefreligiösen Familie: Die Wände sind mit christlichen Symbolen geschmückt und vor dem Essen wird gebetet. Vor allem aber entdeckt er, dass die Frage nach Gott für Yousif und seine Familie kein Gedankenspiel ist, sondern ihr ganzes Leben prägt. Sie haben für ihren christlichen Glauben einen hohen Preis bezahlt: Aus Treue zu Jesus Christus haben sie ihren gesamten Besitz und ihre Heimat verloren. Der Glaube bedeutet ihnen so unendlich viel, dass sie ihn um keinen Preis aufgeben wollten.

Eine solche innere Bindung, die Menschen ganz in Anspruch nimmt, kann der Jugendliche aus Leipzig nicht nachvollziehen. Doch er ahnt etwas von der Bedeutung einer solchen Haltung: Diese Geflüchteten finden in ihrem Glauben einen Halt, der sie nach all den Verlusten, die sie erlitten haben, aufrichtet und tröstet. Vor allem gibt der christliche Glaube Yousif und seiner Familie einen Sinn, an dem sie ihr Leben ausrichten. Sie wurden selbst durch das Schwere, das sie erlitten haben, nicht bitter. Sie glauben an eine Zukunft im Vertrauen, dass ihr Leben in der Hand eines Größeren geborgen ist.

Immer wieder diskutiert Peter mit Yousif oder Amanuel darüber, ob es Gott gibt oder nicht. Auch für Yousif eine neue Erfahrung: Denn nie zuvor in seinem Leben hatte er einen Menschen getroffen, der nicht an Gott glaubt. Glaubende und Nichtglaubende begegnen sich hier mit großem gegenseitigem Respekt … und bereichern einander.

Durch meine Kontakte mit christlichen Geflüchteten aus dem Orient stellt sich auch mir die Frage, wie viel *mir* mein Glaube bedeutet. Ist er nur eine kulturelle Tradition, um den Alltag mit ein paar Riten zu verschönern? Wenn ich mein Christsein ernst nehme, dann geht es ums Ganze. Denn wenn sich diese Welt Gott verdankt, dann folgt daraus ein Glaube, der die Erde liebt. Wenn alle Menschen Kinder Gottes sind, so realisiert sich der Glaube im Einsatz für eine immer größere Gleichheit und Geschwisterlichkeit unter den Menschen. Das Herzstück des christlichen Glaubens ist die Person Jesus Christus. In ihm ist die Menschenfreundlichkeit Gottes erschienen. Und diesem nahen und liebevollen Gott können wir dann begegnen, wenn wir uns einsetzen für die Ausgestoßenen und Bedrängten, für die Notleidenden und die Geflüchteten. In Jesus Christus identifiziert sich Gott selbst mit ihnen: „Ich war fremd und obdachlos – und ihr habt mich aufgenommen." (Mt 25,43)

Von den Christen aus dem Orient lerne ich, dass mich mein Glaube auch etwas kosten darf. Ich muss – Gott sei Dank – nicht alles aufgeben. Aber ich frage mich auch: Kann ich auf Überfluss und Luxus verzichten, damit Flüchtlinge bei uns Platz finden? Und welche Prioritäten setze ich beispielsweise in meiner Freizeit – angesichts der Tatsache, dass viele Menschen zu uns gekommen sind, die ganz konkret Hilfe brauchen?

Die Frage stellt sich auch für den „Glauben" unserer Gesellschaft: Wenn wir wirklich Frieden, Gerechtigkeit und die Bewahrung der

Schöpfung wollen, dürfen wir nicht vergessen, dass diese Werte auch ihren Preis haben. Freiheit und Menschenwürde gibt es nicht zum Nulltarif! Das Humane muss der Bequemlichkeit, dem nationalen Egoismus und einer reinen Konsummentalität abgerungen werden. Gerechtigkeit kann nur dann wachsen, wenn wir dem Irrglauben eines unbegrenzten Wachstums abschwören. Frieden wird nur dann möglich sein, wenn wir bereit sind, die Waffenindustrie abzubauen und keine totalitären Regime mehr zu unterstützen. Will ich eine Politik mittragen, die uns vielleicht auch einen Verzicht zumutet – im Interesse einer gerechteren Weltwirtschaftsordnung? Unterstütze ich Nicht-Regierungs-Organisationen, die sich für die Opfer politischer und wirtschaftlicher Systeme einsetzen?

Die Christen aus dem Nahen Osten haben alles aufgegeben, um ihrem Glauben an das Evangelium treu zu bleiben. Sie kommen aus der Heimat des Christentums und erinnern uns an unsere eigenen Ursprünge und Werte. Wenn wir sie aufnehmen, kann dieses wertvolle Erbe bewahrt bleiben und die Zukunft der Menschheit menschlicher werden.

Selig seid ihr, die ihr eure Häuser und eure Arbeit zurückgelassen habt, um eurem Glauben treu zu bleiben! Habt Geduld, verliert nicht die Hoffnung in all dem, was ihr heute an Prüfung und Angst leben müsst: Denn ich verlasse euch nicht!

Selig seid ihr, die ihr euch nicht davor fürchtet, eure Heimat und euren Besitz zu verlieren! Ihr habt es vorgezogen, Flüchtlinge zu sein. Ihr habt die Armut und die Erniedrigung vorgezogen und seid mit mir eins geworden im Leiden. Bleibt in mir, dann werdet ihr auch die Ehre mit mir teilen, die von Gott kommt.

Selig seid ihr, die ihr eure Herzen vor Hass und Wut bewahrt habt! Ihr habt das Böse nicht mit Bösem bekämpft, damit ihr Kinder eures Vaters im Himmel seid.

Selig seid ihr, die ihr in euren zerrissenen Seelen leidet! Ihr seid entwurzelt worden; eure Erinnerungen sind geraubt und zerbrochen. Ihr sollt wissen, dass jeder Tag eures Lebens und jede Träne eurer Augen im Herzen Gottes aufbewahrt bleiben.

Selig seid ihr, die ihr bereit seid, als Gäste zu leben, als Fremde und Nomaden! So seid ihr Zeugen des Reiches Gottes durch eure Demut und euren Glauben, durch eure Vergebung und eure Freude.

(Christliche Jugendliche formulierten 2015 diesen Text für einen Gottesdienst in einem Flüchtlingslager von Ankawa.)

Literaturhinweise

Zum Schicksal der orientalischen Christen:

Zahlreiche Dokumentationen wurden herausgegeben von der „Gesellschaft für bedrohte Völker" (Göttingen), https://www.gfbv.de .

Rita Breuer, Im Namen Allahs? Christenverfolgung im Islam, Herder-Verlag Freiburg, überarbeitete Neuauflage 2015.

Louis Raphaël Sako, Marschiert endlich ein! Stoppt die Ermordung der Christen im Nahen Osten, Herder-Verlag Freiburg 2016.

Zum Völkermord an den aramäischen Christen:

Gabriele Yonan, Ein vergessener Holocaust. Die Vernichtung der christlichen Assyrer in der Türkei (Hg: Gesellschaft für bedrohte Völker), Göttingen 2006.

Daraus wurde zitiert: S. 182f. (hier: 104); S. 250 (hier: 103f.); S. 297 (hier: 102); S. 299 (hier: 102).

Zum Völkermord an den Armeniern:

Michael Hesemann, Völkermord an den Armeniern, Herbig-Verlag München 2015.

Zur politischen Lage im Nahen Osten und zum Islamischen Staat:

Michael Lüders, Wer den Wind sät. Was westliche Politik im Orient anrichtet, C.H.Beck München 2015.

Rainer Hermann, Endstation Islamischer Staat? Staatsversagen und Religionskrieg in der arabischen Welt, dtv München 2015.

Bruno Schirra, ISIS. Der globale Dschihad, Econ-Verlag, 3. Auflage 2015.

Zur Geschichte der orientalischen Kirchen:

Johannes Oeldemann, Die Kirchen des christlichen Ostens, Pustet-Verlag Regensburg 2016.

Zur Frage von Religion und Gewalt:

Andreas Knapp/Melanie Wolfers, Glaube, der nach Freiheit schmeckt, Herder-Verlag Freiburg, 4. Auflage 2016.

Zur Integration der orientalischen Christen in Deutschland:

Deutsche Bischofskonferenz, Arbeitshilfen Nr. 283, Bonn 2016 (kostenlos).

Sehr berührend das Interview mit Myriam, einem zehnjährigen Mädchen aus Karakosch:
www.youtube.com/watch?time_continue=2&v=P67wUhrSJGA.

Andreas Knapp

Dr. theol., ist Priester und Dichter und leitete viele Jahre das Priesterseminar in Freiburg. Im Jahr 2000 schloss er sich dem Orden der „Kleinen Brüder vom Evangelium“ an. Heute lebt er mit drei Mitbrüdern in einem Plattenbau in Leipzig, wo er sich in der Gefängnisseelsorge und Flüchtlingsarbeit engagiert. Andreas Knapp ist Autor zahlreicher erfolgreicher Bücher.

Aufgrund der gewaltsamen Vertreibung aller Christen aus Mossul und Karakosch im Jahr 2015 konnten die Rechte für folgende Bilder nicht mehr ermittelt werden: 1. Bildteil, 3/2, 3/3 und 3/4.
Für Hinweise sind wir dankbar.

1. Auflage 2016
Bestell-Nr. 835118
ISBN 978-3-86334-118-3

Umschlaggestaltung: Gute Botschafter GmbH, Haltern am See
Umschlagmotiv: © Todras-Whitehill/NYT/Redux/laif
Innengestaltung: Maike Michel
Satz: Uhl + Massopust GmbH, Aalen
Druck und Verarbeitung: GGP Media GmbH, Pößneck
Printed in Germany

www.adeo-verlag.de